EL MASAJE CORPORAL

C/ San Rafael, 4
28108 Alcobendas (Madrid)
Tel.: 91 657 25 80
Fax: 91 657 25 83
e-mail: libsa@libsa.redestb.es

ISBN: 84-7630-617-2
D. L.: M-8514/97

Impreso en España/*Printed in Spain*

EL MASAJE CORPORAL

ISABEL CORRAL PÉREZ

LIBSA

INDICE

Introducción

Cuando alguna parte de nuestro cuerpo es accidentalmente golpeada, recibe un chorro de calor o es agredida por una corriente de aire frío, nuestras manos se dirigen inconscientemente hacia la parte afectada, siendo su primer impulso el de friccionar la zona dolorida. Este acto reflejo hace, sin duda, que la molestia disminuya. Nuestras manos son portadoras de una energía que, en este caso, calmará el dolor. Además de este efecto sedante podemos, también con nuestras manos y mediante caricias, expresar a las personas que nos rodean el amor que sentimos por ellas.

Estos dos actos reflejos son parte integrante de nuestro ser y deben de haberlo sido desde que el mundo es mundo y la especie humana lo habita.

Cuando se unen ambos sentimientos, la necesidad de aliviar una zona dolorida del cuerpo y el deseo de demostrar cariño hacia otros, nos encontramos con los ingredientes básicos para que el masaje sea un milagro, un pequeño milagro cotidiano que se halla al alcance de quien, consciente de estas dos potencias sanadoras, el amor y el afán de aliviar el sufrimiento ajeno, decide empezar a caminar por la senda del masaje. Lo malo, o lo bueno, es que, cuando ponemos el pie en este camino y se descubre lo importante que puede llegar a ser, quedamos enganchados a sus redes.

Poco a poco, día a día, el contacto con la piel del prójimo nos va enriqueciendo. Nos vamos sintiendo cada vez más capaces de procesar la información que el órgano más grande del cuerpo humano, la piel, nos ofrece. Si sabemos interpretar sus mensajes, ella nos va a informar del estado general de la persona, tanto en el plano físico como en el psíquico.

La piel es como una envoltura que trata de ocultar algún objeto; los extraños no podrán saber, ni siquiera intuir, qué se esconde debajo, mientras que, para quien tenga las claves, la adivinanza no será difícil de resolver.

Este acto voluntario de amor hacia la persona que está indefensa y necesitada de cuidados, entregada al buen hacer de nuestras manos, viene, por otro lado, a saciar un inmenso vacío, el que produce la actual sociedad mecanizada; un vacío que sólo se llena con el poder que nuestras manos irradian al tocar.

Es bien sabido, y está estudiado, que los niños que crecen entre caricias alcanzan un desarrollo físico más completo y un aspecto más saludable que otros, atendidos, por ejemplo, en centros benéficos donde se cubren sus necesidades materiales pero en los cuales no reciben el cariño materno. Estos niños poco acariciados tienden también a ser huraños y retraídos, mientras que los demás son comunicativos y sociables.

Al acercarse una persona a otra con voluntad firme de que ese contacto adquiera un cariz sanador, es cuando la caricia se convierte en masaje. Cuando éste se produce, es preciso tener conciencia de que no sólo se están realizando una serie de maniobras más o menos estudiadas para lograr unos efectos deseables sobre el cuerpo, sino que además, se están poniendo en marcha unas energías sutiles que confieren al acto del masaje un efecto curativo impensable.

El masaje llega a adquirir su dimensión justa cuando, conocidas las técnicas, el practicante las hace suyas, las integra. Una vez que el masajista logra tal destreza, la técnica abandona el nivel consciente ("tengo que hacer esto para conseguir este resultado") y su acción surge de un estrato más profundo. De este modo, las manipulaciones fluyen justas y exactas, sin que medie un esfuerzo al contactar con el cuerpo del otro. La piel del paciente deja de ser una barrera, el "yo" y el "tú" se difuminan, los movimientos adquieren un ritmo sanador, tranquilizante. El olvido de la técnica da paso al arte. No obstante, para alcanzar ese nivel, será forzoso adquirir un adiestramiento correcto y efectivo o, lo que es lo mismo, saber qué hacer, cómo y dónde.

Etimología e historia

Las raíces etimológicas de la palabra masaje no están muy claras. Parece ser que es el francés Le Gentil, *a finales del siglo* XVIII, *quien utiliza primeramente el vocablo masser, en su lengua natal, para hacer referencia a una serie de manipulaciones médicas, similares al amasamiento, practicadas por el terapeuta sobre el paciente.*

Sin embargo, quizá sea preciso ir más atrás en el tiempo para encontrar la paternidad de la expresión, que puede provenir del griego massien o del árabe mass. En algunos textos antiguos, se encuentran referencias a este tipo de prácticas terapéuticas denominándolas sobeos o pellizcados.

En cualquier caso, es alrededor de 1800 cuando se empieza a mencionar este tipo de maniobras sanadoras con el término de masaje.

Existen testimonios de técnicas que se pueden encuadrar dentro del amplio abanico de posibilidades que ofrece el masaje. En China se han hallado escritos que se remontan a unos 3.000 años antes de J.C.

Igualmente, se han encontrado en tumbas egipcias frisos con figuras y dibujos que hacen clara referencia a manipulaciones terapéuticas practicadas por los médicos de los faraones, que hoy calificaríamos como masajes.

En la India, casi 2.000 años antes de J.C., algunos textos médicos aconsejan fricciones y otras manipulaciones con fines curativos. Hombres tan impor-

tantes como Hipócrates, Galeno y Asclepiades, que sentaron las bases de la medicina griega y romana en los siglos V y IV antes de J.C., son abiertos defensores del masaje y lo recomiendan entre sus terapias.

En Roma enriquecían la práctica del masaje con la aplicación de aceite de oliva y esencias. Las personas que ejercían esta profesión en las termas eran conocidas como tractatores.

También se aplicaba el masaje, que hoy llamaríamos deportivo, para fortalecer y relajar la musculatura de atletas y gladiadores.

Con la caída del Imperio Romano y debido, en parte, a que estas técnicas terapéuticas van degenerando y derivando hacia terreno erótico, la práctica del masaje se va desprestigiando.

La llegada del cristianismo refuerza esta tendencia y el oscurantismo de la Edad Media lo relega aún más al olvido.

Salvo el paso al frente dado por Avicena, que establece pautas muy claras para la práctica del masaje y sus distintas posibilidades, hasta el Renacimiento, en el que se despierta un gran interés hacia el cuerpo, no se ve la necesidad de desenterrar aquellas técnicas.

Al hacer mención a estas prácticas, todavía no puede hablarse de masaje pues, en muchos casos, no se trata tanto de terapias como de métodos para la higiene corporal. En Francia, el cirujano Ambros Paré (1517-1590) da un fuerte impulso al masaje, al recomendar la aplicación de fricciones en torno a zonas lesionadas.

Doscientos años después, un compatriota suyo, Tissot, realiza una clasificación de las distintas manipulaciones, proponiendo la intensidad a ejercer al practicarlas y determinando la duración adecuada de los tratamientos.

En el siglo XIX, tras un viaje a través de China que le lleva a conocer muchas de sus costumbres, el poeta sueco Per Henrik Ling otorga al masaje y a la gimnasia la importancia que realmente tienen en el restablecimiento y mantenimiento del cuerpo.

Funda el Instituto Gimnástico Central de Estocolmo y abre nuevos y esperanzadores caminos para estas terapias.

A partir de este momento, el masaje se aplicará de una forma científica.

Famosos cirujanos y médicos se dedican al estudio de sus bases fisiológicas, aportando recomendaciones sobre técnicas específicas aplicables para cada caso.

Paulatinamente van tomando cuerpo en Europa tres grandes escuelas: la sueca, enérgica y que abarca grandes zonas corporales; la francesa, más delicada y que utiliza maniobras más suaves, y la alemana, con masajes más profundos y numerosas manipulaciones y movilizaciones.

La llegada a Occidente de las técnicas orientales, actuando sobre niveles energéticos, abren una nueva gama de posibilidades y tendencias hacia un tipo de masaje más sensitivo e intuitivo que, con el tiempo, puede dar lugar a un enriquecimiento de las terapias manuales que hoy, en el mundo occidental, conocemos como masaje.

CAPITULO I

Diversos tipos de masaje

En primer lugar, vamos a hacer una clasificación de los diferentes tipos de masaje existentes en torno a dos grandes grupos. Estos dos primeros bloques se denominan masajes manuales y masajes no manuales.

En los segundos, las manos del masajista se sustituyen o refuerzan con aparatos mecánicos y con los efectos que éstos producen. Un ejemplo de este tipo de terapia es el hidromasaje, que combina el agua con el masaje propiamente dicho, que es una práctica de la hidroterapia que debe su popularidad a Priessnitz, un campesino alemán que alcanzó la fama gracias a sus curas, y al Abate Kneipp quien, tras aplicar en sí mismo este método curativo, desarrolló una serie de técnicas basadas en la utilización del agua.

En cuanto a las modalidades que se sirven de aparatos mecánicos, sólo hacer referencia a ellas y dejar constancia de que existen; se trata de procedimientos utilizados en numerosas consultas, por lo general como técnicas auxiliares, pero se pueden producir idénticos o mejores efectos a través de la sensación y energía que transmiten las manos sabiamente adiestradas de un buen profesional del quiromasaje.

Los masajes manuales pueden clasificarse en tres grupos: el quiromasaje tradicional, que actúa fundamentalmente sobre los músculos; el masaje oriental o energético, que busca el equilibrio energético y trabaja sobre los meridianos de acupuntura o digitopuntura, y los masajes reflejos, que actúan mediante presiones o contactos ejercidos a distancia del órgano que se intenta revitalizar.
Es del quiromasaje tradicional o terapéutico del que vamos a ocuparnos, puesto que se trata del objeto de esta obra. Conviene, no obstante, esbozar las otras tendencias, puesto que todas ellas son igualmente válidas, herramientas que están al alcance de la mano para enriquecer este trabajo, que ha de ser dinámico y debe estar abierto a nuevas perspectivas.

Actualmente, el quiromasajista puede ejercer un número de manipulaciones tal que sorprendería, sin duda, a quienes, en los albores del quiromasaje, apostaron por esta terapia. Fue su intuición, su investigación y su constancia las que han llevado a esta serie de técnicas a ser un importante método sanador. Nuestra misión ahora es conocerlas y hacer buen uso de ellas.

Comenzaremos con el masaje oriental, siguiendo con la reflexología podal, que se encuadra en la categoría de masajes reflejos, para terminar con técnicas de automasaje. Será después de esta alusión a los distintos tipos de masaje cuando nos adentremos en el tema principal del libro: el quiromasaje.

MASAJE ORIENTAL O ENERGÉTICO

El masaje oriental o energético utiliza como medio de transmisión, al igual que el masaje occidental, las manos del experto. Sin embargo, éstas no actúan en los mismos lugares, ni lo hacen con la misma presión, intensidad e intención, ya que en Oriente se parte de otros conceptos. La filosofía oriental, que lo impregna todo, incluido el arte de curar, está basada en dos grandes teorías: la binaria y la quinaria.

La teoría binaria se fundamenta en el hecho de que todo encierra dos tendencias antagónicas e interdependientes, es decir, que son contrarias pero que no pueden existir la una sin la otra. Su representación se realiza mediante un círculo en el que la mitad está ocupada por el yin y la otra mitad por el yang, en dos mitades simétricas, diferentes y diferenciadas claramente, pero iguales.

El desequilibrio se manifiesta aquí de dos maneras: en exceso o en defecto. El equilibrio entre estas dos tendencias es la salud (Aristóteles decía que estaba entre el calor y el frío). Esto sucede cuando la energía o fuerza vital, que los orientales denominan chi o ki, fluye armoniosamente por el organismo.

La otra teoría en la que basan sus conocimientos del cuerpo humano, la quinaria, surge de la ley de los cinco elementos: madera, fuego, tierra, metal y agua. Puede darse una relación correcta o incorrecta entre ellos, siguiendo este ciclo: la madera genera el fuego, éste la tierra, la tierra el metal, éste el agua y el agua la madera.

Aplicando esta suposición al ámbito médico, cada uno de los elementos en su parte yin representa a un órgano o víscera; de este modo, la madera es el hígado, el fuego corresponde al corazón, la tierra es el bazo, el metal son los pulmones y el agua, los riñones. Mientras que su aspecto yang corresponde a las vísceras: madera, vesícula biliar; fuego, intestino delgado; metal, intestino grueso; tierra, estómago; agua, vejiga. La originalidad de esta medicina estriba en que cada una de las tendencias, exceso o defecto, están plasmadas en nuestra piel, recorrida por canales energéticos que pueden ser activados o sedados mediante presión o inserción de agujas en ciertos puntos, conocidos en Oriente como isutos, alojados bilateralmente en 12 meridianos. Además de los meridianos de órganos y vísceras, se incluyen el maestro de corazón (yin) y el meridiano del triple calentador (yang).

Conviene destacar que, en algunas técnicas de masaje occidentales, también se actúa en estos puntos; este hecho tiene lugar debido a que se ha llegado a saber, por distintos cauces, que cierta presión en determinadas zonas del cuerpo hace desaparecer un cuadro doloroso. En este sentido se puede hacer mención de las Zonas Metaméricas de Head, puntos concretos de la piel en los que se manifiestan dolores producidos por la enfermedad de un órgano interno y a las Zonas Musculares de MacKenzie, músculos o zonas musculares en las que se presenta un dolor que es producto de trastornos internos más profundos.

Volviendo al masaje oriental, vamos a detenernos levemente en la digitopuntura. Tal y como se practica en Occidente, suele

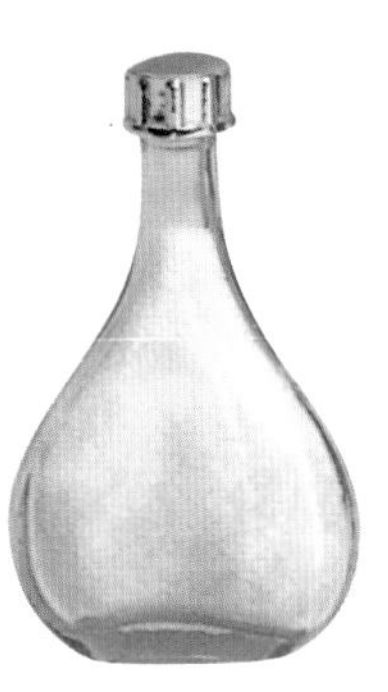

nutrirse de varias técnicas orientales y a veces lo hace de algunas de las occidentales ya mencionadas. Los puntos de digitopuntura están casi siempre situados en el nivel cutáneo superficial, por lo que no se requiere ejercer mucha presión, en general, aunque en ocasiones se precisa presionar hasta localizar el punto que interesa.

Si bien son zonas muy pequeñas (entre 3 y 5 cm de diámetro), es fácil localizarlas basándose en los puntos de presión-dolor o de dolor espontáneo que dan la pauta de la zona a explorar.

Estas técnicas son muy valiosas cuando se utilizan correctamente, aunque es forzoso reconocer que el realizar un diagnóstico exacto requiere práctica y que sin él los efectos terapéuticos pueden ser menores.

No está de más que el masajista tenga en cuenta que la medicina tradicional china sostiene que los problemas musculares están relacionados con el elemento madera y tienen que ver con la energía del hígado o la vesícula biliar, dependiendo de si es yin (crónico, previsible) o yang (espontáneo).

Las técnicas de digitopuntura se utilizan con mucho éxito al tratar enfermedades que se manifiestan con algias (dolores) que se reflejan en el nivel superficial, como pueden ser los dolores reumáticos, los cólicos, las neuralgias y un largo etcétera que abarca problemas musculares, viscerales y traumáticos.

El equilibrio energético que persiguen estas terapias da lugar a una gran relajación que ayuda a liberar las tensiones y produce unos efectos analgésicos y sedantes considerables.

MASAJES REFLEJOS: LA REFLEXOLOGÍA PODAL

Dentro de los masajes reflejos, posiblemente el más conocido sea la reflexoterapia, reflejoterapia o reflexología podal.

La reflexología podal es una técnica terapéutica que trata de mantener la armonía de nuestro organismo. Repercute sobre glándulas, órganos y partes del cuerpo de una manera insustituible, equilibrando energías y ayudando a prevenir y curar muchas dolencias.

Para llegar desde los pies o las manos a todos los rincones del cuerpo, esta terapia se sirve de puntos reflejos, que en este caso no son nerviosos, sino terminaciones de vías energéticas que atraviesan el cuerpo desde la parte superior de la cabeza hasta el dedo gordo del pie o el pulgar en la mano. Esto nos permite trazar unas líneas de localización de puntos reflejos.

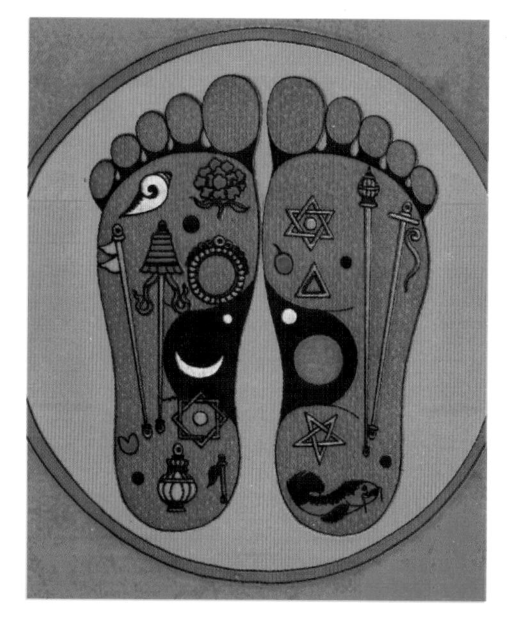

Cada una de estas líneas atraviesa, en su recorrido, los diferentes órganos, glándulas y partes del cuerpo. Su estimulación ayuda a equilibrar energéticamente el organismo, excitando o sedando allí donde sea preciso.

Los orígenes de la reflexología podal se remontan, según diversos autores, a la China y la India, unos tres mil años antes de J.C.

En Egipto, alrededor de dos mil trescientos años antes de J.C., el interior de una tumba, conocida como la tumba de los médicos, fue pintada con figuras que representan a unos hombres dando y recibiendo masajes en pies y manos. La traducción de los jeroglíficos dice algo así: "No me hagáis sufrir", respondiendo el terapeuta: "Agradecerás lo que te estoy haciendo". Esto podría ser perfectamente el diálogo entre paciente y masajista en una consulta de reflexología podal hoy en día.

En Occidente, en EE.UU., a principios de nuestro siglo, el otorrinolaringólogo William Fitzgerald, partiendo de los estudios del doctor Bresler y de su propia observación, llega a conclusiones que le permiten desarrollar la Terapia de zonas o Terapia zonal. El doctor Fitzgerald había comprobado que algunos de sus pacientes se recuperaban mejor que otros al presionar inconscientemente alguna zona de sus manos. Comenzó entonces a colocar bandas de goma, peines y otros artefactos sobre los dedos de los pies y las manos, consiguiendo reproducir el efecto anestésico.

La terapia zonal divide, imaginariamente, el cuerpo por la mitad y lo atraviesa con diez líneas verticales, cinco en el lado derecho y las otras cinco en el izquierdo, empezando en la cabeza y terminando en los dedos de las manos y de los pies.

Partiendo de estas directrices, una masajista norteamericana, Eunice D. Inghan, creó el Método Inghan de Masaje de Compresión. Fundó escuela en EE.UU. y fue la primera en elaborar un mapa topográfico de los pies. En su período de investigación, utilizaba bolas de algodón sobre los puntos sensibles de los pies, haciendo caminar con ellas a sus pacientes, para conseguir, así, estimular los reflejos. Finalmente, llegó a la conclusión de que era más fácil y efectivo presionar directamente sobre el punto doloroso con el dedo pulgar.

En 1938 consideró que su experiencia debía ser transmitida: publicó un libro, -Historias que los pies pueden contar- y comenzó a dar conferencias e impartir cursos por todo el país.

Cuando muere, en 1974, a los 85 años, el método Inghan era ya un clásico en el mundo de la reflexología. Posteriormente, sus seguidores crean el Instituto Internacional de Reflexología, que se encarga de velar por la aplicación del método original, para que permanezca tal como su creadora lo estableció.

Una enfermera alemana, Hanne Marquardt, en un período de su vida en que trabaja como masajista, da un nuevo impulso a la reflexología, trayéndola a Europa. Al leer el libro de Eunice D. Inghan por curiosidad, comienza a probar el método, consiguiendo resultados sorprendentes tanto para ella como para sus pacientes. Tras años de práctica y basándose en este libro, consigue trabajar con la Sra. Inghan en los últimos años de su vida.

Al regresar a su país, el contacto con otros profesionales sanitarios le anima a implantar un primer curso de formación en Alemania. Éste fue seguido por otros muchos, y por continuas invitaciones para dar conferencias y seminarios en los círculos médicos de diferentes países europeos, Sudáfrica e Israel. Se han creado escuelas en algunos países de Europa y grandes hospitales han incluido los masajes reflejos entre sus terapias de atención al enfermo.

Hoy día es común que, entre las indicaciones que un médico naturista en Alemania da a sus pacientes, se encuentre la prescripción de una serie de masajes de reflexología podal.

Antes de comenzar el masaje reflexológico, conviene hacer manipulaciones de relajamiento muscular en todo el pie, moviéndolo bien para que la zona esté irrigada y el trabajo sea más grato. Nos ayudará a liberar tensiones y será muy útil para efectuar una primera toma de contacto con el paciente. Es bueno hacer amasamientos en las zonas más blandas y rotaciones de las articuladas (dedos y tobillos). Es importante que la persona que va a recibir el tratamiento se sienta confiada, por lo que hay que huir de manipulaciones bruscas; siempre han de ser suaves, aunque firmes, para transmitir seguridad.

Una vez preparado el primer pie, no importa cuál sea (unos terapeutas comienzan por el pie derecho y otros por el izquierdo), vamos recorriendo punto por punto todos los reflejos, pasando después a trabajar en el otro pie.

Algunos reflexoterapeutas trabajan con ambos pies simultáneamente, es decir, si, por ejemplo, manipulan el reflejo del pulmón izquierdo continúan con el reflejo del derecho, cambiando de pie.

Evidentemente, la reflexología podal es una técnica que permite muchas combinaciones, por lo que cada terapeuta debe hacerla suya y aplicarla según sus propias tendencias y necesidades. Una vez conocida a fondo la técnica, cuando las manos se paseen libremente por los pies

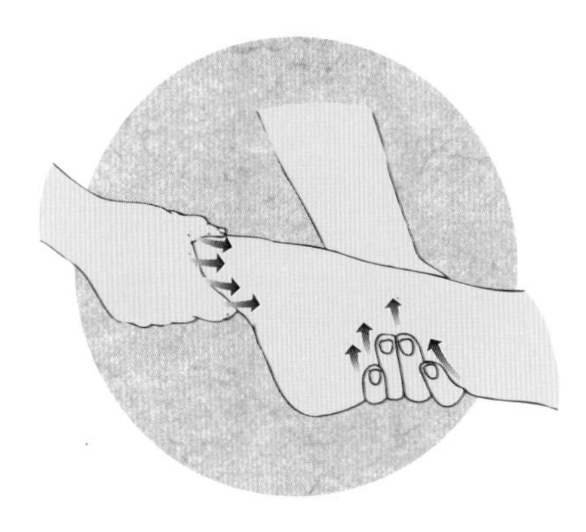

de los pacientes y la reflexología haya adquirido la categoría de arte, será cuando la intuición del terapeuta dará la forma más conveniente a su masaje.

Las manos del masajista no pueden estar frías, ni han de coger un pie como si de un objeto inanimado se tratara. A través de ellas debe ser capaz de transmitir la energía que mueve el mundo y a la que todos somos sensibles: el amor. Éste es el ingrediente básico.

Se utilizará el dedo pulgar para recorrer todos los puntos reflejos, mientras que la otra mano sujetará el pie o estará de alguna manera en contacto con él. Esto siempre nos será útil y el paciente se sentirá más arropado, más protegido, lo cual es importante para la marcha del masaje. La primera falange de nuestro dedo pulgar, moviéndose fácilmente, sin rigidez, será la mejor herramienta, aunque a veces sea preciso utilizar los

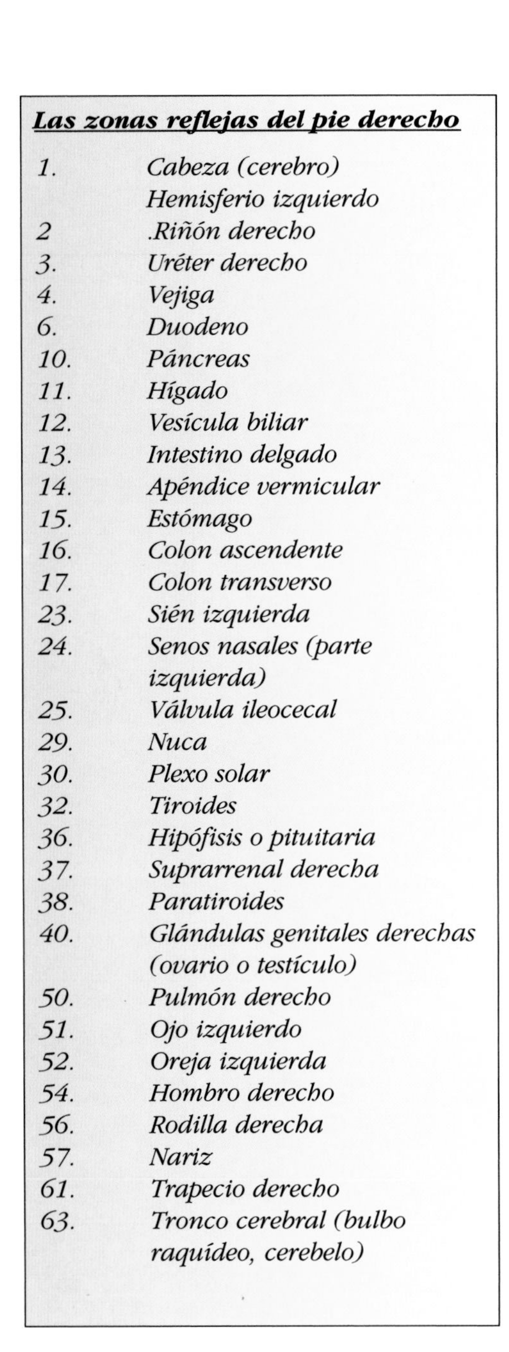

Las zonas reflejas del pie derecho

1.	*Cabeza (cerebro) Hemisferio izquierdo*
2	*.Riñón derecho*
3.	*Uréter derecho*
4.	*Vejiga*
6.	*Duodeno*
10.	*Páncreas*
11.	*Hígado*
12.	*Vesícula biliar*
13.	*Intestino delgado*
14.	*Apéndice vermicular*
15.	*Estómago*
16.	*Colon ascendente*
17.	*Colon transverso*
23.	*Sién izquierda*
24.	*Senos nasales (parte izquierda)*
25.	*Válvula ileocecal*
29.	*Nuca*
30.	*Plexo solar*
32.	*Tiroides*
36.	*Hipófisis o pituitaria*
37.	*Suprarrenal derecha*
38.	*Paratiroides*
40.	*Glándulas genitales derechas (ovario o testículo)*
50.	*Pulmón derecho*
51.	*Ojo izquierdo*
52.	*Oreja izquierda*
54.	*Hombro derecho*
56.	*Rodilla derecha*
57.	*Nariz*
61.	*Trapecio derecho*
63.	*Tronco cerebral (bulbo raquídeo, cerebelo)*

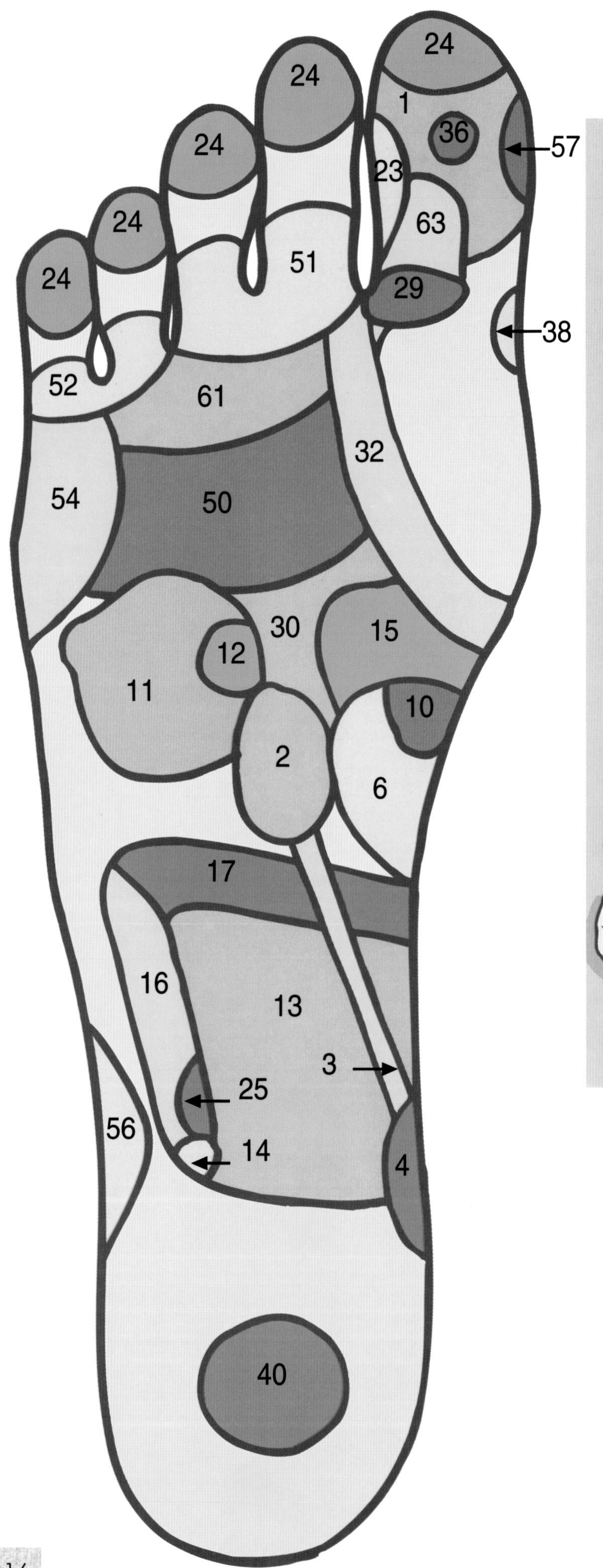

nudillos, bien porque se trate de un reflejo profundo, bien porque tengamos que incidir en una zona más dura.

Generalmente, los movimientos que siguen la dirección horaria o de las agujas del reloj se utilizan para activar y los movimientos en sentido contrario, para sedar. Muchas veces existen dudas acerca de lo que conviene hacer, si sedar o activar, por lo que lo más aconsejable es realizar un movimiento de arrastre que refleje la dirección que sigue la parte del organismo sobre la que actuamos.

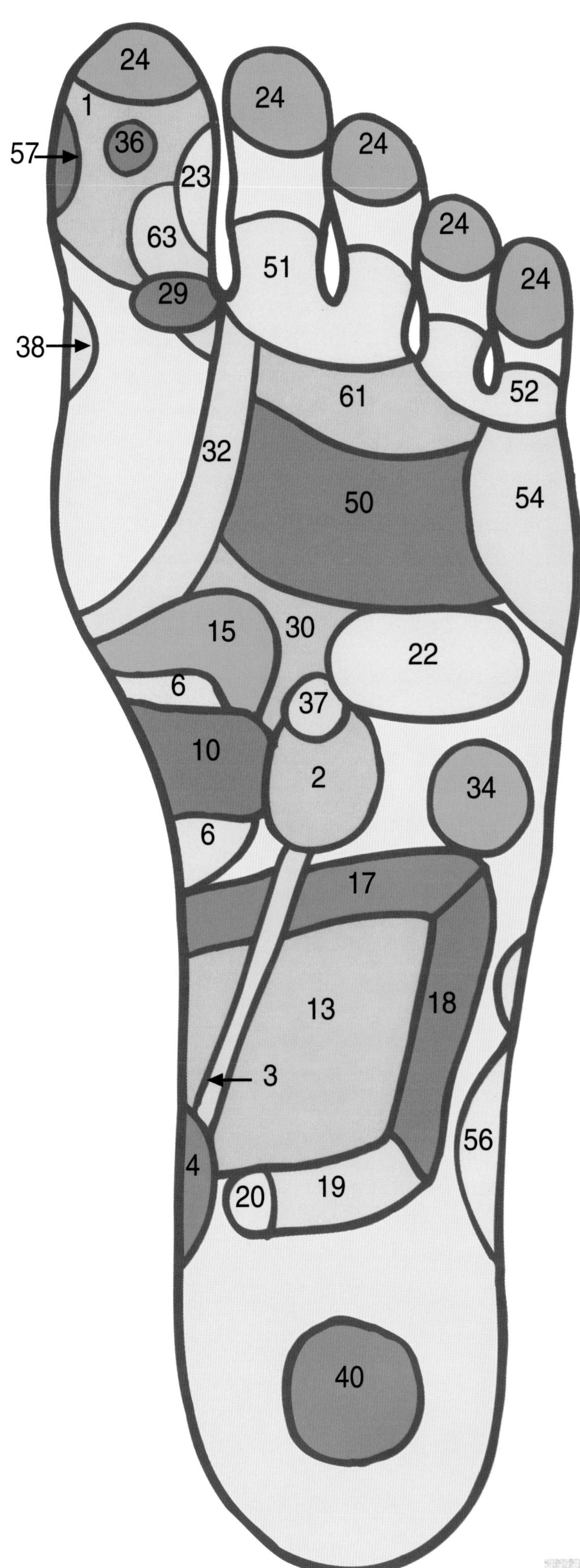

Las zonas reflejas del pie izquierdo

1.	*Cabeza (cerebro) Hemisferio derecho*
2.	*Riñón izquierdo*
3.	*Uréter izquierdo*
4.	*Vejiga*
6.	*Duodeno*
10.	*Páncreas*
13.	*Intestino delgado*
15.	*Estómago*
17.	*Colon transverso*
18.	*Colon descendente*
19.	*Recto*
20.	*Ano*
22.	*Corazón*
23.	*Sién derecha*
24.	*Senos nasales (parte derecha)*
29.	*Nuca*
30.	*Plexo solar*
32.	*Tiroides*
34.	*Bazo*
36.	*Hipófisis o pituitaria*
37.	*Suprarrenal izquierda*
38.	*Paratiroides*
40.	*Glándulas genitales izquierdas (ovario o testículo)*
50.	*Pulmón izquierdo, bronquios*
51.	*Ojo derecho*
52.	*Oreja derecha*
54.	*Hombro izquierdo*
56.	*Rodilla izquierda*
57.	*Nariz*
61.	*Trapecio izquierdo*
63.	*Tronco cerebral*

Al terminar con un pie, es conveniente hacer otra serie de maniobras relajantes, envolviéndolo y manteniéndolo caliente mientras se continúa con el otro.

Al terminar su trabajo, el terapeuta tiene que lavarse las manos con agua fría

En reflexología podal será el propio paciente quien nos haga el diagnóstico. No conviene que la persona que aplique el masaje pierda de vista el rostro de quien lo recibe, princi-

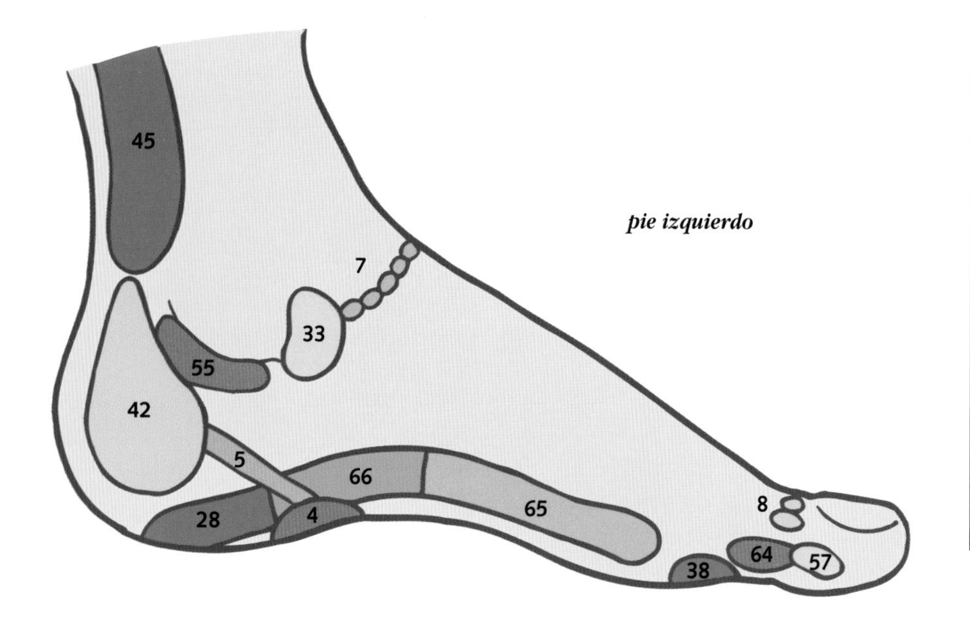

Las zonas reflejas en el interior del pie

4. *Vejiga*
5. *Pene, vagina*
7. *Trompa de falopio*
8. *Amígdalas*
28. *Sacro y coxis*
33. *Glándulas linfáticas,abdomen*
38. *Paratiroides*
42. *Utero (matriz) o próstata*
45. *Recto, hemorroides*
55. *Articulación de la cadera*
57. *Nariz*
64. *Columna cervical*
65. *Columna dorsal*
66. *Columna lumbar*

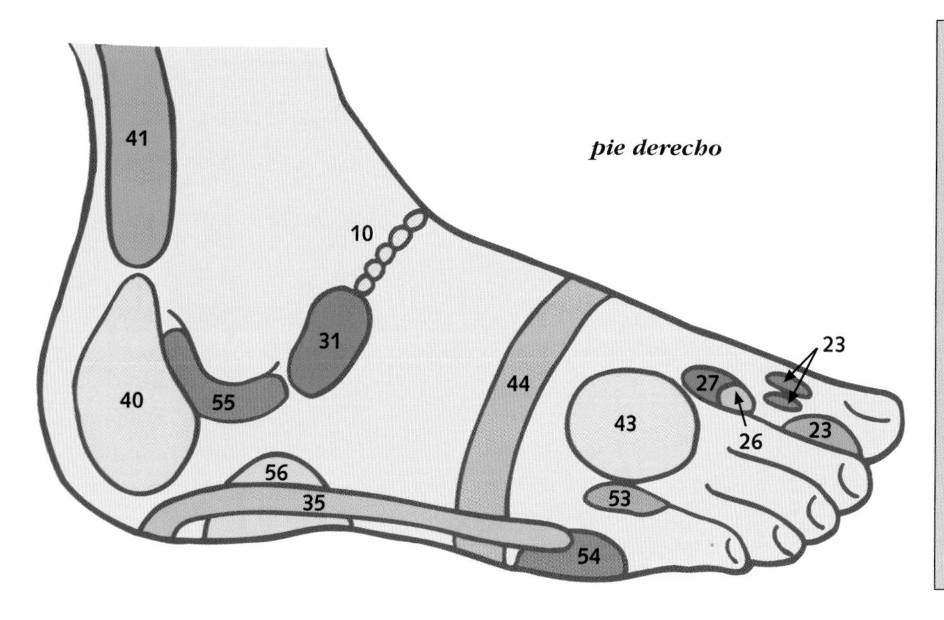

Las zonas reflejas en el exterior del pie

10. *Trompa de falopio*
23. *Sién, nervio trigemio*
26. *Laringe y tráquea arterial*
27. *Vías linfáticas superiores y canales*
31. *Glándulas linfáticas, tórax*
35. *Zona de la ciática*
40. *Glándulasgenitales, ovario y trompa de falopio, o testículo y epidimio*
41. *Alivio de abdomen en caso de dolores menstruales*
43. *Pecho (senos)*
44. *Diafragma*
53. *Centro de equilibrio*
54. *Hombro*
55. *Articulación de la cadera*
56. *Rodilla*
60. *Amígdalas*

palmente cuando considere que está tocando algún punto afectado.
El dolor, dentro de una variada gama, dirá donde está la perturbación, la cara del paciente será la que lo confirme. Quien aplique el masaje notará claramente, bajo sus dedos, zonas colapsadas donde las manos no pueden correr sin producir dolor. En otros puntos serán como pequeños cristales que producirán pinchazos. Pueden encontrarse también arenillas, durezas, o bien zonas en las que parece no haber nada. Atención a todo esto, es ahí donde están los problemas. Es bastante corriente que, de un masaje a otro, cambien total o parcialmente las zonas o puntos de dolor. Éste es un claro síntoma de que el problema ha desaparecido.

Algunas veces sucederá que exista dolor en sitios en los que el paciente no tiene constancia de que haya disfunción alguna; se trata de los vacíos o excesos de energía que inciden sobre

un órgano o parte del organismo que todavía no ha llegado a sentirse físicamente afectado.

En relación con las enfermedades que pueden ser tratadas con esta terapia, seremos nosotros mismos quienes pongamos el listón. En principio, todo el organismo va a beneficiarse de su práctica. Lo que sí conviene tener claro es que un reflexoterapeuta no va nunca a suplantar a un médico, en el sentido de que no debe hacer un diagnóstico. Si encuentra en un hombre mayor de 40 años, alterados los reflejos de próstata, suprarrenales, riñones-uréteres-vejiga, y además éste le confiesa que tiene incontinencia, el masajista puede sospechar que se trata de una prostatitis, y como tal la tratará, pero de hecho el terapeuta no tiene por qué ponerle la etiqueta, para él es simplemente un desarreglo energético de esa zona que, para solucionarse, requerirá refuerzos de todo el organismo. El practicante hará que la vis medicatrix o capacidad autocurativa del propio enfermo se ponga en marcha.

Es posible que durante el masaje el paciente se maree, tenga escalofríos o sude. No hay por qué asustarse, estas consecuencias, por muy espectaculares que sean, nos están indicando que existe una reacción ante nuestro masaje. Conviene, no obstante, efectuar las maniobras relajantes de fin de masaje y dejarlo para una próxima sesión. Puede ser que el paciente esté débil y el aporte súbito de energía extra sea excesivo para él. Desde luego, es aconsejable que continúe con la terapia, las reacciones irán desapareciendo a medida que avance el tratamiento.

Casi todas las personas padecen, en los días posteriores al masaje, algunas reacciones, que incluso les hacen pensar que han empeorado. No es así, simplemente se trata de crisis curativas; el organismo ha puesto en marcha sus recursos para que la autocuración se produzca. Suelen desaparecer después de dos o tres sesiones. Es habitual, por ejemplo, estar muy cansado al día siguiente, debido a la liberación de toxinas. Se observará un aumento de la cantidad de orina y de heces que se eliminan, un cambio de color y un olor más fuerte, debido a la desintoxicación que se ha iniciado.

También es posible que afloren dolencias que se tenían olvidadas, que se agraven las que se trata de curar o que aparezca algo que estaba latente. No hay que preocuparse, todas estas reacciones son positivas y dan la pista de que la curación ha comenzado.

Es conveniente, en esos días, no sobrecargar nuestro aparato digestivo con comidas copiosas y eliminar de la dieta cuantos tóxicos nos sea posible, -tabaco, café, carne, etc.-, para ayudar al cuerpo en su tarea depurativa. No hay que olvidar que somos lo que comemos y que las enfermedades del presente tienen mucho que ver con lo que comimos en el pasado. Alguna infusión indicada para la dolencia a tratar también será bien recibida por nuestro organismo.

Aunque no existen más directrices claras en cuanto a este tema, diferentes autores consultados aconsejan ser especialmente cautos y abstenerse de la terapia en casos de enfermedades infecciosas agudas, trombosis, estados en que está claramente indicada la cirugía, embarazos con riesgo o amenaza de aborto. En ocasiones conviene que el paciente tenga un seguimiento médico, por ejemplo cuando la presión sanguínea fluctúa con facilidad, en casos de psicosis, diabetes, o personas con un fuerte tratamiento farmacológico.

No es bueno que quien haya de recibir el masaje esté en plena digestión y, si lo está, habrá que tener especial cuidado cuando se trabaje el reflejo del aparato digestivo.

TÉCNICAS DE AUTOMASAJE: EL DO-IN

Es posible que los orígenes del automasaje sean los del propio hombre que, tras percibir los rayos del sol sobre su piel al despertar, se frotase con fuerza las manos, la cara y el cuerpo en su intento por despejarse.

Con esta acción el hombre permitía también que la energía fluyese con mayor libertad y rapidez, haciendo más corto el período entre el estado de sueño y la actividad consciente.

Encontramos un ejemplo ilustrador de automasaje no intuitivo, con método, en la técnica terapéutica oriental que fue conocida y aplicada por los occidentales a mediados de los años sesenta: el do-in.

El uso de esta práctica se limitó en principio a los círculos macrobióticos como complemento importante de su dieta alimenticia.

Aunque no se tienen datos fehacientes, se presume que el do-in se desarrolló en China hace aproximadamente cinco mil años, durante el reinado de Huang Ti, el legendario Emperador Amarillo, considerado como el padre de la acupuntura, quien formuló los fundamentos de toda la medicina tradicional china.

Como el resto de las terapias tradicionales de Oriente, el do-in se basa en el equilibrio del chi o ki, que fluye a través de los meridianos yin o yang.

Mediante esta técnica el individuo consigue por sí mismo, sin tener que recurrir a otros, restablecer el flujo energético alterado, gracias a la activación de puntos receptores de los meridianos.

Además, el do-in es un importante método de diagnóstico. Si se practica diariamente y se hace con la suficiente atención para percibir lo que van tocando los dedos de las manos, se nota si un punto o un meridiano poseen la suficiente energía o ki. De este modo puede ayudar a diagnosticar pequeñas dolencias o desequilibrios energéticos antes de que lleguen a convertirse en problemas graves. Cuando un órgano funciona mal, los puntos situados a lo largo de su meridiano se vuelven sensibles y dolorosos (pueden aparecer enrojecidos), antes incluso de que el propio órgano lo manifieste.

Para normalizar la corriente energética, el do-in se sirve de la respiración y de varias técnicas de masaje, tales como las fricciones, las presiones, los pellizcos, etc.

A la hora de practicar esta terapia, es importante saber la dirección que sigue la energía, para poder acompañarla en su recorrido.

El orden que deben seguir las partes del cuerpo al automasajearlas no es, pues, una cuestión arbitraria o caprichosa, ni se basa en la costumbre o la comodidad.

El do-in se practica en el suelo, empezando con el saludo al sol. Se inicia en posición arrodillada, sentada la persona sobre sus talones, con las manos sobre los muslos y la espalda recta.

Al expulsar el aire de los pulmones, el tronco va cediendo hasta quedar paralelo al suelo y pegado a los muslos; al mismo tiempo, las manos se deslizan hacia el suelo y hacia adelante hasta que pulgares e índices se encuentran y forman un triángulo. La cabeza reposará sobre las manos.

Además de ser los instrumentos claves del do-in, las manos son partes importantes de la terminación de meridianos.

Son las primeras que se masajean, seguidas por los brazos, la cabeza y la cara, el cuello y la nuca, el tronco, las piernas y los pies.

Una vez finalizadas las manipulaciones, el masaje termina saludando de nuevo al sol.

El do-in es también un método serio de autoconocimiento y desarrollo personal.

Además de las tres clases de masajes mencionadas, de cada una de las cuales sólo hemos explicado un masaje tipo, existen muchas otras

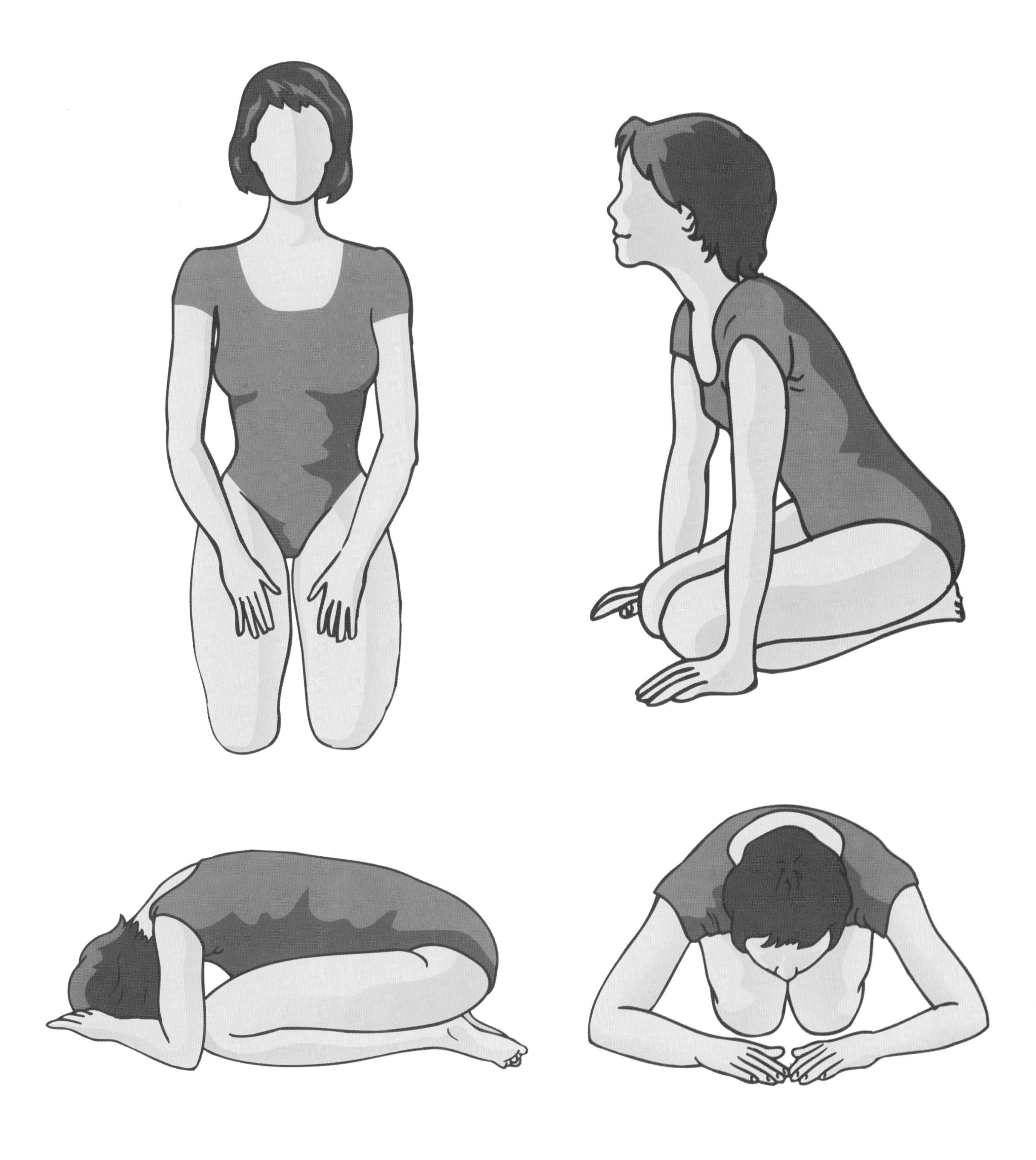

técnicas, que por razones de la extensión de esta obra, no podemos desarrollar.
No obstante, para aquellos que se sientan atraídos por el mundo del masaje, resultaría extremadamente útil conocer dichas técnicas, ya que todas ellas pueden ayudar al quiromasajista en su proceso de preparación, tanto a nivel profesional como personal.

CAPITULO II

El Quiromasaje terapéutico

De siempre es sabido que el masaje manual es el más sedante de los que se conocen. Por ello, y conocidos ya los orígenes del masaje y su amplia familia, corresponde ya entrar en el quiromasaje terapéutico.

LA SALA DE MASAJES

Sin prisas, vamos a comenzar por situarnos en la sala de masajes. La consulta es el Sancta Sanctorum y así ha de considerarse. Se ha de procurar que esté en un lugar silencioso y de fácil acceso, puesto que en ocasiones acudirán a ella personas con incapacidades físicas e, incluso, en silla de ruedas. Por supuesto, ha de ser una habitación con espacio suficiente para que el paciente y el quiromasajista puedan moverse con libertad y que esté perfectamente limpia y ordenada.

En las paredes sería bueno colocar algunas láminas agradables, que ayuden a que la estancia sea más confortable. Una pequeña mesa o mesita con ruedas facilitará el tener a nuestro alcance los productos: aceites, toallas, etc., que vayamos a utilizar y que también pueden colocarse en una estantería poco cargada y libre de adornos por mor de la higiene.

El más importante de los muebles de una consulta de quiromasajista es, obviamente, la camilla. Puede ser metálica o de madera, con bancada abatible o no, pero, eso sí, debe estar adaptada a la estatura del terapeuta, impidiendo que tenga que flexionarse excesivamente. Una postura forzada mantenida durante horas hace que la zona lumbar de la columna reciba más presiones de las aconsejables y que acabe produciendo una lesión.

La parte superior de la camilla, donde se tumbará el paciente, deberá quedar a la altura de las caderas del masajista y estará forrada de gomaespuma y skai, de manera que sea acolchada y, además, fácil de limpiar. Las medidas del acolchado superior suelen ser de 60/70 cm de ancho por 1,80/2 m de largo, permitiendo que el paciente se encuentre relativamente cómodo y que el masajista tenga acceso a todo su cuerpo y pueda moverse libremente. Por muy agradable que resulte al tacto, la camilla debe cubrirse siempre con una sábana blanca o de colores pálidos, que de sensación de limpieza; la tela se cambiará después de cada sesión.

Debe tenerse en cuenta que las personas que van a recibir tratamiento se desprenderán de casi toda su ropa, por lo que la temperatura ambiente ha de ser cálida, impidiendo que los músculos se contraigan por el frío. La temperatura ideal estará por encima de los 20º C pero sin sobrepasar los 30º C, que podrían llegar a agobiar a algunos pacientes. De lo que se trata es de que la temperatura contribuya también a conseguir el efecto relajante que persigue el masaje.

En esta misma línea de colaboración del entorno con la terapia, se encuentra el tema del color. Está sobradamente estudiado el efecto que el color tiene sobre la psiquis. La cromoterapia está basada en ello; hay colores que excitan y otros que relajan.

Un ejemplo de la explotación comercial de este aspecto son los restaurantes de comida rápida, en los que predominan los colores fuertes, que hacen sentir la necesidad de consumir cuanto antes los productos. Está claro que esto no es lo que interesa en una sala de masajes, a la que acude una mayoría de personas que se encuentran sobrecargadas de tensión; cuanto más relajadas estén, más fácil resultará trabajar sobre sus cuerpos y mayores beneficios obtendrán del quiromasaje. Lo más aconsejable es recurrir a colores claros, a tonos pasteles, preferiblemente el verde, u optar por el blanco.

Si se ha tenido especial cuidado en crear un entorno agradable -decoración, temperatura, colorido-, sería una pena romperlo con una música estridente. También la música tiene que ver con la curación, la musicoterapia va consiguiendo cada vez mejores resultados. Al igual que ocurría con el color, también se han realizado estudios acerca de los efectos de una música concreta sobre la actuación de diferentes personas. Una marcha militar, por ejemplo, incita a movernos, una música repetitiva y monótona nos despersonaliza y nos hace más manipulables. Así pues, debemos poner mucho cuidado al elegir la música que se escuchará en la sala de masajes. Ha de ser relajante y, en cuanto al volumen, casi imperceptible. No puede interferir negativamente en el efecto del masaje y, si no se tiene la certeza de que va a ayudar, es preferible prescindir de ella, porque incluso, aunque apenas se oiga, habrá pacientes que prefieran el silencio.

Otro punto concerniente a la sala de masajes es su ventilación. Es fundamental que la habitación tenga una ventana que, además de hacerla luminosa, permita controlar la aireación. Es aconsejable abrirla siquiera unos minutos entre masaje y masaje. También debemos recordar que la transpiración de algunas personas puede ser muy fuerte y que no es agradable entrar a recibir un masaje en una sala que huele a sudor y, mucho menos, si se trata de enmascararlo con olores fuertes que llegan a crear un ambiente asfixiante y perturbador. Además de ventilar la habitación, puede ser útil colocar un humidificador que ayudará a mantener la humedad deseable en el ambiente y que puede igualmente servir como ambientador, si añadimos unas gotas de esencia suave de espliego, mejorana, eucalipto o cualquier otra de características similares.

Para otro tipo de masajes, como los orientales, quizá sea más conveniente recurrir a inciensos u otro tipo de aromas. Pero tampoco va a perjudicar una sala con olor a limpio. En último caso, queda a la sensibilidad del terapeuta el complementar este olor con otros aromas suaves y agradables al olfato.

Todos los aspectos que hemos mencionado en este apartado: calor, color, música y ventilación, pueden convertirse en aliados indispensables a la hora de practicar el quiromasaje, u otro tipo de terapia, o bien interferir negativamente de manera imperceptible, haciendo que no se logren los resultados esperados.

Cuidado con el teléfono: cuando el terapeuta deja de atender al paciente para contestar al teléfono y entabla una conversación, aunque sea con otro enfermo, puede hacer que quien esté en la consulta se sienta marginado, ignorado o infravalorado. El paciente puede pensar que "en su tiempo, el tiempo que él paga para ser atendido, nadie tiene derecho a interferir"; que "necesita que la persona que lo atienda lo haga con los cinco sentidos, puesto que para ello se ha tomado la molestia de concertar una visita". El teléfono es un intruso que rompe la intimidad del momento y puede hacer perder la confianza del paciente. Si se puede tener a una persona encargada de recoger los mensajes, conviene que no interrumpa para dar los recados cuando se está trabajando con un paciente; si no existe tal persona, un contestador automático será el aliado perfecto. Quien acude a un quiromasajista puede ser muy celoso de su intimidad y, para el profesional, así debe ser cada una de las personas que entran en su sala de masajes. No debe permitir que estridencias acústicas, entre las que se incluye el teléfono, o visuales, rompan dicha intimidad. Ha de evitar también que otras personas, ajenas al masaje, entren y salgan, exponiendo al paciente a las miradas de extraños. Aunque la persona tumbada en la camilla no las vea, es seguro que las percibirá, incomodándose.

No hay que olvidar que, cuando una persona va a una consulta, está en inferioridad de condiciones, se siente dolorida, muchas veces desanimada o preocupada. Psicológicamente no estará en su momento más brillante, y tendrá la susceptibilidad a flor de piel. Parte de la tarea del masajista es hacerle recobrar el equilibrio y la confianza en sí mismo. No se trata de engañar al paciente, pero hay muchas formas de decir las cosas y hay que buscar el tono justo, ofreciendo siempre las posibles soluciones para paliar o resolver definitivamente el problema. Un paciente nunca debe salir de la consulta más hundido de lo que entró. Si por alguna circunstancia, una persona acude a la consulta de un quiromasajista, cuando su problema no es competencia de este tipo de profesionales, y el terapeuta ve que no puede ayudarle, deberá atenderle en esa visita y aconsejarle que recurra a otro tipo de terapia más adecuada para su dolencia.

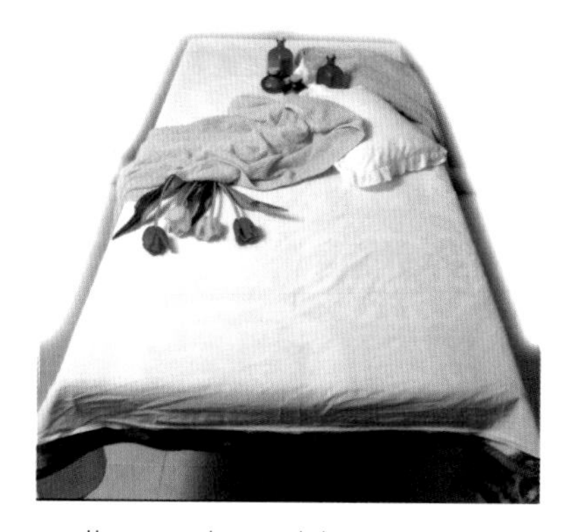

La camilla es el mueble más importante

EL MASAJISTA

Todas las profesiones tienen sus riesgos, que se asumen y tratan de ser evitados, pero que hay que conocer. El más grande, para quien ejerce la profesión de masajista, es una mala práctica que le lleve a lesionarse, lo que puede ser evitado si se siguen una serie de normas. Se trata de pautas que se explican, y sobre las cuales se insiste, en el periodo de formación del terapeuta y que no deberían olvidarse nunca.

La parte que sufre mayor presión y que se lesiona con más facilidad es la región lumbar de la columna. Para protegerla es fundamental que la camilla esté adaptada a la estatura del masajista y que el lugar donde se tumbe el paciente esté a la altura de sus caderas, de manera que no tenga que encorvar excesivamente la espalda ni flexionar demasiado los brazos.

Las piernas del terapeuta han de estar ligeramente flexionadas, para que el peso del cuerpo se reparta por los miembros inferiores, evitando así lesiones de columna.

En el ejercicio del masaje, las manos son actores importantes. Sin embargo, no son ellas las que tienen que hacer fuerza; las manos son sólo el vehículo que transmite la presión que el cuerpo ejerce. A ellas les compete el papel principal, el de comunicar información mediante el contacto con otro cuerpo y, al mismo tiempo, el de recibir la que el paciente le ofrece. De este modo, el masajista conoce el estado en que se encuentran los músculos o tejidos del paciente, su tensión nerviosa, y capta el momento en que dichos músculos alcanzan el grado deseable de elasticidad y relajación. La mano del masajista tiene que ser fuerte y sus movimientos decididos, pero ambos tienen que tener la virtud de transmitir al paciente el deseo de abandono, distensión, relajación, de dejar su cuerpo "en manos de otro".

Cuando se comience a dar un masaje, es importante que las manos no estén rígidas y tengan una temperatura agradable.

La tensión del terapeuta se transmitirá al paciente haciéndole contraer los músculos; unas manos frías reforzarán esta reacción. Es fundamental que el paciente confíe en lo que le están haciendo, que sienta el contacto de otras manos como una caricia. No se puede olvidar que entre un masaje y una paliza hay una sutil barrera y que la misión de un buen masajista es la de proporcionar al otro un estado de bienestar. Si hay agresividad o tensión en las manos que masajean, el bienestar se producirá, sin duda, en el masajista, que descargará en su paciente toda su furia y agresividad.

El masajista, además, debe cuidar sus manos, las uñas serán cortas y estarán siempre limpias; los dedos, ágiles y libres de sortijas o anillos que podrían engancharse en la piel del paciente. Para que las manos tengan elasticidad y fortaleza, es aconsejable realizar cada día una serie de ejercicios que le ayudarán a movilizar todas las articulaciones, dándoles flexibilidad y resistencia (ver apartado La preparación del masajista).

Las manos deben lavarse antes y después de cada masaje, y conviene dejarlas descansar unos diez minutos entre sesión y sesión. No les beneficiará, por el contrario, coger objetos pesados o hacer fuerza con ellas.

Aunque el instrumento de trabajo del masajista son sus manos, es también importante que el resto del cuerpo esté relajado, dispuesto para distribuir presión según requiera el masaje. Una articulación del hombro mermada por el dolor, o una muñeca dolorida, harán que el terapeuta tenga grandes limitaciones.

En estos casos conviene restablecer el buen funcionamiento del organismo antes de continuar dando masajes. Para evitar este tipo de problemas, lo más aconsejable es realizar, al terminar la jornada de trabajo o antes de comenzarla, una tabla de gimnasia que incluya estiramientos y autoestiramientos.

PRODUCTOS PARA EL MASAJE

Diferentes productos para masaje

Aunque algunas escuelas mantienen que para que un masaje produzca un mayor efecto debe darse sin utilizar nada más que las manos, lo más habitual es que, para que las manos desnudas del masajista se deslicen con fluidez sobre la piel del paciente, se utilicen cremas, geles, vaselina, aceites, etc.

Estos últimos son los más usuales, empezando por el aceite de oliva y terminando por aceites preparados en laboratorios, a base de extractos de plantas, con fines específicamente terapéuticos y aromas muy agradables.

Es necesario poner cuidado a la hora de elegir el producto para el masaje, puesto que la piel tiene gran capacidad de absorción y, al igual que puede ser beneficiada con un aceite, puede ser perjudicada con otro inadecuado.

La temperatura del producto que se vaya a utilizar ha de ser la corporal, para lo cual conviene ponerlo en las manos antes de distribuirlo sobre el cuerpo a masajear.

Hay que ser comedido en cuanto a la cantidad: ni tan poco que las manos hagan daño al trabajar, ni tanto que se descontrole el deslizamiento. Es preferible empezar con poco y, cuando la piel lo haya absorbido y las manos no se deslicen bien, añadir un poco más.

Aunque en el mercado existen muchos aceites especiales para masaje, el terapeuta que lo desee puede preparar sus propios productos, dándole un toque personal a su terapia y un aroma especial a su consulta.

Una manera de hacerlo es coger las plantas en su mejor momento y ponerlas en maceración o al baño María para que suelten, en un aceite base, sus propiedades y olor.

Las plantas más utilizadas para preparar estos aceites son: romero, lavanda, enebro, eucalipto, salvia y mejorana.

Pero la forma más cómoda de hacerlo es escoger el aceite base y añadirle aceites esenciales de cualquiera de estas plantas. La siguiente relación de plantas de las que se extraen aceites y sus aplicaciones será de gran utilidad para quien esté decidido a preparar sus propios productos de masaje.

Aceites Esenciales

Romero

(Rosmarinus officinalis)

Todo tipo de dolores musculares, artritis, reuma, congestión linfática, retención de líquidos, debilidad nerviosa.

Eucalipto

(Eucaliptus globulus)

Dolores musculares, artritis reumatoide, retención de líquidos. Es un buen antiséptico para la piel, se usa para curar úlceras, contusiones, herpes y lesiones.

Salvia

(Salvia officinalis)

Problemas reumáticos, dolores articulares y diuréticos, tensión nerviosa. Tonifica la piel entumecida o congestionada. Favorece la cicatrización de úlceras de las piernas.

Mejorana

(Origanum majorana)

Contusiones, neuralgia, espasmos y dolores musculares, esguinces. Ayuda a bajar la tensión arterial alta. Tensión nerviosa, insomnio, irritabilidad, ansiedad.

Manzanilla

(Matricaria chamomilla)

Todo tipo de dolores musculares (especialmente después de grandes esfuerzos), artritis, reuma. Inflamaciones, lesiones. Ansiedad nerviosa, depresión, insomnio, irritabilidad. Friccionando sobre la zona del estómago, alivia indigestiones y dolores estomacales.

Albahaca

(Ocinum basilicum)

Espasmos musculares. Piel congestionada o entumecida. Debilidad nerviosa, depresión, histeria, indecisión. Tónico para la tensión nerviosa.

Lavanda

(Lavandula latifolia)

Acné. Celulitis. Retención de líquidos. Dolores musculares, reuma, esguinces. Ansiedad, depresión, irritabilidad, palpitaciones, hipertensión. Congestión linfática, inflamación de la piel. Aceite rejuvenecedor.

Ciprés

(Cupressus sempervivers)

Falta de tono muscular, tejidos fláccidos.

Hinojo

(Foeniculum vulgare)

Celulitis. Retención de líquidos.

Enebro

(Juniperum communis)

Estimula el sistema circulatorio. Retención de líquidos. Dolores reumáticos. Tensión nerviosa, ansiedad, insomnio, agotamiento. Acné. Eccemas. Refuerza el busto y le da firmeza

Melisa

(Melissa officinalis)

Hipertensión. Histeria. Tónico nervioso.

Pimienta negra

(Poligonum niger)

Estimula el sistema circulatorio. Dolores musculares, analgésico externo, falta de tono muscular.

Bergamota

(Citrus bergamia)

Ansiedad, depresión. Lesiones. Piel grasa, úlceras. Eccema. Dermatitis.

Sándalo

(Mentha sativa)

Piel reseca, inflamada. Depresión, tensión nerviosa.

Olíbano

(Bosnella thurífera)

Estimula la circulación sanguínea. Artritis reumatoide.

Geranio

(Pelargonium graveolens)

Cualquier congestión o retención de líquidos. Piel grasa. Neuralgias. Ansiedad, depresión.

Los aceites esenciales son los que dan el aroma a una planta. Su uso como productos para masajes se remonta a la antigüedad. Los egipcios los usaban con profusión en terapia, para mantener la piel más elástica y flexible y en ritos ceremoniales. También, y probablemente mucho antes, se utilizaban en China. Los Evangelios y la Biblia hacen clara referencia a estos aceites.

Parece ser que en la Edad Media, escenario de grandes epidemias, eran los perfumistas los más resistentes a la muerte, ya que trabajaban con esencias, que forzosamente acabarían absorbiendo a través de la piel en sus manipulaciones.

En la actualidad los aceites son muy usados por sus valores terapéuticos en consultas de reflexólogos, osteópatas, acupuntores, quiromasajistas, etc.

Para que un aceite esencial tenga una calidad óptima, es preciso que las plantas y hierbas de las que se extrae sean recogidas en el momento justo de su madurez, cuando producen la mayor cantidad de aceite.

Sus precios son muy dispares, debido a la mayor o menor dificultad de extracción y a la cantidad de aceite que contenga cada planta; mientras algunas poseen un 10 %, otras no llegan a tener siquiera un 0,1%.

Los aceites esenciales son muy penetrantes. Alcanzan los capilares pequeños de la dermis, de donde pasan a la sangre.Se puede preparar un buen aceite para el masaje, bien aromatizado y con propiedades terapéuticas, utilizando como base un aceite vegetal, como son los de oliva, almendra dulce, maíz, soja, girasol o pepitas de uva. Este último es uno de los más aconsejables: es claro, ligero, inodoro y de precio razonable. Cualquiera de ellos ha de ser cien por cien puro, no refinado, y, a ser posible, prensado en frío.

Por cada 100 ml. de aceite vegetal suelen añadirse entre 5 y 40 gotas de aceite esencial, pudiendo mezclarse varios aromas. Al hacer la mezcla, conviene incorporar el aceite esencial gota a gota, comprobando que el olor no sea muy agobiante.

Las siguientes recetas serán de gran utilidad en la consulta de un quiromasajista. En ellas aparece el nombre de la esencia a utilizar, seguido del número de gotas adecuado para 100 ml. de aceite base, recomendados para la afección que encabeza la relación. En algunos casos aconsejamos dos o más recetas; sería bueno probarlas y elegir la que dé mejores resultados.

El aceite esencial de ajo es excelente para artrosis y reuma, pero debido a su olor penetrante será mejor recomendar al paciente aquejado de estas dolencias que ingiera ajo al natural o en cualquiera de los preparados que se encuentran en los herbolarios.

Dolores musculares		Tensión nerviosa	
Eucalipto	16 gotas	Bergamota	8 gotas
Romero	16 gotas	Mejorana	8 gotas
Salvia	24 gotas	Sándalo	8 gotas
Manzanilla	8 gotas	Manzanilla	12 gotas
Romero	16 gotas	Albahaca	8 gotas
Enebro	20 gotas	Lavanda	8 gotas
Lavanda	14 gotas	Enebro	8 gotas
Ciprés	8 gotas	Romero	8 gotas

Celulitis

Hinojo	24 gotas
Enebro	8 gotas
Romero	16 gotas
Salvia	16 gotas
Hinojo	10 gotas
Romero	10 gotas
Manzanilla	24 gotas

Reuma

Lavanda	10 gotas
Mejorana	10 gotas
Melisa	20 gotas
Salvia	20 gotas
Enebro	16 gotas

Tónico para masajes

Lavanda	35 gotas
Bergamota	15 gotas
Geranio	5 gotas
Romero	10 gotas

Tono muscular

Pim. negra	24 gotas
Lavanda	16 gotas
Melisa	16 gotas

Mala circulación

Romero	12 gotas
Pim. negra	16 gotas
Enebro	24 gotas

Artritis y reuma

Enebro	10 gotas
Eucalipto	12 gotas
Mejorana	12 gotas
Romero	16 gotas
Ciprés	8 gotas
Lavanda	14 gotas
Romero	16 gotas
Manzanilla	12 gotas
Salvia	16 gotas
Salvia	12 gotas
Olíbano	16 gotas
Pimienta negra	8 gotas

Calambres musculares

Albahaca	30 gotas
Lavanda	14 gotas
Romero	16 gotas
Albahaca	24 gotas
Mejorana	16 gotas
Melisa	16 gotas
Albahaca	30 gotas
Mejorana	30 gotas

Estrías

Azahar	10 gotas
Lavanda	40 gotas
Romero	16 gotas
Lavanda	15 gotas
Melisa	5 gotas
Manzanilla	10 gotas

LA PREPARACIÓN DEL MASAJISTA GIMNASIA MANUAL

Las manos, como ya dijimos, son las herramientas más importantes de un quiromasajista, por lo que debe mantenerlas siempre ágiles. Para ello ha de realizar todos los días una serie de ejercicios encaminados a dar flexibilidad y resistencia a estas articulaciones.

EJERCICIOS

- Estiramiento dedo por dedo.
- Rotación de todas las falanges.
- Circunducción o giro dedo por dedo.
- Hiperextensión o extensión máxima dedo por dedo.
- Presión dactilar dedo por dedo.
- Hiperextensión con manos entrelazadas.
- Flexión y extensión de la articulación carpo falángica.
- Presión dactilar sin contacto palmar.

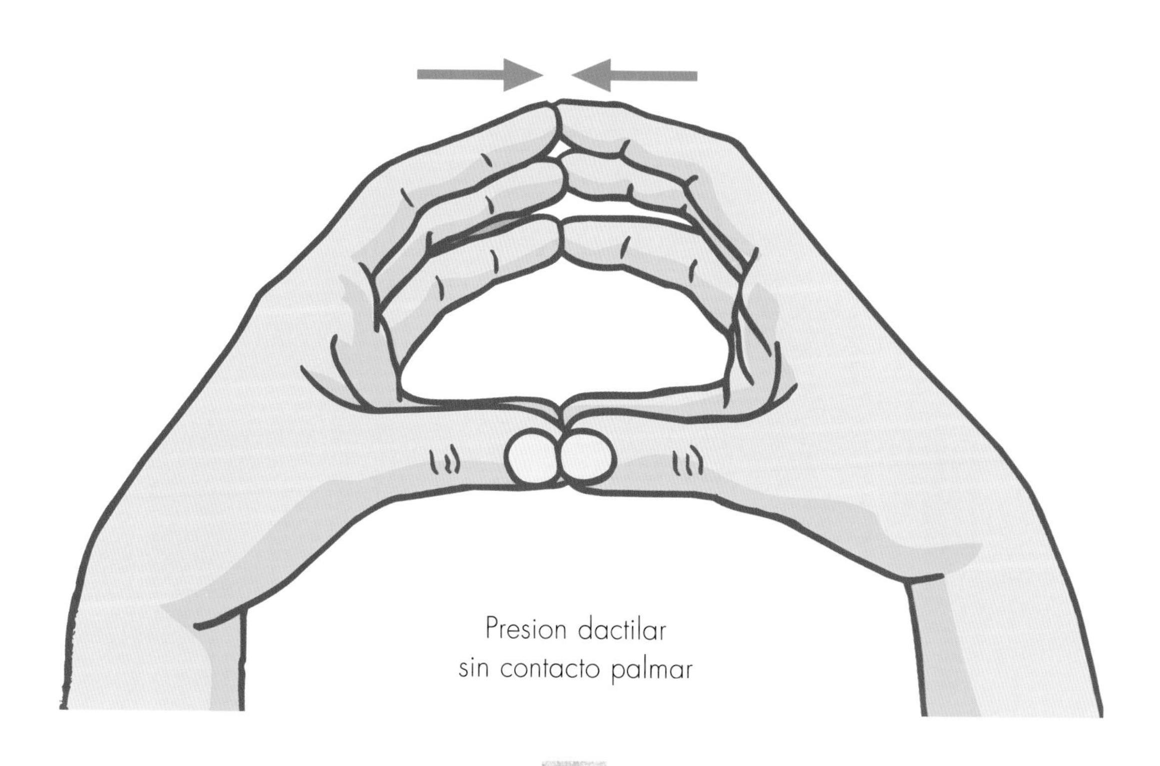

Presion dactilar sin contacto palmar

DESCRIPCIÓN DE EJERCICIOS

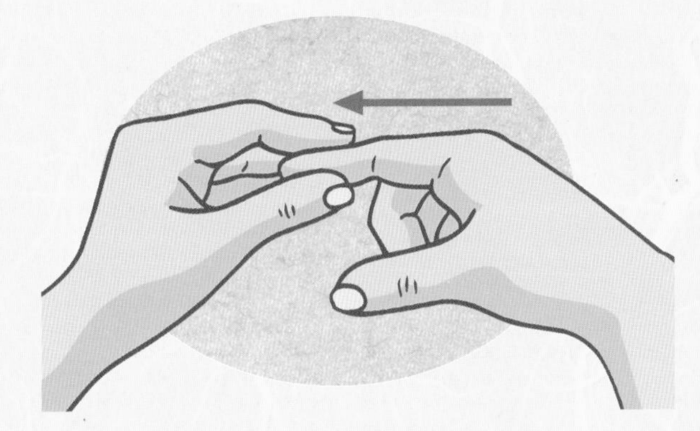

Estiramiento dedo por dedo
Atrapando el extremo de cada dedo, se realiza una tracción para separar las articulaciones de las falanges.

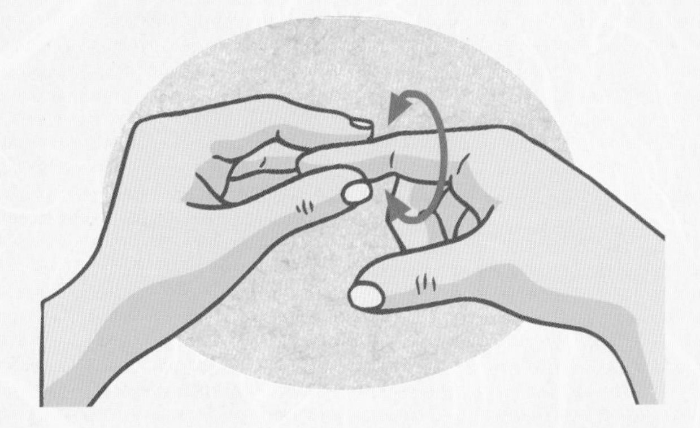

Rotacion de todas las falanges dedo por dedo

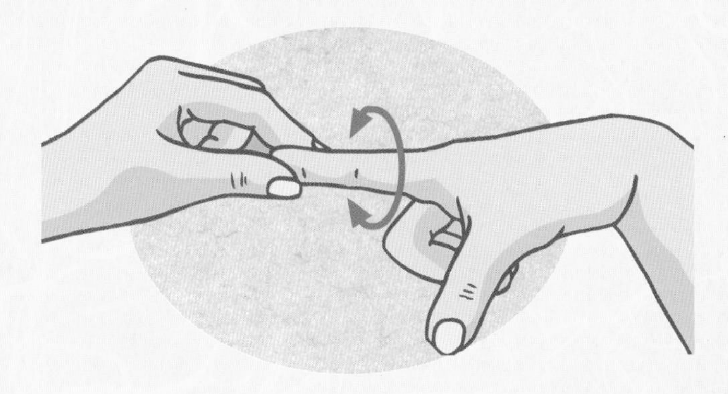

Circunducción o giro dedo por dedo

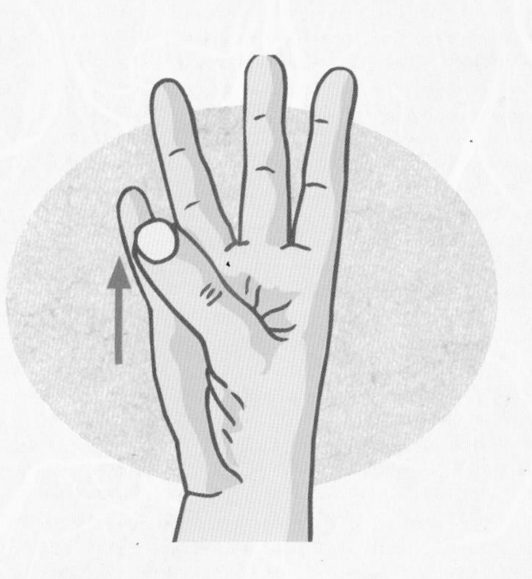

Presión dactilar dedo por dedo

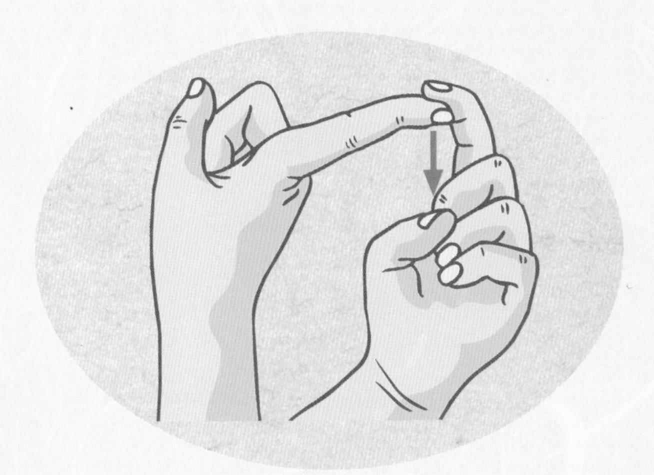

Hiperextensión dedo por dedo

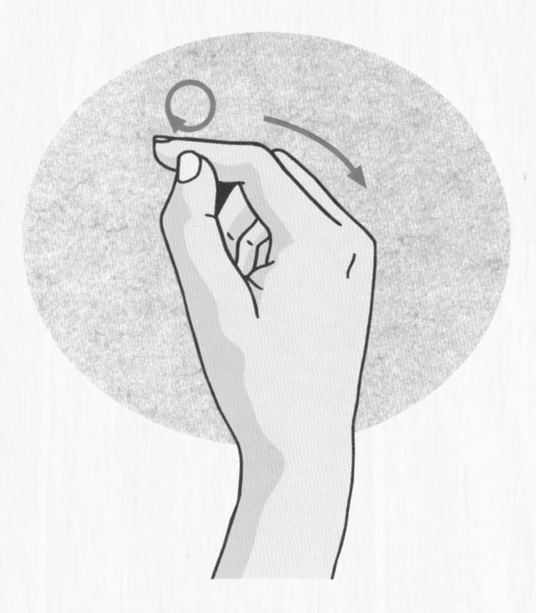

Descripción de círculos con el pulgar

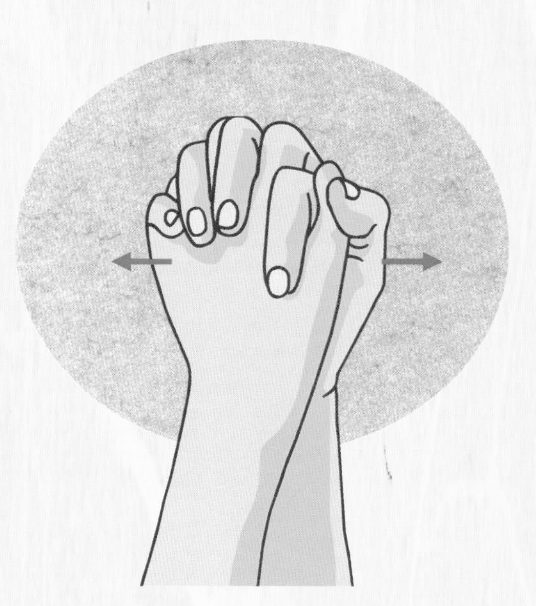

Manos entrelazadas

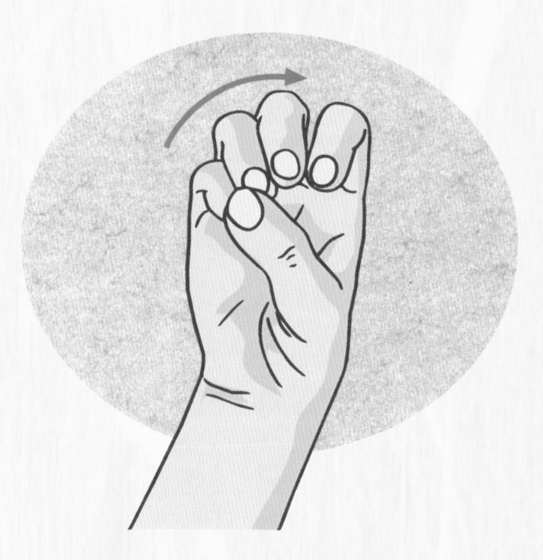

Pasar el pulgar por la zona ungueal (de las uñas)

Hiperextensión manos entrelazadas

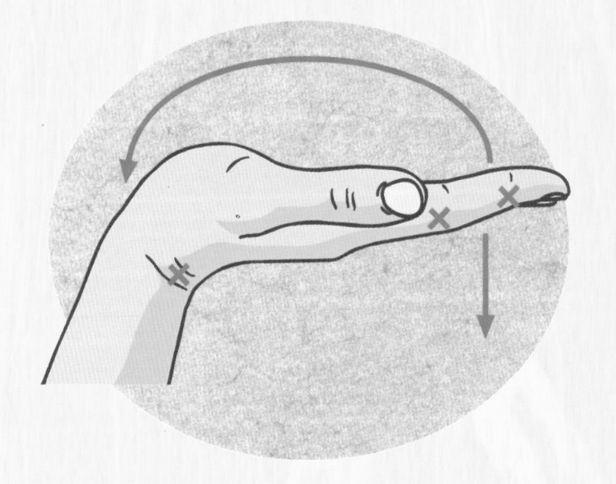

Flexión y extensión carpofalángica

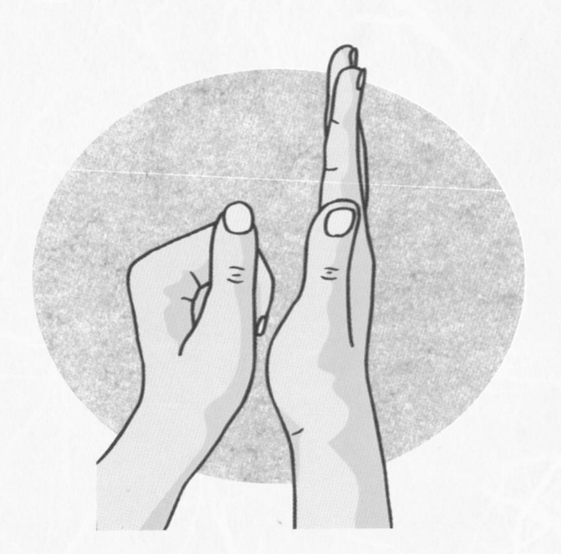

Palmadas alternativas

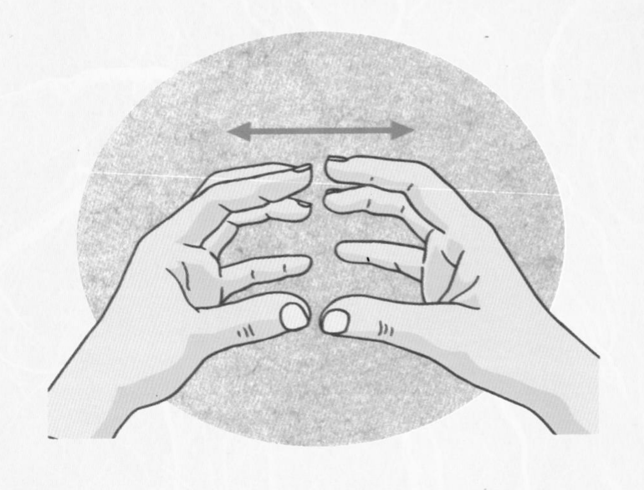

Percusión de los dedos con las manos en garra

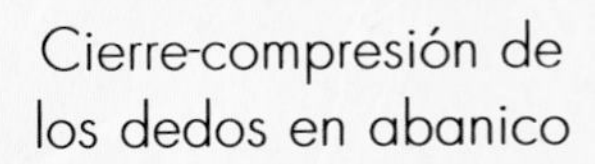

Cierre-compresión de los dedos en abanico

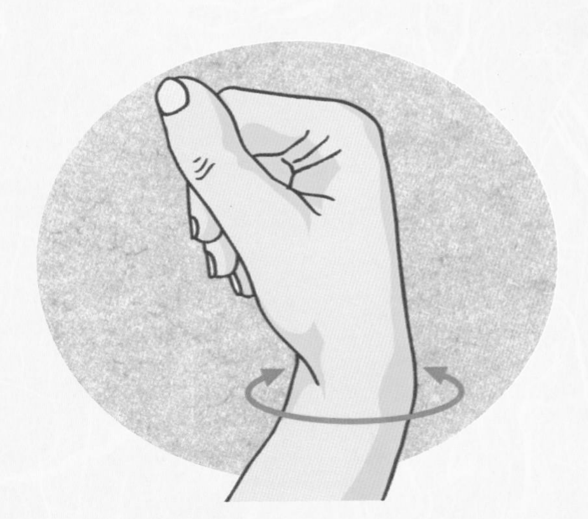

Giro de muñecas en ambas direcciones

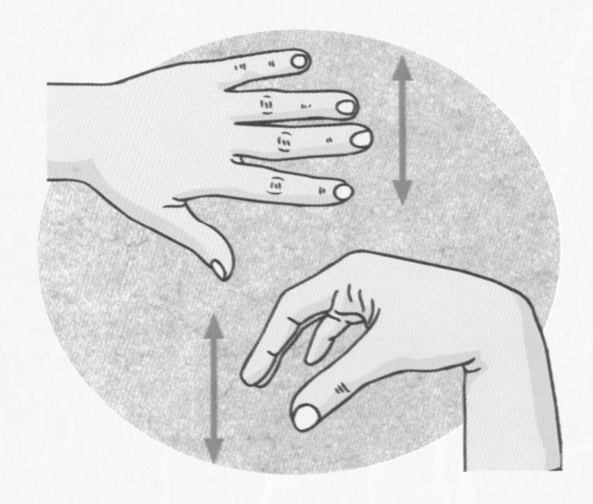

Movimiviento de muñecas en un plano anteroposterior y bilateral

CAPITULO III

Los Efectos del masaje y sus contraindicaciones

Los efectos del masaje se pueden clasificar en psicológicos y mecánicos. Los mecánicos, a su vez, se dividen en locales, cuando se producen en la propia zona tratada; y reflejos, cuando se producen en partes alejadas de la zona de contacto.

El efecto psicológico es tan importante como el mecánico y no será posible el uno sin el otro ya que, aunque tradicionalmente se separen estas dos cualidades humanas, no son más que las dos caras de una misma moneda.

El hecho de que una persona confíe su cuerpo dolorido al masaje es una prueba de su disposición mental a recibir los efectos curativos del mismo. Una palabra de aliento y unas manos acogedoras repercutirán muy positivamente en su recuperación.

En el momento en que el masajista se disponga a comenzar el masaje, su actitud hacia el paciente ha de ser totalmente positiva, tiene que estar decidido a ayudarle con entrega. La concentración en lo que está haciendo y el silencio mientras dure la sesión, ayudarán a que la persona que está sobre la camilla se relaje con mayor facilidad.

El silencio sólo debe romperse para verificar que no se está haciendo daño con las manipulaciones, o para confirmar zonas de dolor que el masajista percibe a través de sus manos.

En algunas ocasiones será el propio paciente quien necesite hablar y habrá que entender esta necesidad desde el punto de vista terapéutico, escuchándole con cortesía y atención. Conviene tener en cuenta, a este respecto, que lo que un paciente pueda contar en un momento de relajación, poniendo su confianza en el masajista, no debe salir de la sala de masajes.

Cuando se está dando un masaje, en cierto modo se está facilitando al cuerpo una información. El masajista es consciente de lo que el cuerpo puede llegar a hacer en el plano físico con esa información, pero no debe olvidar que los bloqueos físicos tienen su origen en problemas emocionales y que a veces al desaparecer la manifestación externa queda al descubierto la causa. Aunque no se haya ido buscando eso, algunos tratamientos a base de masajes han dado lugar a cambios, no sólo físicos, sino también psíquicos. La liberación de tensiones a través del masaje recibido de una manera regular, hace posible que quien reciba los masajes supere problemas emocionales con raíces viejas, porque el masaje estimula en él la creación de una renovada energía que le hace posible el afrontar de manera diferente el problema. Por supuesto, al desaparecer la causa, desaparece el efecto. La persona comienza por mejorar físicamente, lo que le permite llegar a solucionar su problema emocional y así se elimina su dolencia de origen no físico.

Además, los masajes estimulan la creación de endorfinas en el cerebro, merced a lo cual, el paciente se encuentra más animado sin tener que recurrir al uso de estimulantes o drogas. Asimismo, aumenta su capacidad de autoestima y se alivia la fatiga física y mental.

Los efectos mecánicos van a producirse sobre:

La piel
El tejido adiposo
Los órganos internos
El metabolismo
Los músculos
Las articulaciones
Los sistemas circulatorios sanguíneo y linfático
El tejido óseo
El sistema nervioso

LA PIEL

El primer efecto sobre la piel es de limpieza. Las fricciones y otras manipulaciones utilizadas durante el masaje ayudan a la liberación de células muertas y a la secreción de las glándulas sudoríparas y sebáceas superficiales. También en el nivel cutáneo, el masaje ayuda a activar canales energéticos superficiales, descritos como metámeras y meridianos de acupuntura, con lo que todo el organismo resulta beneficiado.

Igualmente, se actúa sobre los conductos secretores, haciendo que se vacíen y evitando obstrucciones, que podrían dar lugar a abcesos, quistes, etc.

Otra de las particularidades del masaje es que hace aumentar la temperatura corporal en 2 ó 3º C, lo que es beneficioso cuando existen trastornos circulatorios, neurovegetativos, etc.

EL TEJIDO ADIPOSO

Algunas técnicas de masaje están encaminadas a la disminución de los acúmulos adiposos, o de naturaleza grasa, aunque no sea posible su total eliminación. No obstante, la intensificación de la actividad circulatoria y metabólica local y el aumento del flujo sanguíneo (hiperemia) favorecen la reabsorción del tejido graso.

LOS ÓRGANOS INTERNOS

El masaje hace que se elastifiquen los ligamentos de sostén y las fascias, lo que da lugar a la relajación de los víscero-espasmos o tics.

Su acción sobre las vísceras huecas, en especial las del aparato digestivo, es considerable. Ayuda en su vaciado, repercutiendo en el incremento de la función peristáltica.

EL METABOLISMO

Después de un masaje, el metabolismo se estimula, aumentando la filtración renal y la cantidad de orina. Repercute también en la expulsión de fósforo inorgánico, nitrógeno y cloruro sódico.

LOS MÚSCULOS

El masaje muscular refuerza la circulación, incrementando los intercambios nutritivos, el tono muscular y la contractilidad. Al elevarse la temperatura y acelerarse las reacciones químicas, se producen en el tejido muscular intercambios nutritivos y químicos.

La mejoría nutritiva potencia la capacidad de acortamiento de un músculo o contractilidad en respuesta a un estímulo adecuado. Las presiones que se ejercen sobre los músculos potencian considerablemente su circulación y hacen que el sistema venoso y el linfático se vacíen con facilidad, conduciéndose los productos de desecho por las vías naturales de eliminación. La afluencia de sangre arterial nueva lleva al músculo mayor riqueza de elementos nutritivos. Las percusiones, fricciones y vibraciones producen contracciones en el músculo, propiciando su desarrollo e impidiendo o disminuyendo las atrofias.

El masaje muscular es muy importante para el deportista. Antes del esfuerzo físico, como calentamiento y aplicándolo principalmente a los músculos que intervienen en el ejercicio que se va a realizar, garantiza pleno rendimiento muscular y mayor resistencia. Después del esfuerzo, ayudará a la eliminación de sustancias de desecho que, con la actividad, inundan las fibras musculares.

LAS ARTICULACIONES

El masaje influye en las articulaciones y en los tejidos que las rodean. La acción mecánica directa permite la absorción gradual de los exudados articulares. Este material, rico en proteínas, se deposita en los tejidos o en una cavidad articular dando lugar a inflamaciones.

La acción sobre la absorción y la circulación explica la eficacia del masaje para disolver

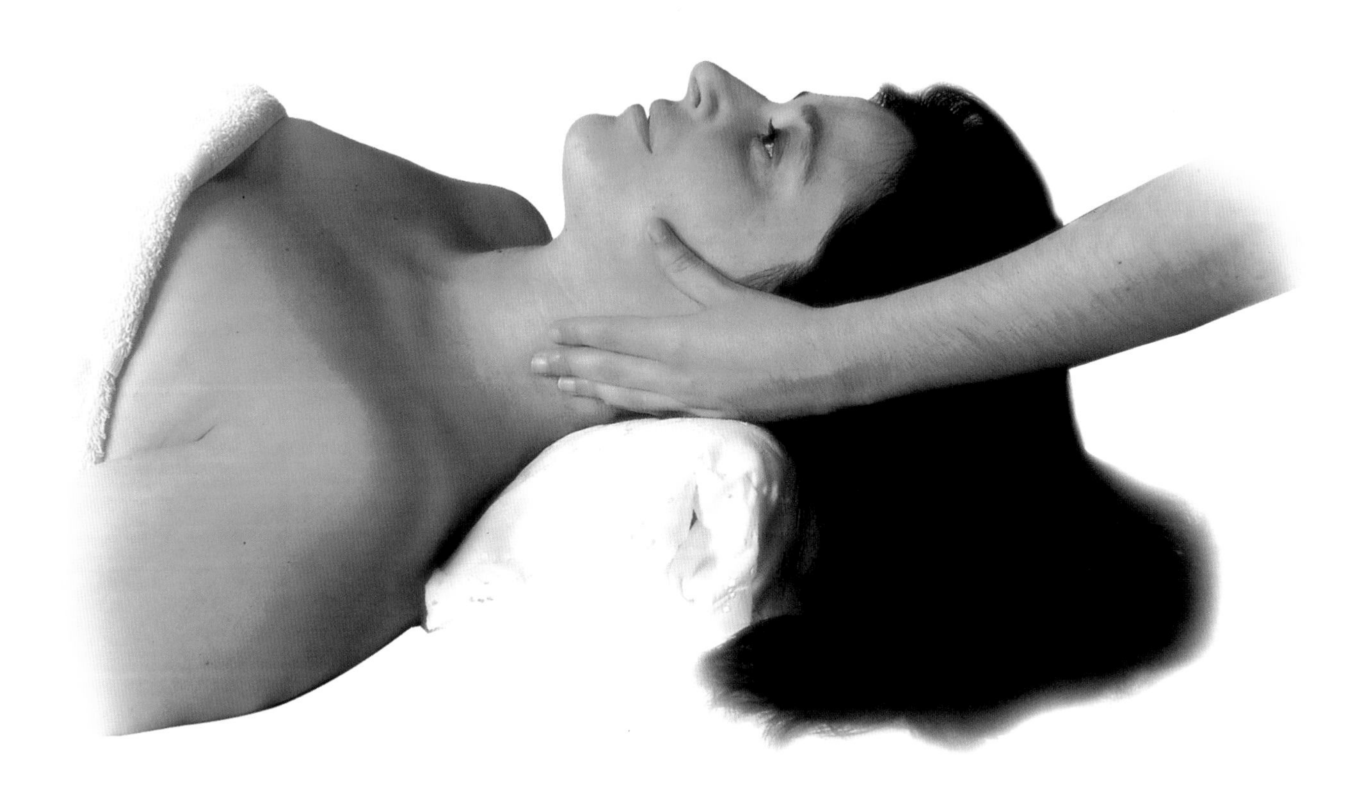

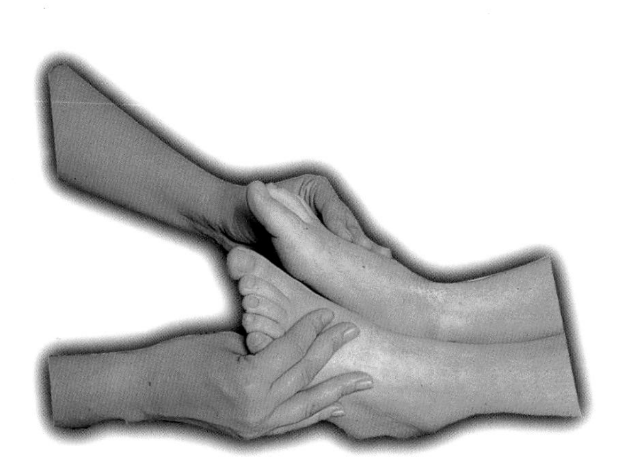

adhrencias articulares en la parte interna y externa de la articulación. Las lesiones de estas zonas se deben, en algunos casos, a una deficiencia articular y, en otros, a lesiones del músculo o músculos que se encargan de la movilidad de dicha articulación.

Dentro de éstas, conviene distinguir entre las producidas por adherencias, que impiden el movimiento total, o rigidez articular, y las producidas por fijación de las superficies articulares o anquilosis. El masaje está indicado en las primeras.

Como ya hemos visto, el masaje aumenta la temperatura corporal, favorece la reabsorción de líquidos, la circulación y el intercambio nutritivo. Todo ello impide la formación de microadherencias, que limitarían el movimiento normal de la articulación.

LOS SISTEMAS CIRCULATORIO Y LINFÁTICO

Los capilares periféricos son los primeros, dentro del aparato circulatorio, que reciben la influencia del masaje. Dependiendo de la manipulación que se realice, varía el efecto que se produce sobre ellos.

Las percusiones darán lugar a una isquemia o ausencia de aporte circulatorio, seguida de una hiperemia o aumento de aporte sanguíneo.

Los roces y fricciones producen el mismo efecto pero con mayor rapidez, provocando el enrojecimiento de la zona.

El aumento de presión en las venas favorece la eliminación de sustancias de desecho en la zona masajeada.

Los vasos linfáticos del nivel cutáneo son estimulados por el masaje, acelerándose el drenaje y la circulación linfática.

Aunque la localización de las arterias es profunda y no se puede actuar directamente sobre ellas, la circulación arterial se beneficia a través de las masas musculares por vía refleja.

En pacientes afectados de isquemia en las extremidades inferiores, se comprueba el efecto positivo del masaje sobre la circulación arterial cuando, al cabo de algunas sesiones, mejora la temperatura y el color de la piel.

EL TEJIDO ÓSEO

Tampoco los huesos pueden masajearse directamente, no obstante, se benefician del masaje por vía refleja. Al mejorar la circulación sanguínea y linfática, la nutrición y el metabolismo de los tejidos adyacentes, se favorece la actividad ósea.

EL SISTEMA NERVIOSO

El aumento del flujo sanguíneo y de la regeneración celular producido por el masaje, repercute positivamente en la nutrición de los nervios periféricos.

El masaje tiene efecto anestésico sobre las terminaciones nerviosas, sanguíneo, y excitante sobre los nervios ganglionares. Este estímulo, al alcanzar al sistema nervioso en su totalidad, da lugar a una hiperactividad de las funciones que de él dependen.

Al masajear sobre un nervio motor, se provoca la contracción del músculo; al hacerlo sobre un nervio sensitivo, disminuye su irritabilidad; y, si es sobre un nervio secretorio, aumenta la actividad secretora del órgano que inerva.

Cuando se masajea gran parte de la superficie corporal, se produce una sensación de bienestar, al actuar el masaje como tónico y sedante.

CONTRAINDICACIONES

Aunque como técnica terapéutica el quiromasaje es casi siempre benéfico, en determinadas circunstancias está contraindicado por su efecto vasodilatador. No debe darse un masaje en caso de:

Inflamación aguda
Infecciones
Enfermedades de la piel
Hemorragias
Úlceras
Quemaduras
Fracturas y fisuras de huesos

INFLAMACIÓN AGUDA

Aun cuando en inflamaciones crónicas, como puede ser la tendinitis, no existe ningún peligro ante la aplicación de un masaje, en las agudas se corre el riesgo de aumentar la superficie inflamada y, con ello, el dolor. Para diferenciar las unas de las otras hay que tener en cuenta que las agudas se manifiestan con:

Calor, debido a la acumulación de sangre en la zona afectada, que hace subir la temperatura.

Color, porque el mencionado aumento de sangre da a la zona un color rojizo.

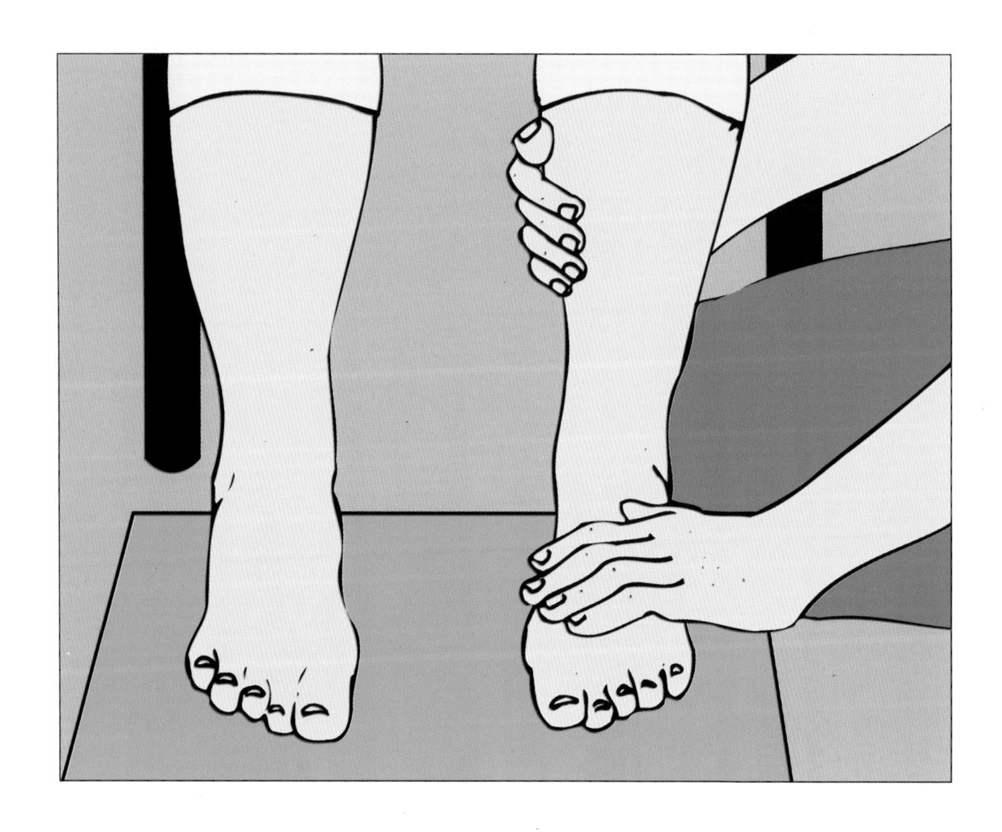

Algunos tipos de inflamaciones crónicas no entrañan ningún peligro en caso de que se quiera recibir un masaje en la zona afectada.

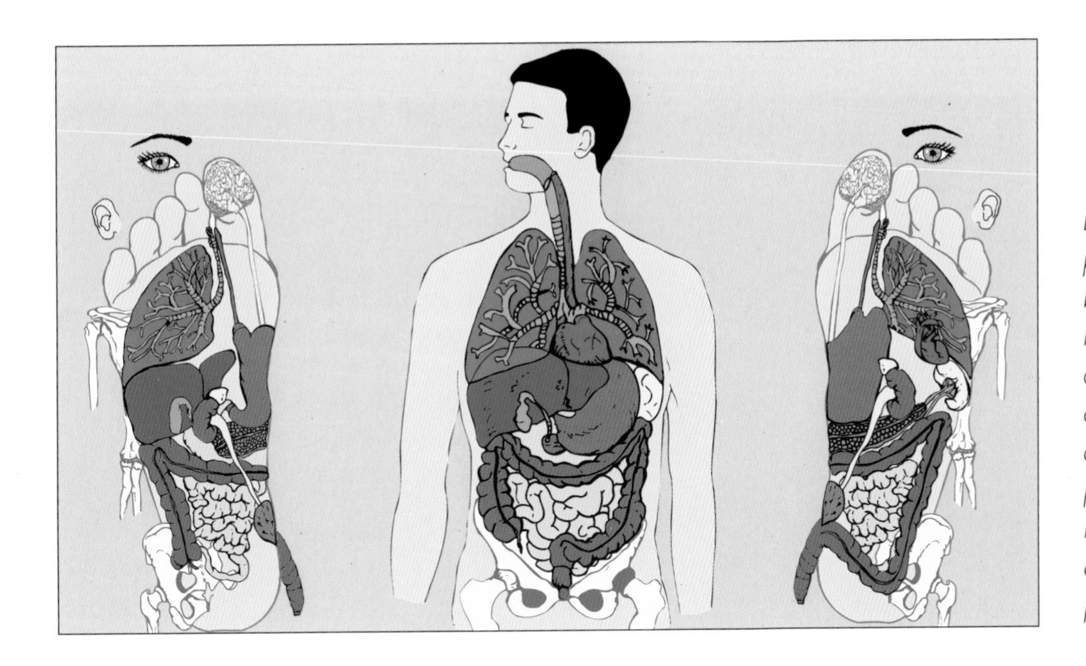

Los masajes podales también ayudan a la relajación y armonía del cuerpo gracias a las correspondencias reflejas que su aplicación proporciona.

Volumen, debido a la defectuosa irrigación de la zona.

Dolor, producido por el aumento de volumen de los tejidos, que hace que se compriman los filetes nerviosos. Cuando una inflamación de este tipo tiene lugar en una articulación, aparece una notable impotencia funcional.

INFECCIONES

Mientras que el masaje puede ser aplicado en infecciones leves, como un resfriado común, en las infecciones con fiebre, el masaje está contraindicado. No hay que olvidar que una infección es un proceso patológico producido por microorganismos, virus o bacterias, que obtendrían más fuerza en caso de que aumentase la presión sanguínea provocada por el masaje.

ENFERMEDADES DE LA PIEL

No se aplicará masaje en este tipo de enfermedades, especialmente si son infecciosas. No existe contraindicación cuando las afecciones sanguíneas son de tipo nervioso.

HEMORRAGIAS

Existe clara contraindicación tanto en hemorragias internas como en externas, aunque una vez pasados el dolor y la inflamación, sí se puede masajear para ayudar a los tejidos a reabsorber la sangre.

ÚLCERAS

Las úlceras internas, como son las duodenales o pulmonares, no permiten el masaje directo. Se puede utilizar algún tipo de masaje reflejo como reflexología podal. Las varices tampoco pueden masajearse directamente.

QUEMADURAS

Totalmente contraindicado en cualquiera de los tres grados.

FRACTURAS Y FISURAS

En ambos casos existe contraindicación mientras cicatriza el hueso pero, una vez que se ha formado el callo óseo, sí conviene masajear.

El quiromasaje también está contraindicado en casos de tromboflebitis, embolias, cualquier trastorno o enfermedad del corazón (cardiopatías), nefropatías (enfermedades renales), gota, diabetes descompensada y tumores.

En general, no conviene dar masajes cuando se observe que el dolor aumenta o existe rigidez articular.

Es necesario tener mucho cuidado cuando pueda pensarse que existe descalcificación (osteoporosis) y, si es muy fuerte, habrá que recurrir a otro tipo de terapias.

En caso de embarazo, no debe darse un masaje normal, ya que existe un masaje específico para ello.

CAPITULO IV

Diferentes manipulaciones básicas

Para llevar a cabo su trabajo, el masajista dispone de toda una serie de técnicas de masaje, de entre las cuales deberá seleccionar aquéllas que le resulten más adecuadas para cada caso a tratar.

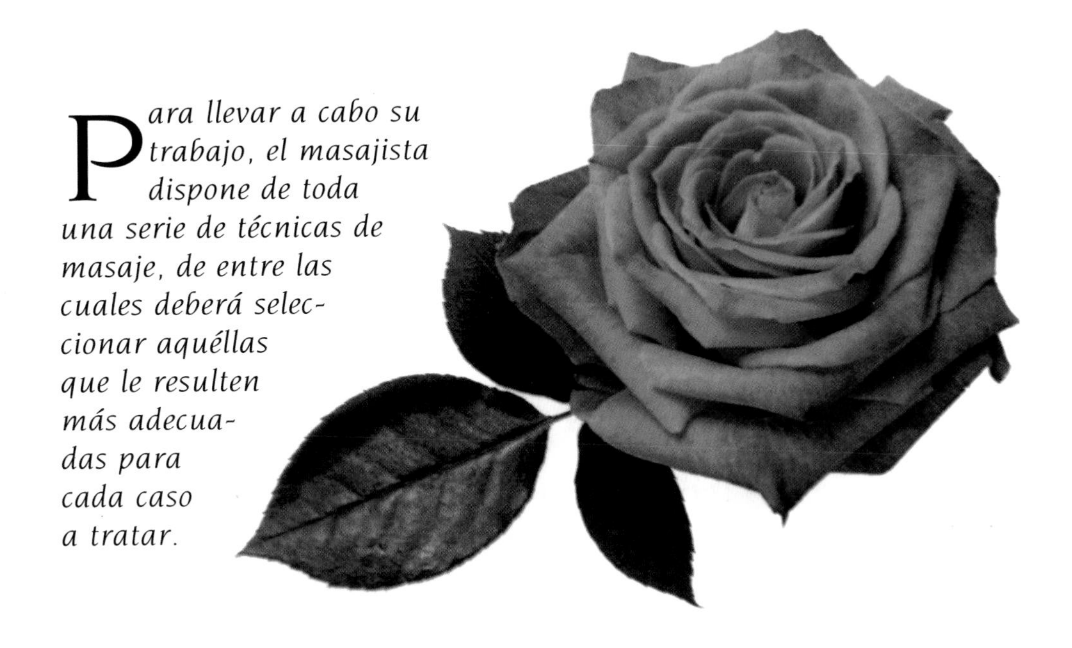

PRINCIPALES MANIPULACIONES

Estas maniobras se ejecutan con las dos manos, moviéndose alternativamente, salvo los pases magnéticos y el vaciado venoso, en los que se emplean movimientos simultáneos. Las principales manipulaciones son las siguien-

Pases magnéticos
Vaciado venoso
Amasamientos
Percusiones
Pellizcos
Roces
Fricciones
Tecleteos
Rodamientos
Vibraciones

PASES MAGNÉTICOS

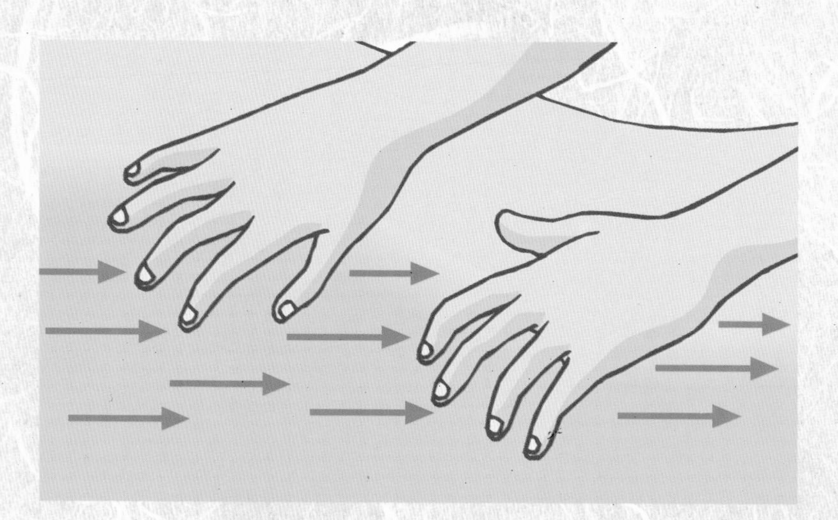

Los pases magnéticos se realizan con las yemas de los dedos, mediante roces muy superficiales por la piel del paciente, como si se le estuviera acariciando.

Los pases son amplios y se efectúan reiterativamente sobre una zona. Las manos trabajan de forma alternativa de manera que, cuando una termina sus movimientos, la otra comienza a tomar contacto con el cuerpo.

Así, se libera la tensión superficial de la piel. El efecto sedante de esta maniobra produce una gran relajación en el paciente, cuando se realizan con buena técnica, sensibilidad y concentración, predisponiendo al paciente para recibir el masaje en las mejores condiciones.

Los pases magnéticos suelen realizarse al comienzo del masaje para preparar los tejidos, y también al final del mismo, para liberarlos de la carga magnética creada con las manipulaciones. Esta técnica puede ser aplicada en cualquier parte del cuerpo.

Las manos se deslizan alternativamente, con suavidad, sobre la parte que se está tratando, como si acariciáramos la piel, varias veces en la misma zona.

VACIADO VENOSO

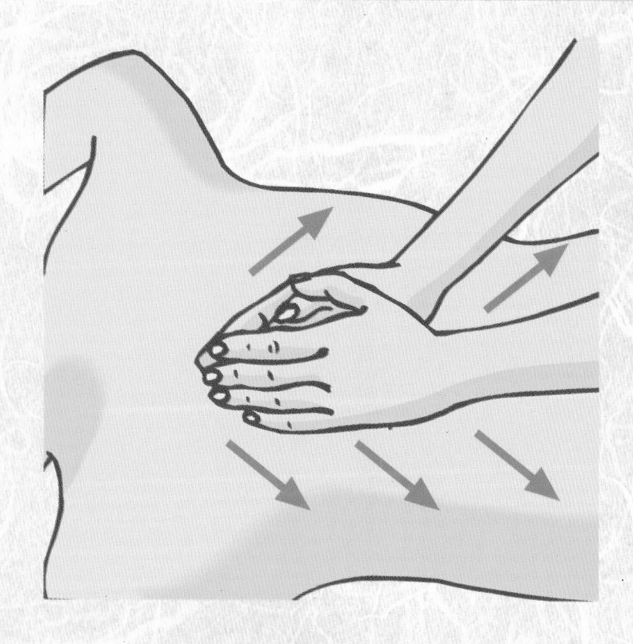

El vaciado venoso se lleva a cabo pasando la palma de la mano y de los dedos por la zona que se va a tratar, provocando una disminución del contenido sanguíneo de las venas. Las manos acarician la piel con firmeza y suavidad, favoreciendo siempre la propia dirección de la sangre venosa, es decir, hacia el corazón.

Tiene una gran potencia descongestiva, por lo que está especialmente indicado cuando la circulación es deficiente.

Con esta manipulación, se evita la formación de petequias (hemorragias cutáneas) al manipular los tejidos. Los movimientos han de hacerse lentamente.

En una primera fase, la presión de las manos arrastra la sangre con todas las toxinas que contiene, para dar paso, en la fase siguiente, a una sangre depurada que nutrirá más ricamente la zona. Casi siempre suelen hacerse al principio de un tratamiento para preparar la zona y al final para descongestionarla de la hiperemia que se haya producido. Generalmente se efectúa cuando se pasa de una manipulación a otra y en caso de que el tejido esté excesivamente enrojecido.

AMASAMIENTOS

Los amasamientos son las manipulaciones más importantes y las que se emplean con mayor profusión. Por su profundidad, alcanzan directamente las fibras musculares, inhibiendo las tensiones y favoreciendo su contractilidad. Ayudan a estimular, alimentar y reforzar los músculos.
En función de la parte de la mano que intervenga en la maniobra y la intensidad con que se ejecute, pueden dividirse en: amasamiento digital, digito-palmar, digito-nudillar, nudillar, nudillar total, pulpo-pulgar y tenar.

Amasamiento digital

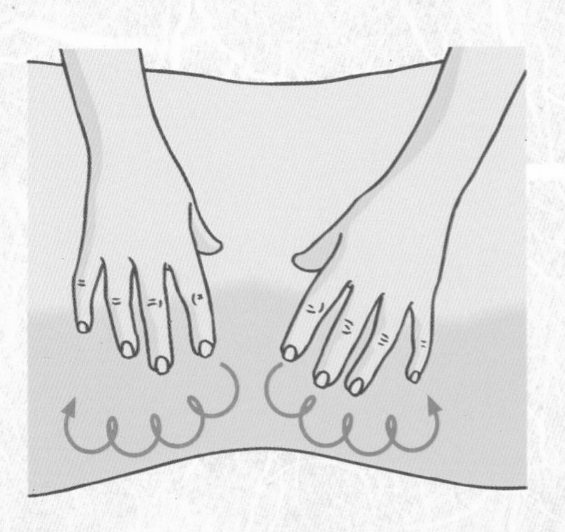

Se realiza con la mano cóncava y con los dedos separados y flexionados. Los dedos apoyan sólo las yemas y cada uno traza pequeños círculos, quehandetenerlamisma intensidad.

Es un tipo de amasamiento fundamental, ya que la menor superficie de contacto permite un masaje más profundo. Se aplica en todos los tratamientos, por pequeña que sea la zona afectada.

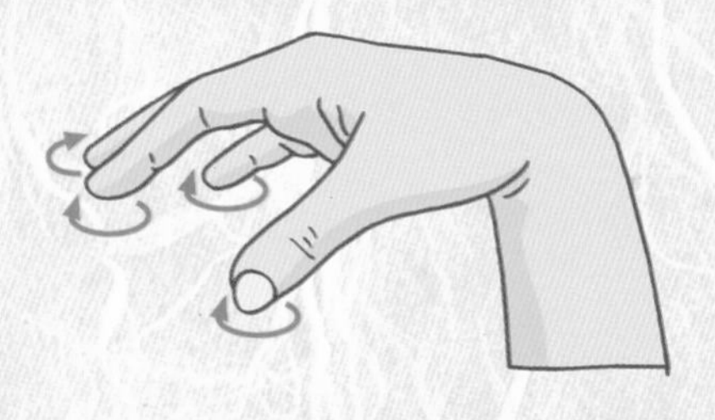

Amasamiento digito-palmar o palmo-digital

Se ejecuta con la mano bien pegada al tejido, sin levantarla al realizar los movimientos. El pulgar, separado del resto de los dedos, que se mantienen unidos, arrastra hacia la mano la porción de musculatura que se está tratando, estrujándola y soltándola de forma rítmica. Merced a esta maniobra de contracción y liberación del músculo, la sangre fluye más intensamente y nutre mejor la zona. Al abarcar una mayor superficie, este amasamiento permite darle fuerza al masaje, lo que puede tener efectos relajantes o estimulantes, dependiendo del ritmo y la presión que impongamos a la manipulación.

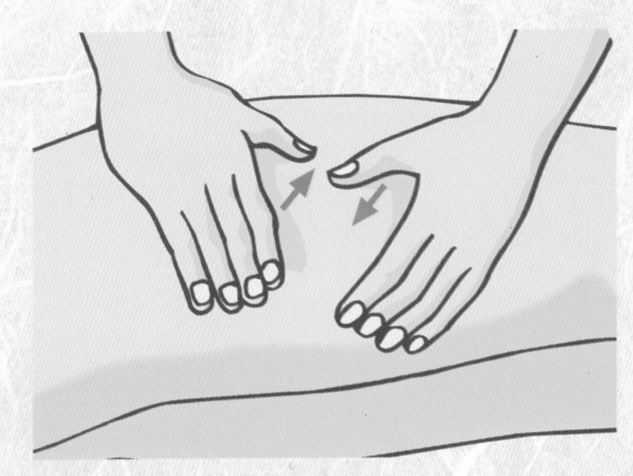

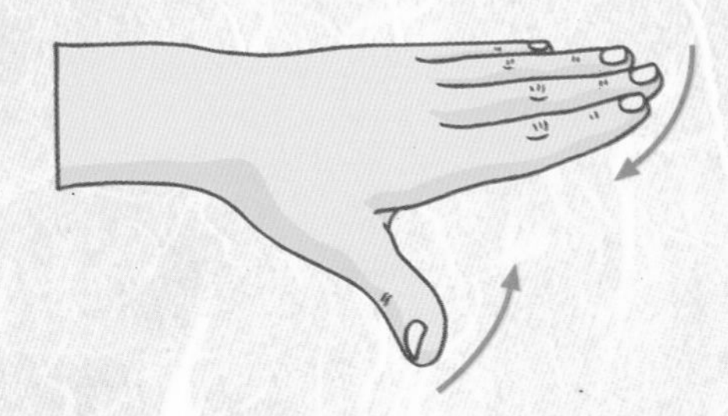

Amasamiento digito-nudillar

Para realizar esta maniobra, se utilizan el dedo pulgar y el lateral del índice, que estará flexionado a modo de gatillo. Entre ambos, estrujan y pellizcan porciones de tejido muscular. Se va avanzando haciendo círculos, sin dejar de presionar la musculatura atrapada por los dedos.

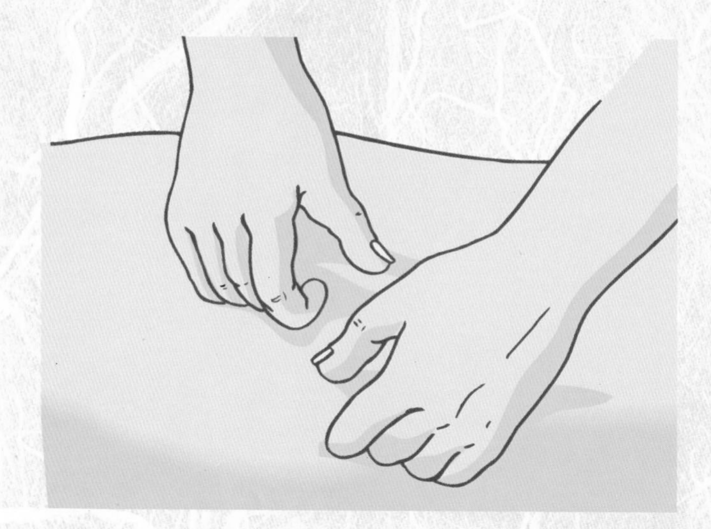

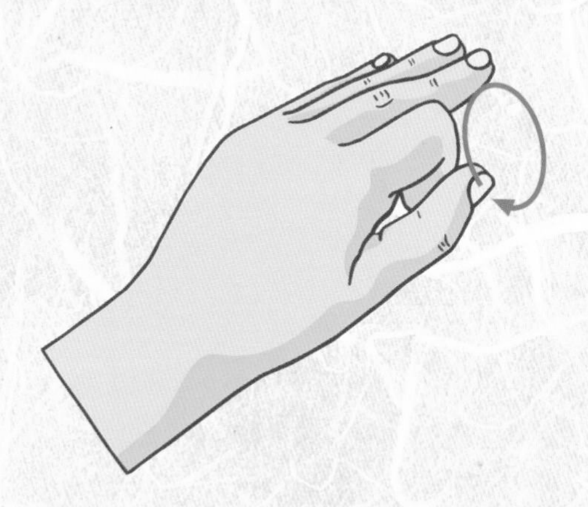

El efecto de este amasamiento es similar al anterior, pero el digito-nudillar se aplica en zonas más pequeñas, tales como los codos, la nuca, las paravertebrales, etc. El ritmo puede ser igual o mayor que el de los amasamientos digitales.

Amasamiento nudillar

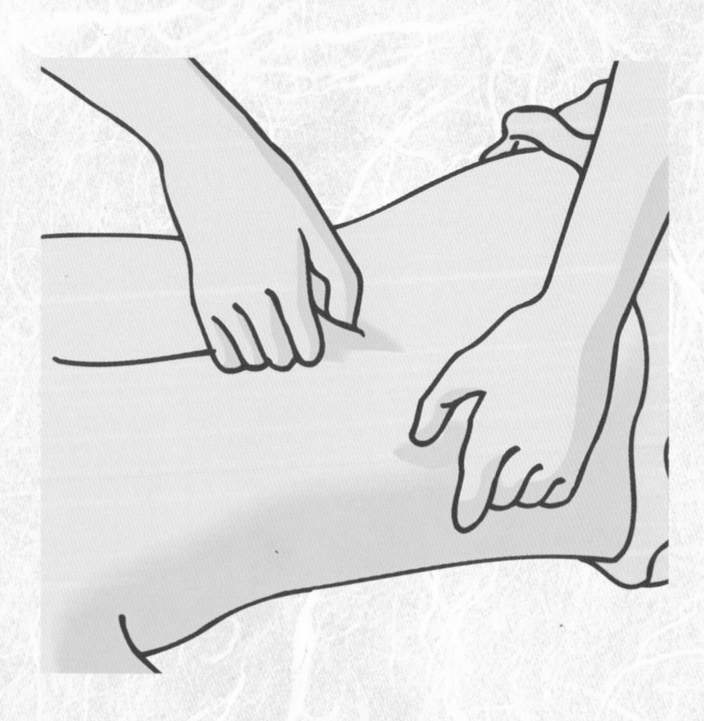

Es similar a los digitales pero, en este caso, se utilizarán los nudillos de los dedos en lugar de las yemas, dejando la masa muscular entre ellos. Este tipo de maniobra está indicada para zonas especialmente carnosas, contracturadas. Es muy útil para el masaje deportivo. Se aplica también a la columna vertebral, pasando los nudillos por las apófisis espinosas.

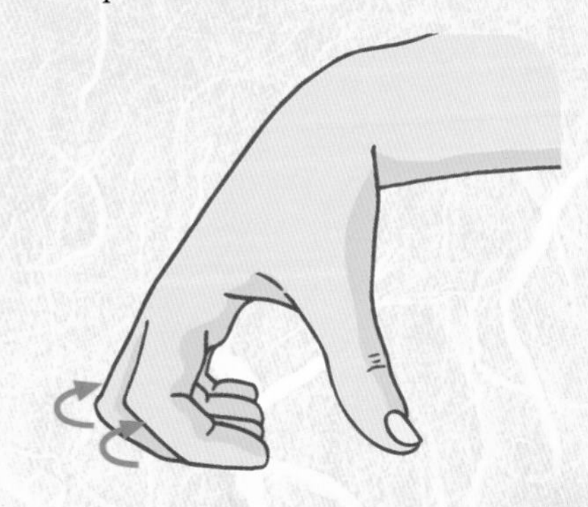

Amasamiento nudillar total

El amasamiento nudillar total no se considera un amasamiento específico sino, más bien, un refuerzo al nudillar. En éste se duplica la intensidad, al ejercer presión una mano sobre la que realiza la manipulación. Aunque todos los amasamientos pueden completarse con otras técnicas, en este caso, el refuerzo tiene un interés especial, teniendo en cuenta el tipo y condiciones de los músculos a los que se aplica.

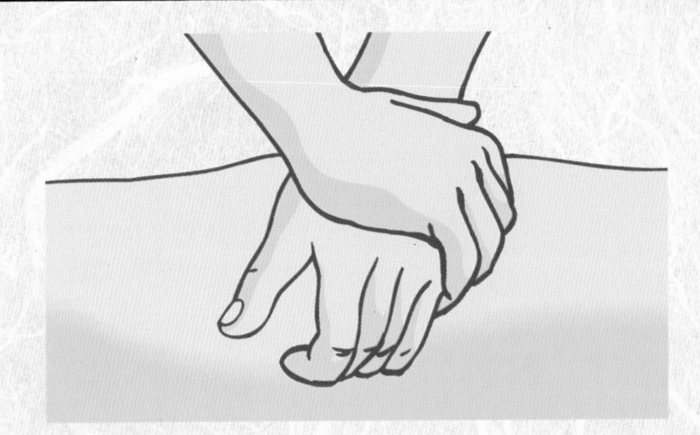

Amasamiento pulpo-pulgar

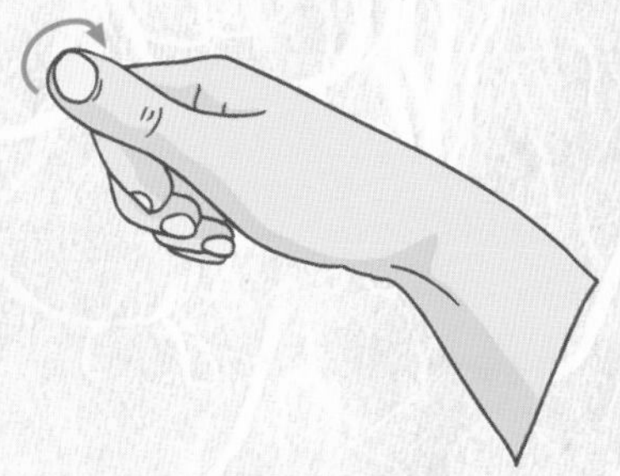

En el amasamiento pulpo-pulgar son las yemas de los dedos pulgares las que realizan los movimientos, trazando círculos alternativamente, mientras que el resto de la mano, incluidos los dedos, le sirve de apoyo. Puede realizarse sobre pequeñas superficies, en puntos concretos o sobre grandes zonas.

Amasamiento tenar

Se ejecuta con las eminencias tenar e hipotenar de ambas manos, que trazan círculos alternos en la zona afectada a tratar.

Tiene un efecto de elastificación, movilización y activación circulatoria importante.

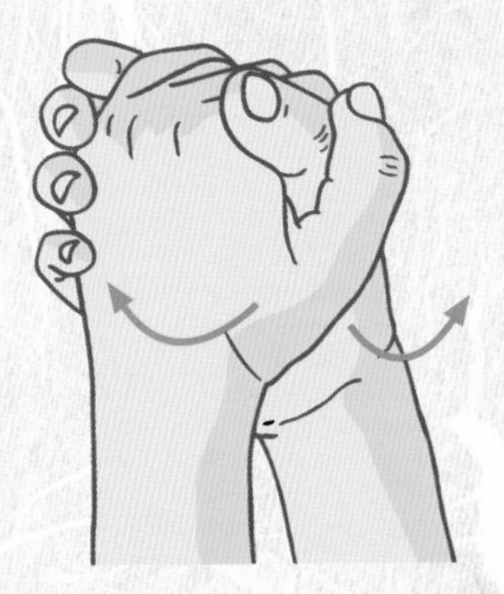

Colocación de las manos

PERCUSIONES

Con las percusiones se pretende provocar un corte de la circulación para aumentar la velocidad y la fuerza del aporte sanguíneo, forzando el arrastre de células muertas y productos de desecho de los tejidos blandos trabajados.

Estas manipulaciones han de ser realizadas con gran rapidez y durante un corto período de tiempo, ya que se produce una gran hiperemia. Se pueden hacer de varias maneras: cachetes cubitales, percusiones de puño cerrado, dorso palmar, con palmadas planas, con palmadas cóncavas, con palmadas digitales y con palmadas digitales y fricción.

Cachetes cubitales

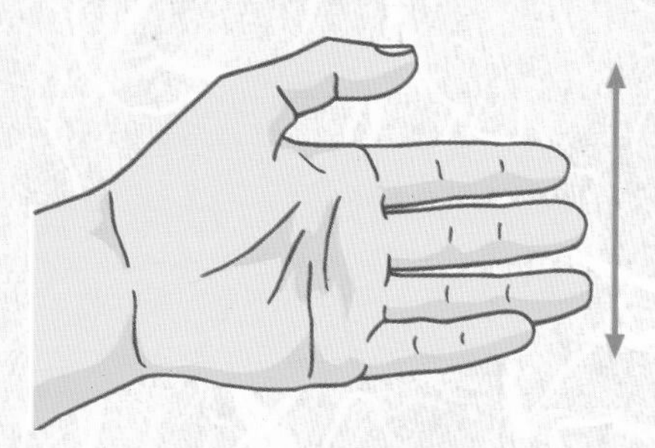

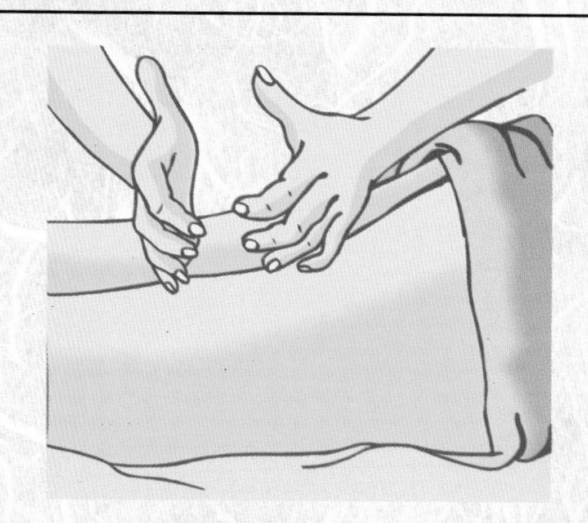

Se realizan con la mano ligeramente curvada, apoyada sobre el lateral del dedo meñique en la zona a tratar. El resto de los dedos queda separado con las palmas mirando una frente a otra separadas unos cinco centímetros.

Las manos percuten en un plano horizontal, con juego de muñecas, sobre los dedos meñiques, que reciben el choque de los otros dedos, tratando de lograr una velocidad de 150/200 percusiones por minuto. El contacto con la piel es breve. Las manos, alternativamente, repiten estos movimientos sin variar la velocidad ni la fuerza. Esta manipulación también se conoce como hachazos digitales.

Percusiones de puño cerrado

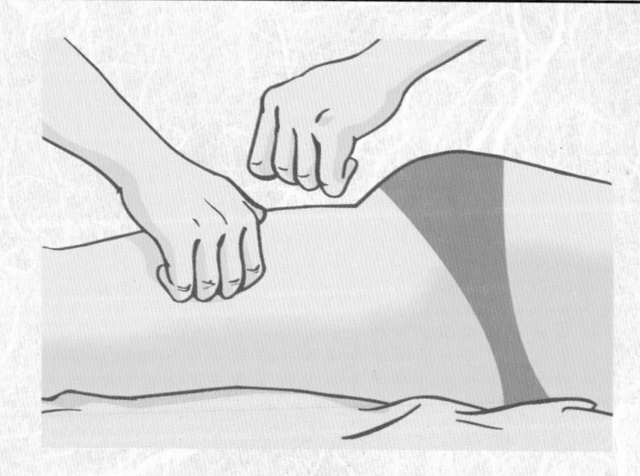

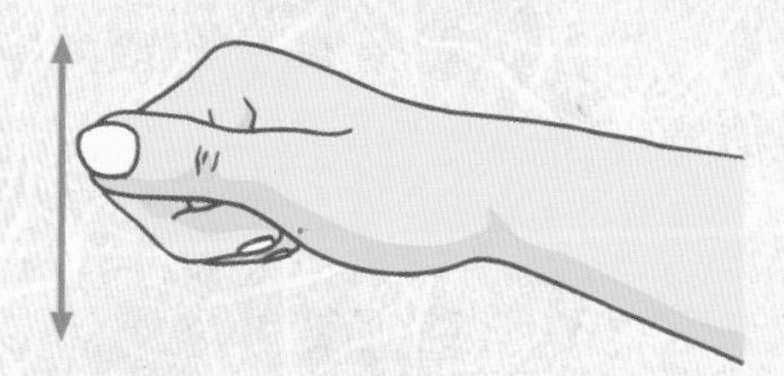

Las percusiones de puño cerrado se efectúan con los dedos flexionados y con el pulgar cerrando el hueco lateral del índice, sin entrar en la palma de la mano. Se percute sobre la zona con las falanges intermedias de los dedos y con las eminencias tenar e hipotenar, haciendo un movimiento rápido con juego de muñecas. Es preciso imprimir un ritmo uniforme; la velocidad será la misma que para los cachetes digitales. Esta maniobra está indicada en musculaturas desarrolladas, y tiene un efecto tonificante.

Percusión dorso palmar

Debe realizarse con la mano flexionada en forma de puño, el dedo pulgar sobre el lateral del índice y se aplica a la zona rotando suavemente, pero sin ceder en la presión, en un giro de 180º. En esta manipulación se distinguen claramente tres fases. Cuando los dedos están de cara al masajista, se desciende de la región hipotenar hasta dejarla pegada al cuerpo. A la vez que se van extendiendo los dedos, se realiza una pequeña fricción, que arrastre la hiperemia producida con el giro.

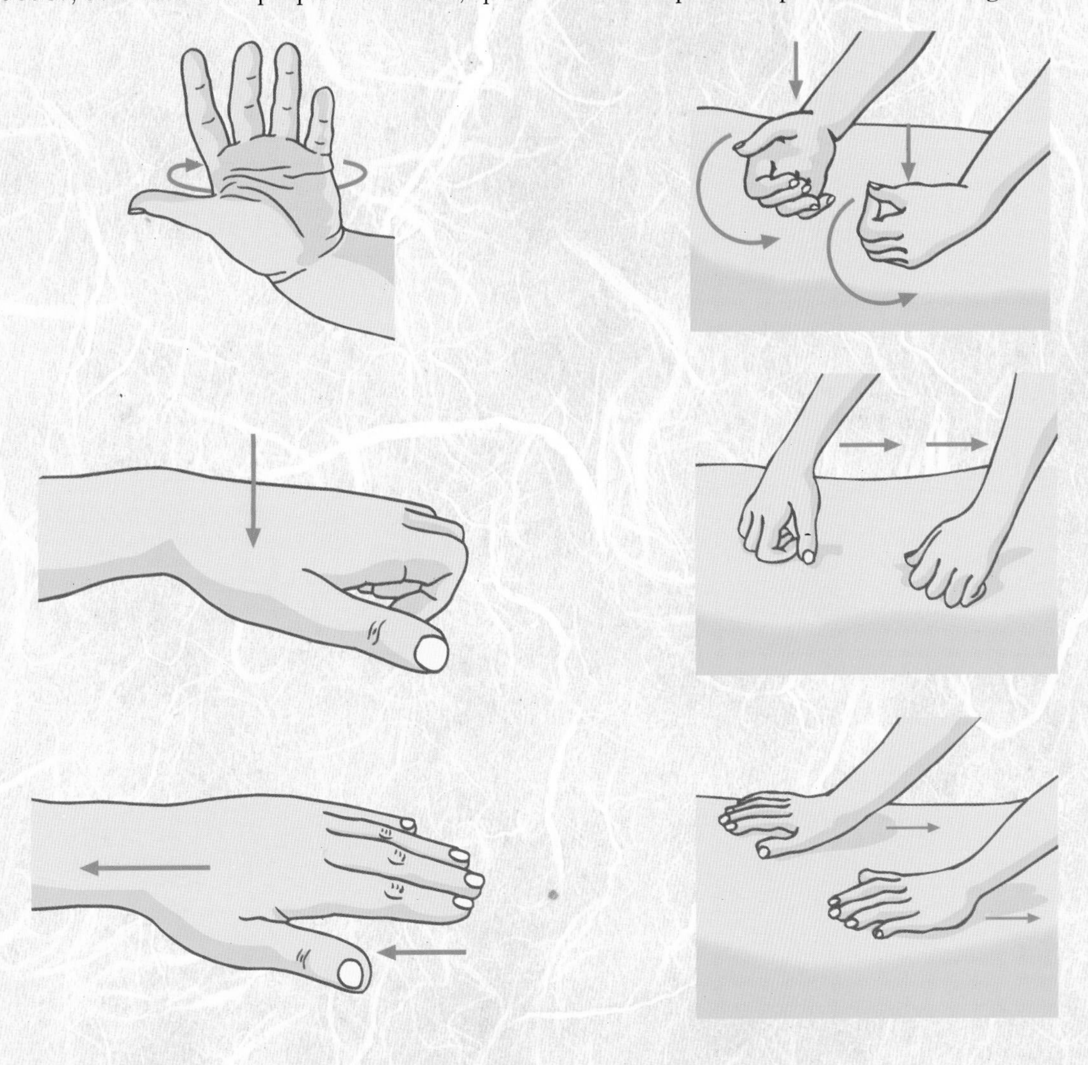

Percusiones con palmadas planas

Se ejecutan con la mano plana, que percute. Para no causar dolor es necesario que la mano rebote con elasticidad.

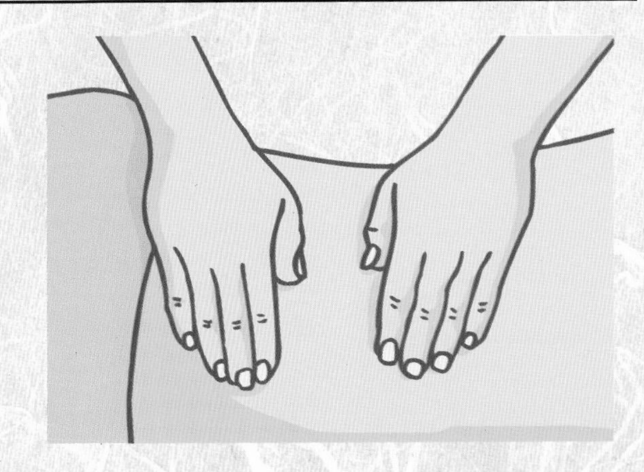

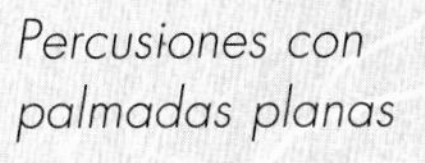

Percusiones con palmadas planas

Percusiones con palmadas cóncavas

Para realizarlas, la mano debe estar en posición cóncava, los dedos ligeramente flexionados y el pulgar unido al lateral del índice, sin que quede espacio entre los dedos.

Al golpear alternativamente la piel, se comprime el aire que queda retenido en el hueco de la palma de la mano. Así, se fuerza la formación de una gran circulación sanguínea, que repercute en los órganos internos.

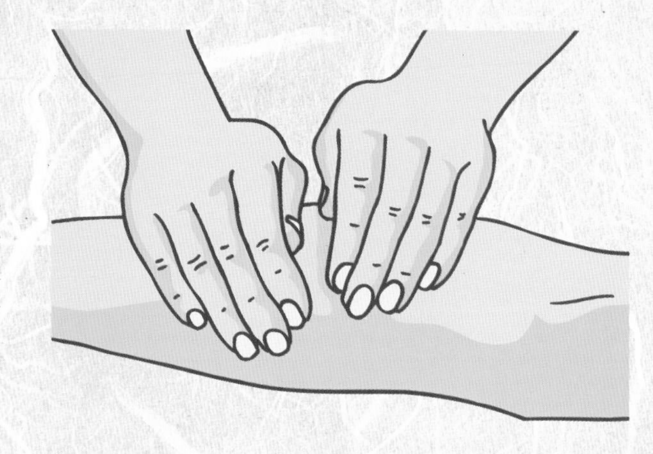

Percusiones con palmadas cóncavas

Percusiones con palmadas digitales

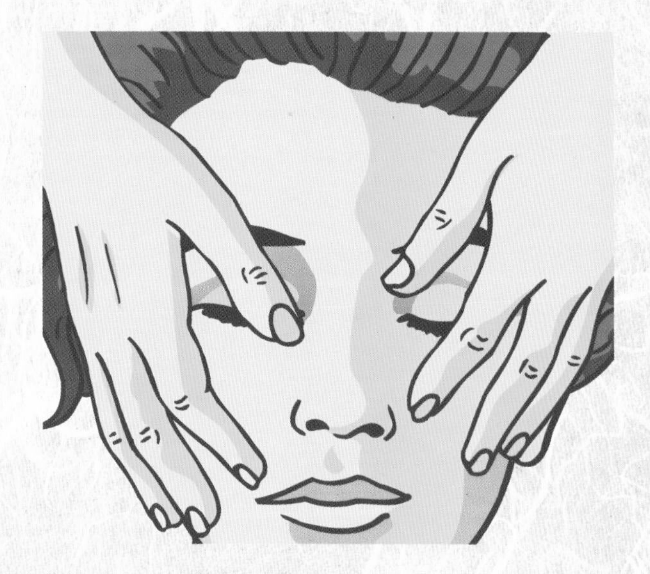

Se realizan con los dedos planos, accionando todos a la vez sobre la zona a tratar.
Puede utilizarse en zonas pequeñas, como la cara.

Percusiones con palmadas digitales y fricción

Se hacen igual que las anteriores, pero seguidas de una fricción que arrastra la hiperemia formada por las palmadas.

PELLIZCOS

Los pellizcos pueden considerarse como una combinación de las manipulaciones de amasamiento y percusión, debido al ligero amasamiento de la zona y a la rapidez con que debe realizarse la maniobra.
Al igual que en el resto de las técnicas, también dentro de los pellizcos encontramos vaarios tipos? los pellizcos normales, los pellizcos con torsión, los de oleaje, los de aproximación y separación, los pellizcos con fricción y los picoteos.

Pellizcos normales

Para realizar los pellizcos normales hay que agarrar una porción de masa carnosa

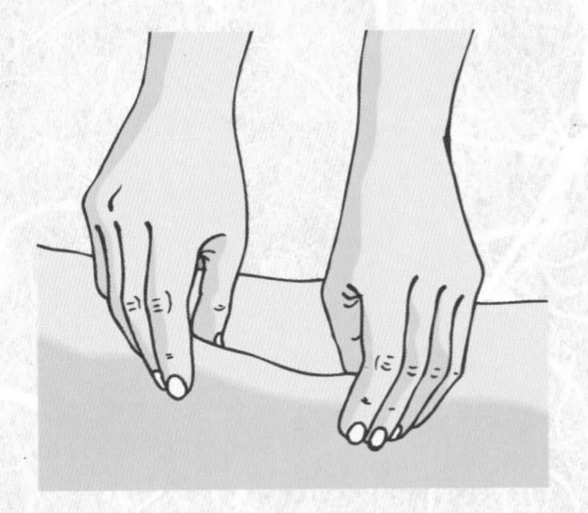

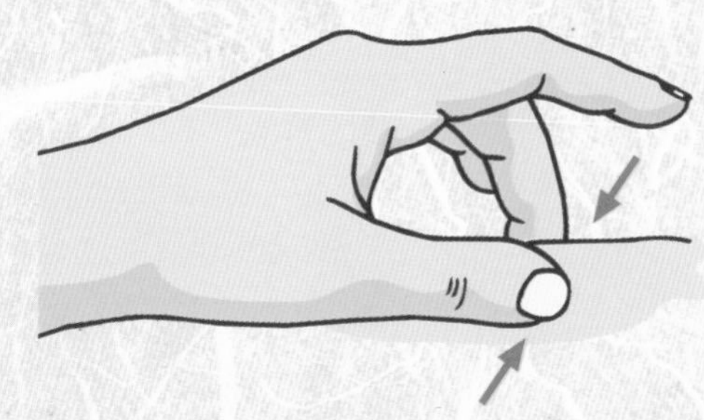

entre los dedos medio o índice y pulgar, deslizándola entre ellos con gran rapidez.

Debe ponerse especial cuidado en la intensidad, puesto que se puede llegar a producir dolor. Se pellizcará hasta que se junten las dos partes del tejido y se soltará rápidamente. Esta maniobra produce una gran hiperemia.

Pellizcos con torsión

Se realizan igual que los anteriores pero aplicando una pequeña torsión al tejido, antes de soltarlo.

Se produce, de este modo, una gran afluencia de sangre a la zona, lo que aumenta su nutrición.

Debe aplicarse en zonas muy carnosas, como puede ser el abdomen. Está indicada en la rehabilitación de zonas musculares.

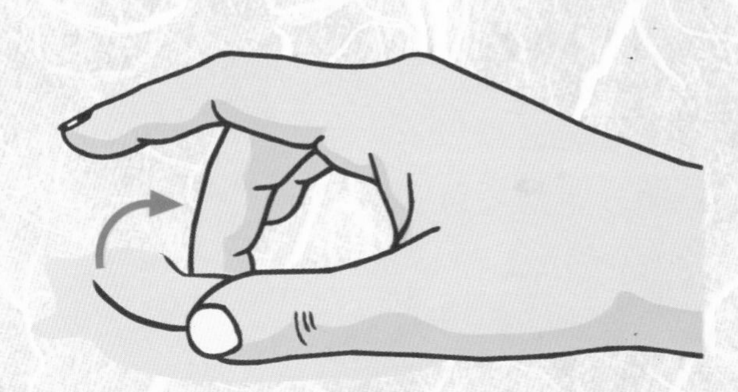

Pellizcos de Oleaje

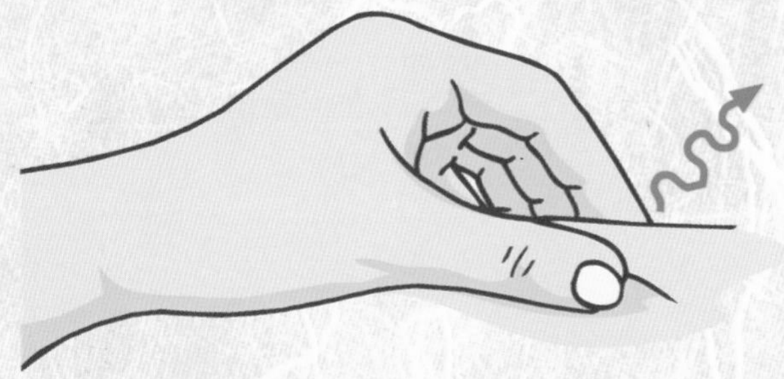

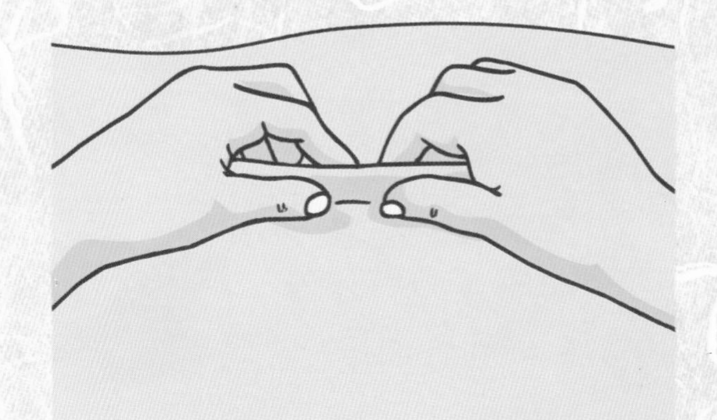

Para efectuar estos pellizcos, se deben colocar los dedos pulgares en un lado de la porción de tejido pellizcado, mientras el resto de los dedos se sitúa en el otro lado.

Se hace levantar el tejido, manteniendo siempre la misma altura, como si fuese una ola. Se utiliza en los masajes para reducción de grasas.

Pellizcos de aproximación y separación

Se realizan pellizcando la masa muscular con las manos, estirándola y encogiéndola.

También se utiliza para la reducción de grasas

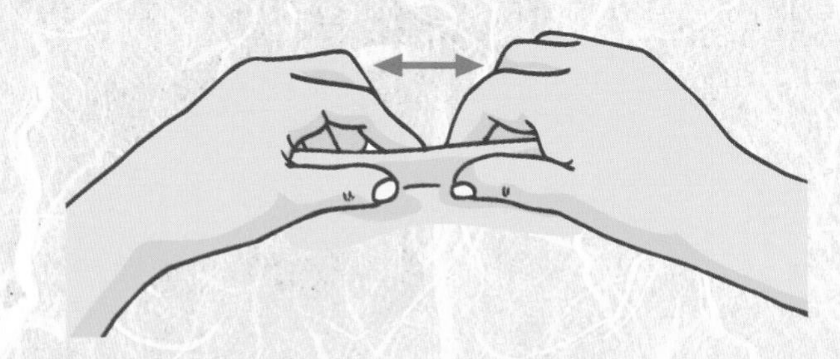

Pellizcos de aproximación y separación

Pellizcos con fricción

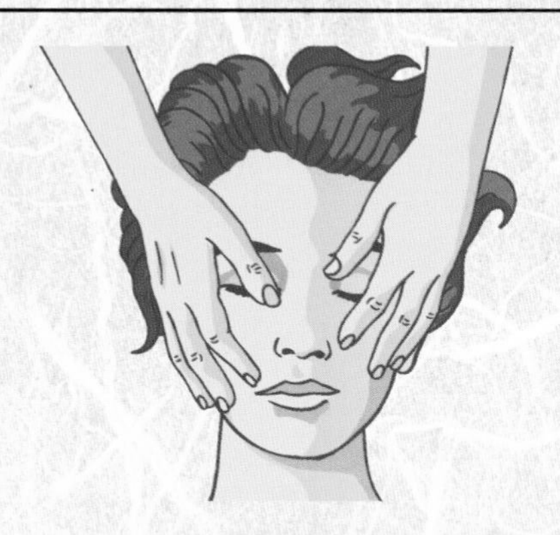

Se pellizca con el pulgar y el resto de los dedos en forma de pinza, procurando soltar el tejido nada más entrar en contacto con él.

Es preciso realizar esta manipulación con gran rapidez y juego de muñecas, para lograr un efecto relajante.

Picoteos

Son pellizcos suaves que se realizan con las yemas de los dedos y producen una ligera tumefacción en la zona. Se hacen en áreas muy pequeñas, como los laterales de la frente, y para trabajar las patas de gallo.

ROCES

Podemos distinguir dos clases de roces: roces sencillos y roces circunflejos.

Roces sencillos

Dedos ligeramente separados y flexionados. Con una cierta presión se pasan las yemas por la piel, como si se intentara hacer surcos en línea recta. Con estas manipulaciones aumenta la circulación sanguínea y linfática, elevándose la temperatura de la zona. Son estimulantes y se usan en masaje deportivo.

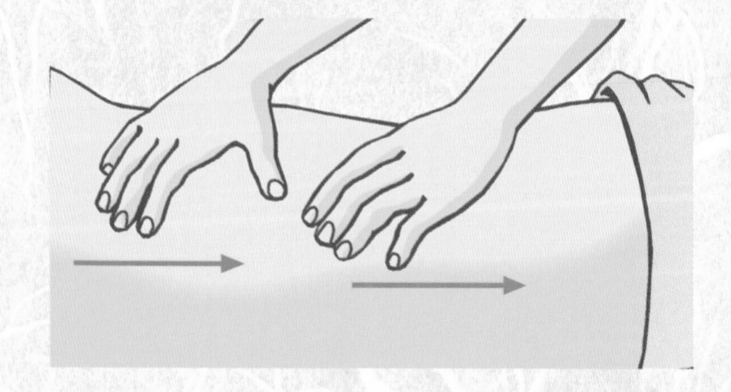

Roces circunflejos

Los roces circunflejos se realizan de manera similar a los roces sencillos pero, con la diferencia de que, a medida que se desciende por el tejido, se van haciendo ondas.

Este tipo de manipulaciones están especialmente indicados para el masaje en la espalda y en caso de insuficiencia muscular.

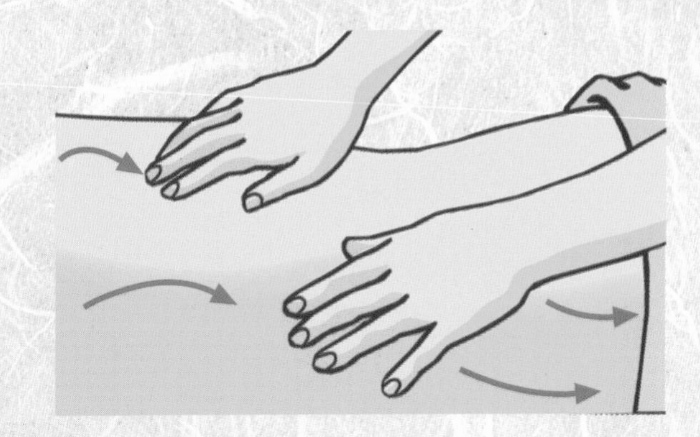

FRICCIONES

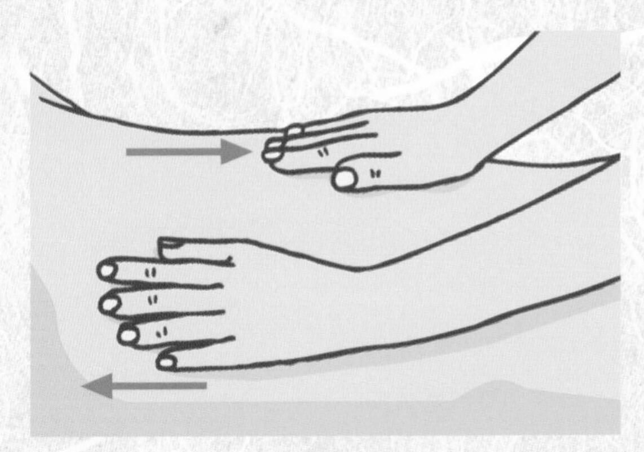

Las fricciones se efectúan con la mano abierta sobre la piel del paciente. Con cierta presión, se fricciona el cuerpo, para generar calor en la zona. La velocidad no puede ser excesiva, ya que se corre el riesgo de romper algún vaso sanguíneo. Esta manipulación se realiza en casi todos los tratamientos. Activa la circulación venosa y facilita la disminución de los edemas y estasis sanguíneos, especialmente si se realiza desde las extremidades en dirección al corazón, lo que favorece la circulación de retorno.

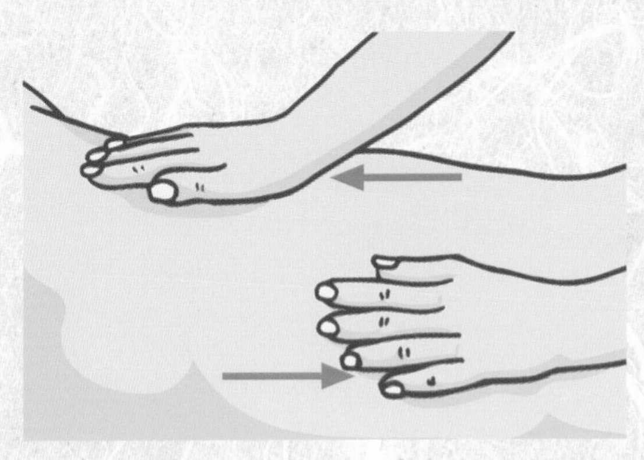

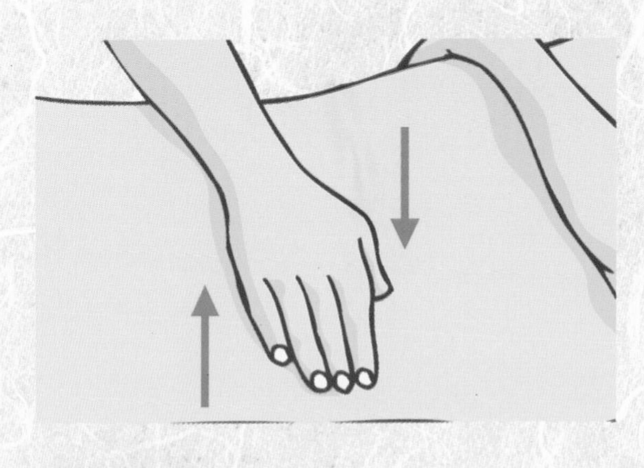

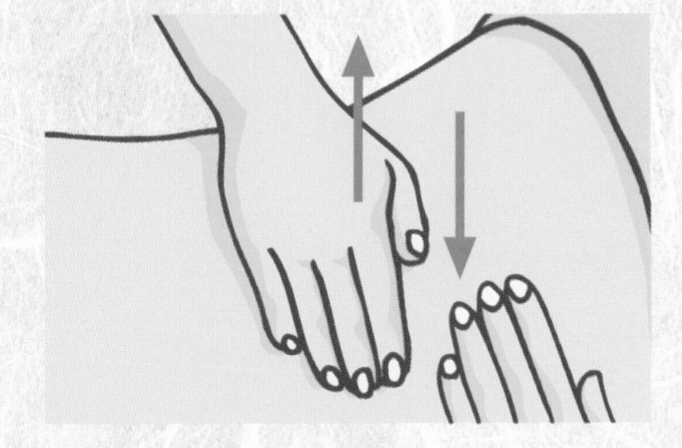

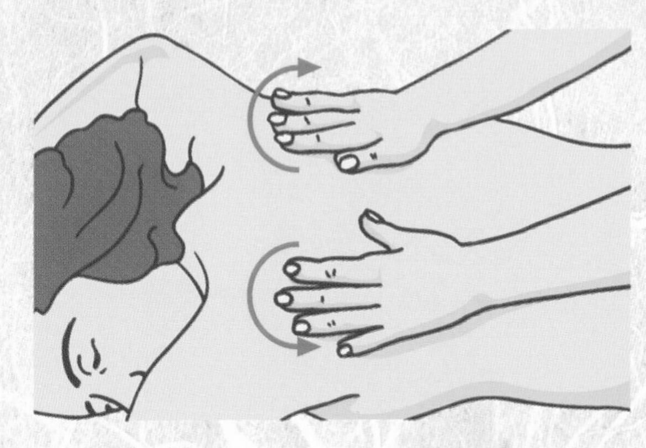

TECLETEOS

Para realizar los tecleteos es necesario golpear con las yemas de los dedos, un poco flexionados, con velocidad.

Esta técnica estimula el sistema nervioso y, aplicándola sobre la columna vertebral, ayuda a combatir el insomnio.

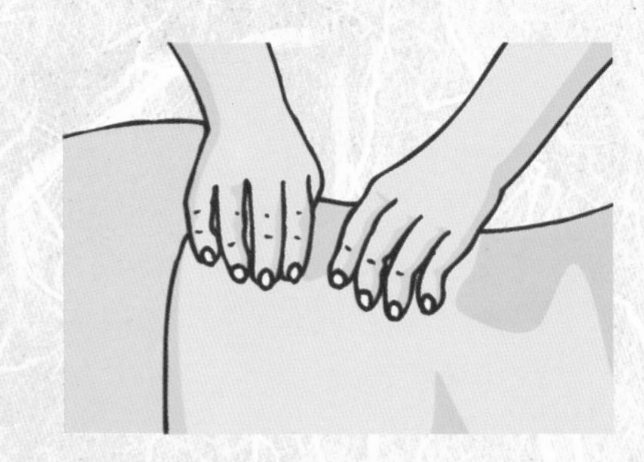

RODAMIENTOS

Esta maniobra se realiza con las manos ligeramente flexionadas, comprimiendo el músculo contra el hueso y aplicando un movimiento de vaivén a toda la masa muscular. Los rodamientos están formados por tres manipulaciones: presión, amasamiento y fricción, realizadas ascendiendo y descendiendo rápidamente. Estimulan la circulación sanguínea y fortalecen los músculos. Se usan sobre las extremidades.en tratamientos deportivos.

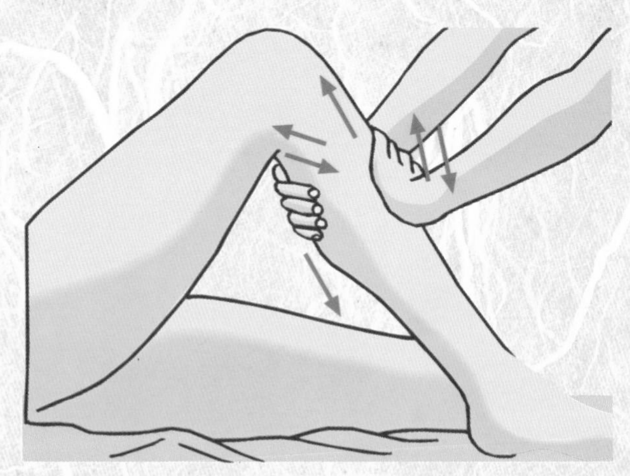

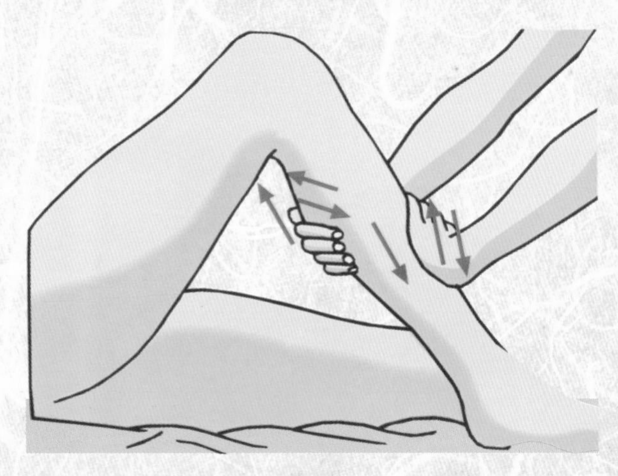

VIBRACIONES

Tensando el bíceps se consigue una vibración que se transmite a través de la mano del terapeuta a un punto del cuerpo del paciente. Las vibraciones se aplican apoyando la mano o los dedos en la zona afectada. Es una técnica difícil que, si no se realiza bien, conlleva un derroche de energía del masajista, por lo que no suele practicarse mucho, aunque sus efectos son tremendamente benéficos. Puede hacerse en casi todas las partes del cuerpo, resultando muy sedante y relajante, tanto para la columna vertebral, como para mejorar una contracción muscular o una congestión hepática y estimular el peristaltismo intestinal. Esta maniobra llega hasta los tejidos profundos y se estimula el sistema nervioso.

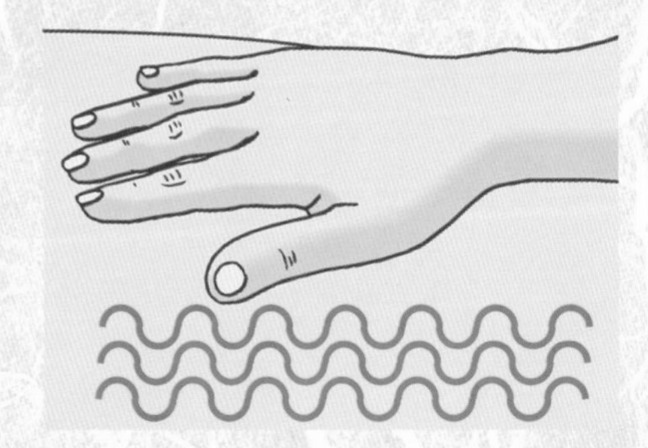

MASAJE GENERAL

Conociendo las manipulaciones básicas, es imprescindible saber la dirección en que han de trabajarse las zonas, la dirección de la musculatura o cadenas musculares, con el fin de no perjudicar al paciente.

Lo primero que debemos tener en cuenta es la posición en la que los músculos a tratar están más relajados. La espalda, por ejemplo, requiere que el paciente esté colocado en decúbito prono; el abdomen, en decúbito supino, con las piernas flexionadas. Las extremidades se masajean por las dos caras, apoyando manos y pies en la camilla o sobre el cuerpo del terapeuta.

Un masaje local durará unos 20 minutos y uno masaje general entre 40 y 45 minutos por término medio. No obstante, la duración del masaje puede variar dependiendo de la zona a tratar y de la musculatura del paciente. El masaje general debería llevar el siguiente orden: cabeza y cara en primer lugar, seguido de tórax y abdomen. Después de trabajar el tórax, se tratan las extremidades superiores y, después del abdomen, las inferiores. Finalmente, para que el paciente se sienta más relajado, se masajearía la espalda. No obstante, y con el fin de que el paciente se encuentre menos cohibido, suele comenzarse por la espalda.

La intensidad o profundidad del masaje está en función del paciente, aunque normalmente se distinguen tres variantes:

Intensidad superficial
Aplicable a niños, ancianos y personas con musculaturas débiles.

Intensidad media o muscular
Es la más frecuente, beneficiosa para todo los pacientes.

Intensidad profunda
Normalmente utilizada para deportistas.

En todo caso, conviene preguntar al paciente si la intensidad aplicada le produce dolor o bienestar, y adaptarse lo más posible a sus necesidades.

MANIPULACIONES BÁSICAS

- Pases magnéticos
- Vaciado venoso
- Amasamientos
  - Digital
  - Digito-palmar
  - Digito-nudillar
  - Nudillar
  - Nudillar total
  - Pulpo-pulgar
  - Tenar
- Percusiones
  - Cachetes cubitales
  - De puño cerrado
  - Dorso-palmar
  - Palmadas planas
  - Palmadas cóncavas
  - Palmadas digitales
  - P. dig. con fricción
- Pellizcos
  - Normales
  - Con torsión
  - De oleaje
  - De aprox. /separac.
  - Con fricción
  - Picoteos
- Roces
  - Sencillos
  - Circunflejos
- Fricciones
- Tecleteos
- Rodamientos
- Vibraciones

CÓMO MASAJEAR LAS DIFERENTES PARTES DEL CUERPO

Las diversas manipulaciones básicas, propias del masaje terapéutico, se combinan para masajear cualquier parte del cuerpo teniendo en cuenta la musculatura y el tamaño de la zona a tratar.

En un área pequeña o poco musculosa, las manipulaciones fuertes, o que se realicen con toda la mano, dificultan la capacidad de maniobra del terapeuta y restan eficacia al masaje, pudiendo producirse un efecto contrario al deseado, con aumento de la irritabilidad del sistema nervioso periférico.

La dirección de cada maniobra vendrá dada por las fibras musculares, la circulación venosa, arterial y linfática, y el sistema nervioso; y dependerá de lo que se pretenda conseguir con cada manipulación.

A continuación, veremos las diferentes partes del cuerpo, la dirección con que deben realizarse las maniobras en cada una de ellas, las manipulaciones que se siguen para el masaje de cada parte en concreto y el orden en el que ininterrumpidamente deben hacerse.

Conviene recordar que no se puede generalizar, que no todos los masajes serán iguales como no lo son las personas que han de recibirlos, pero los esquemas que se ofrecen son los básicos y aconsejables en términos generales.

El masajista es el encargado de dar la intensidad, duración y ritmo apropiados a cada caso, según su intuición y experiencia le vayan dictando. Siguiendo el orden que mencionábamos como aconsejable para un masaje general, se describe primero el masaje de la cara para seguir con el cuello y cintura escapular, pasando al tórax, extremidades superiores, manos, abdomen, piernas, pies y espalda.

La duración de un masaje completo no debe exceder los 60 minutos, ni los 20 cuando se trate de un masaje local.

Hay que hacer hincapié en que no es aconsejable centrarse en una articulación o zona, incluso si el dolor esté allí localizado, ya que, inevitablemente, los músculos próximos estarán afectados y conviene comprobar su estado, porque, si existe esta tensión muscular, el restablecimiento no será tan duradero como sería de desear, aunque en el momento el paciente experimente mejoría.

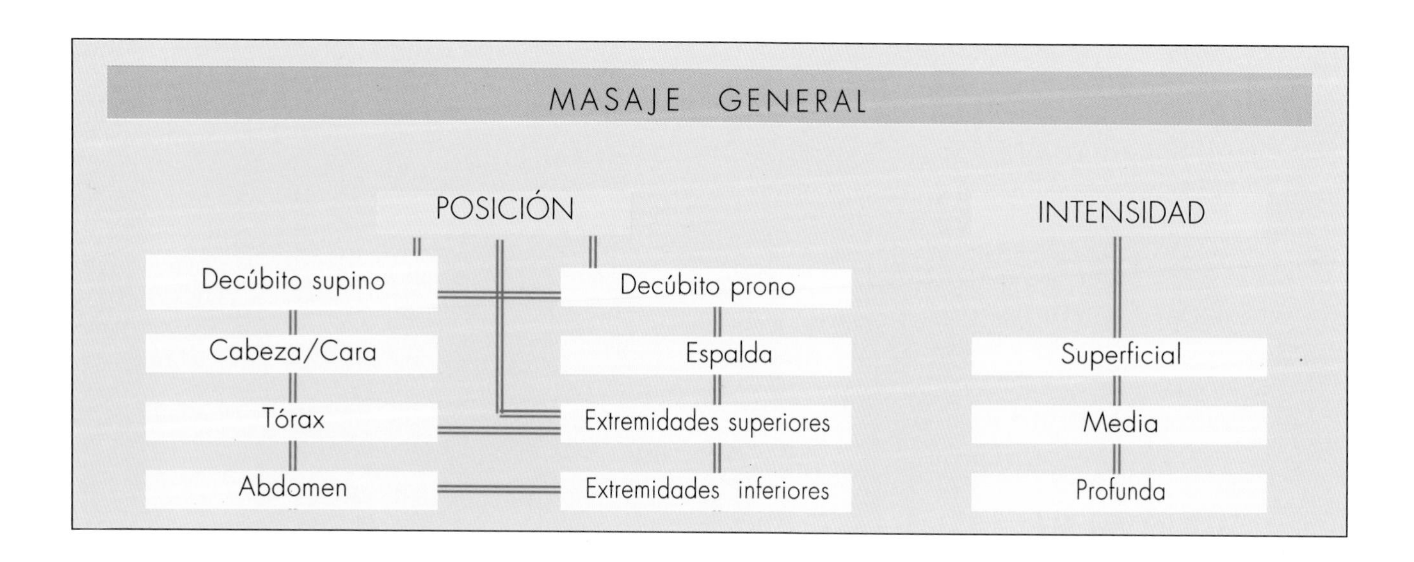

CARA

Pases magnéticos - fase inicial
Amasamiento digital y digito-nudillar

Pases magnéticos - fase profunda

Vaciado venoso general

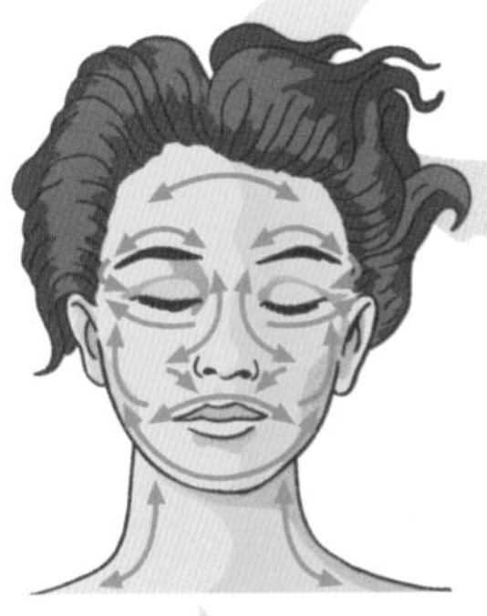

Vaciado venoso general profundo

Vaciado venoso
Picoteos

Vaciado venoso
Tecleteos

Vibraciones (en zonas neurálgicas)

Palmadas con fricción

CUELLO Y CINTURA ESCAPULAR

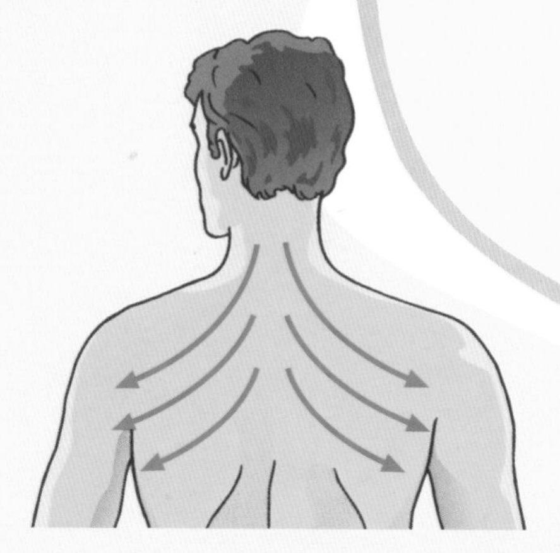
Pases magnéticos

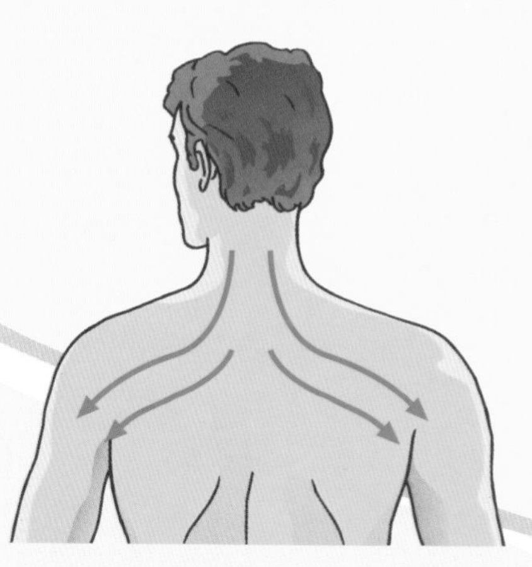
Vaciado venoso

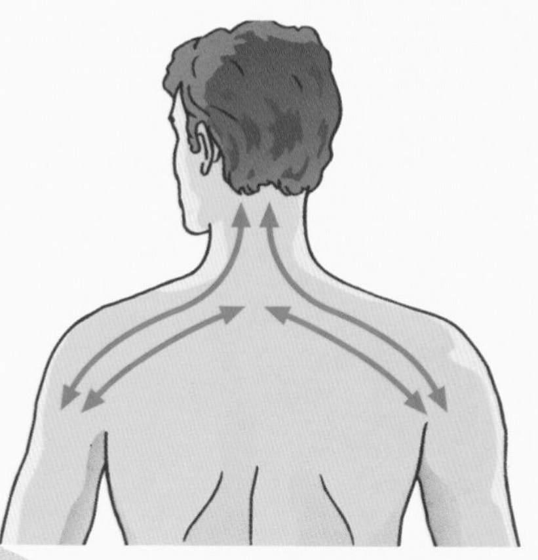
Amasamientos digitales

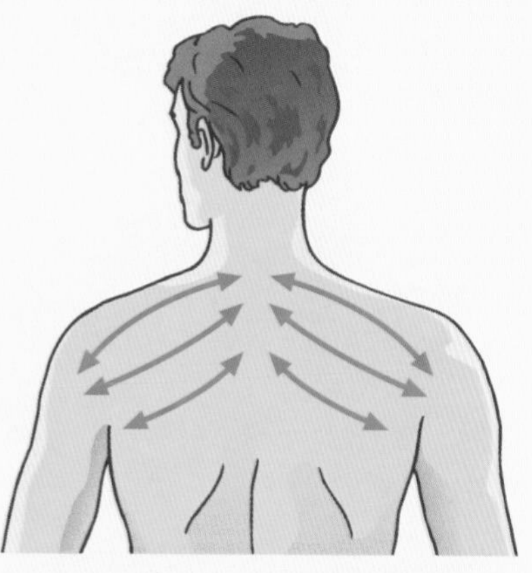
Amasamientos digito-palmares (manos juntas, sólo trapecio)

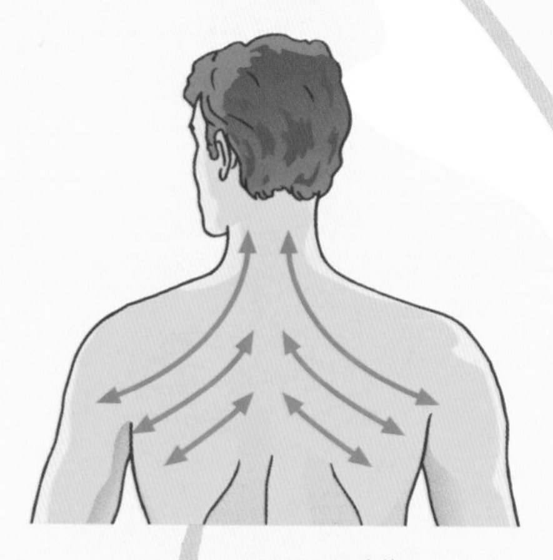
Amasamientos nudillares (fase profunda)

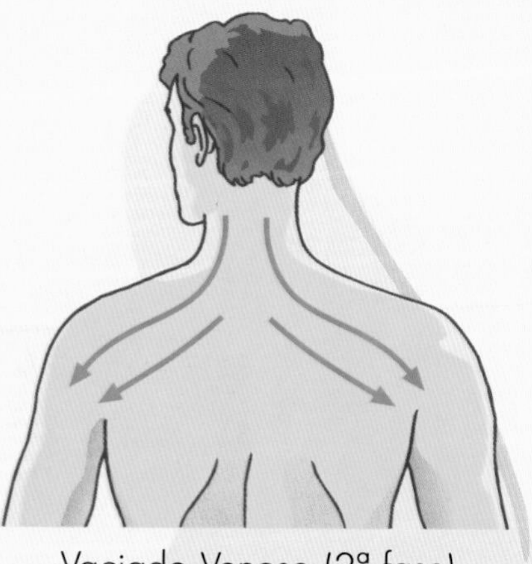
Vaciado Venoso (2ª fase)

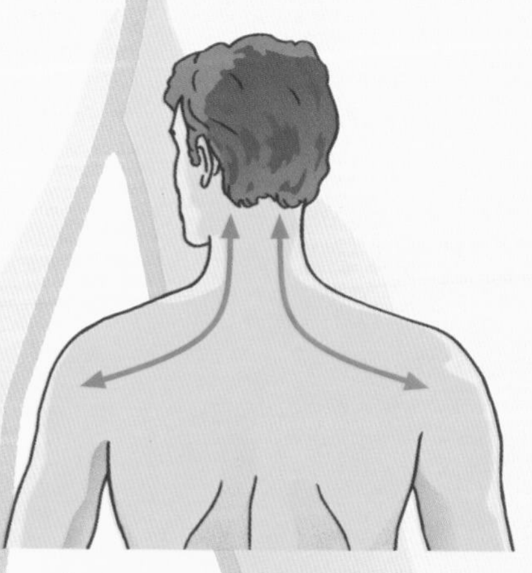
Fricciones Pulpo-pulgares

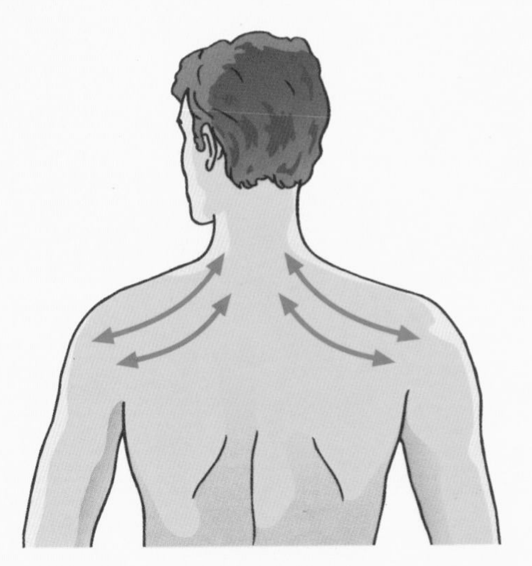

Cachetes cubitales

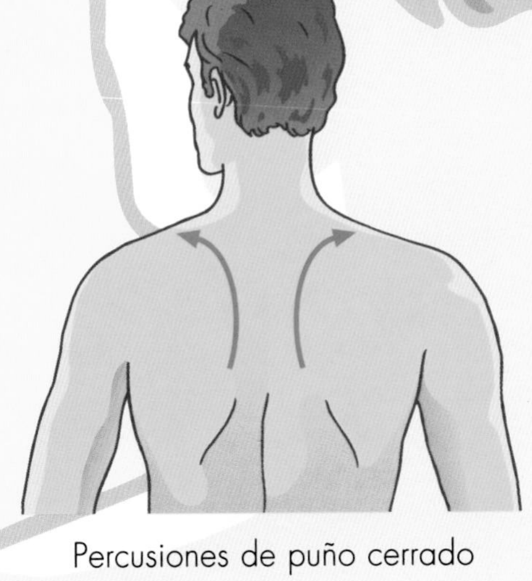

Percusiones de puño cerrado

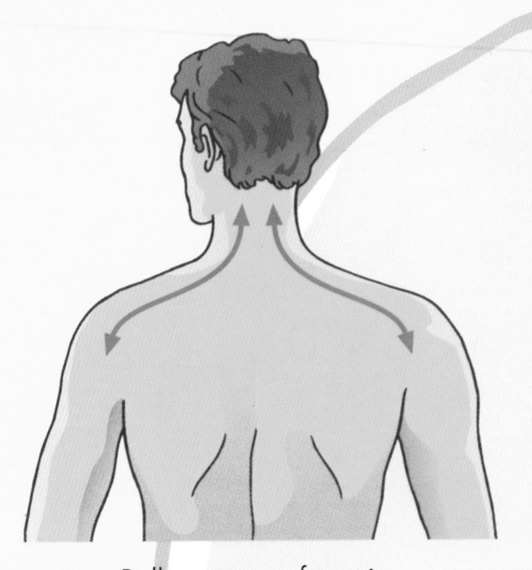

Pellizcos con fricción

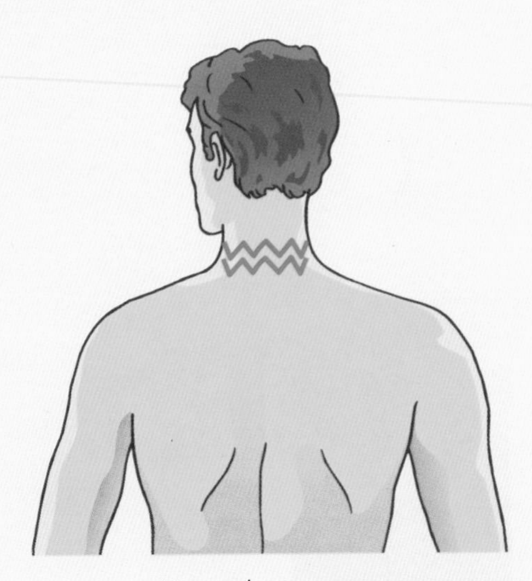

Vaciado venoso
Vibraciones

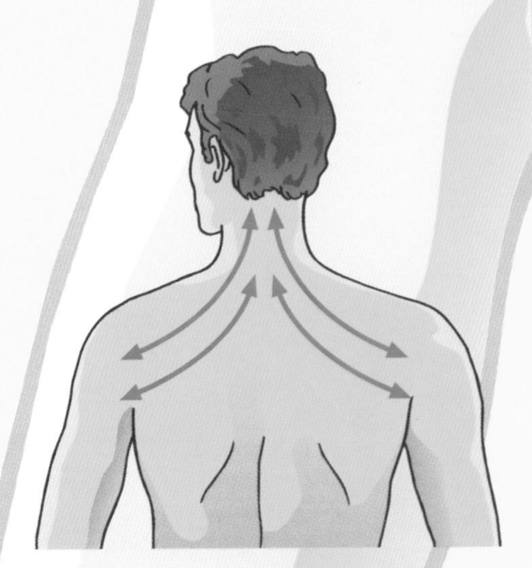

Tecleteos

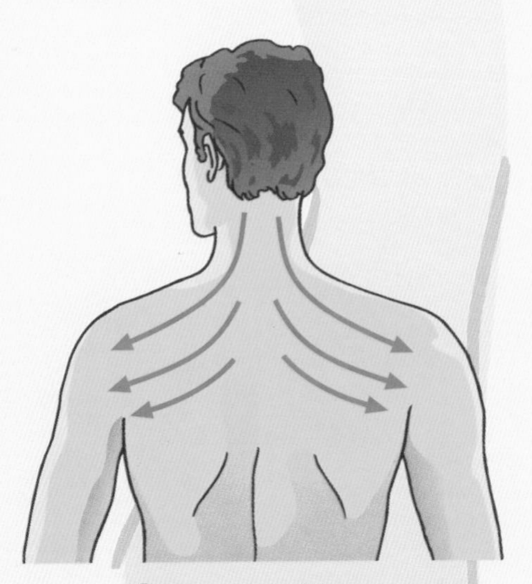

Pases magnéticos

TÓRAX

Cuando el paciente sea una mujer, no se deberá masajear el pecho bajo ningún concepto.

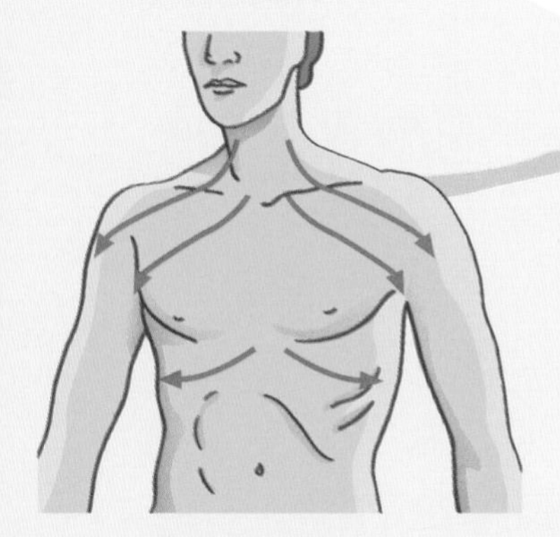

Pases magnéticos
Vaciado venoso

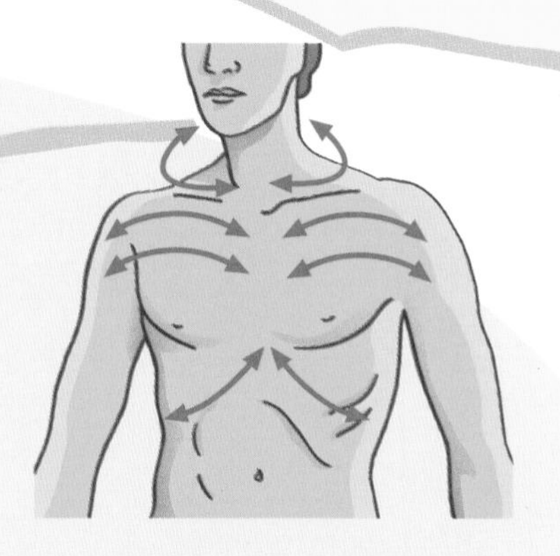

Amasamientos digitales

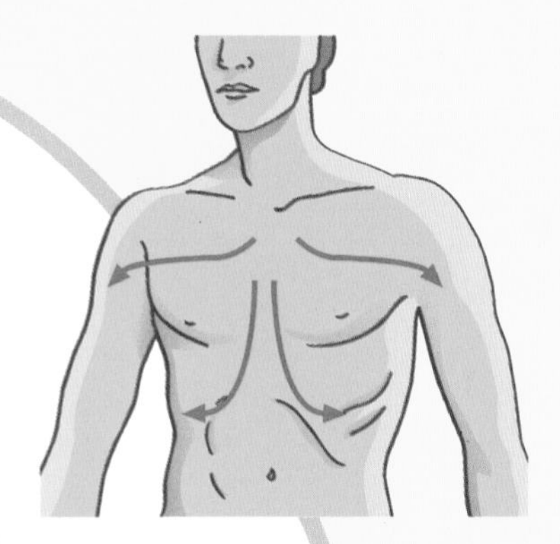

Amasamientos digito-palmares

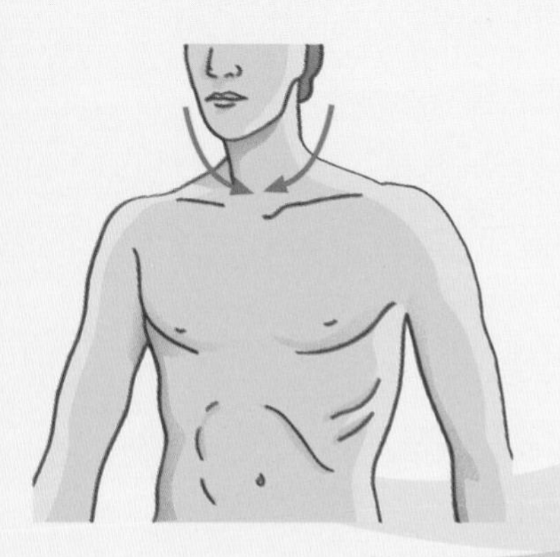

Amasamientos digito-nudillares

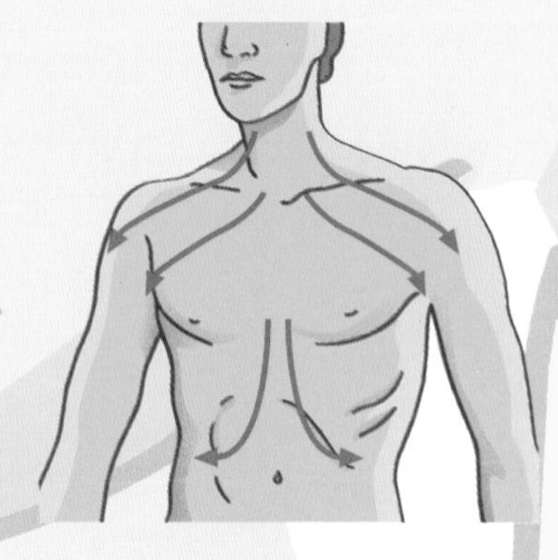

Vaciado venoso
Amasamientos dorso palmares
Palmadas digitales
Roces

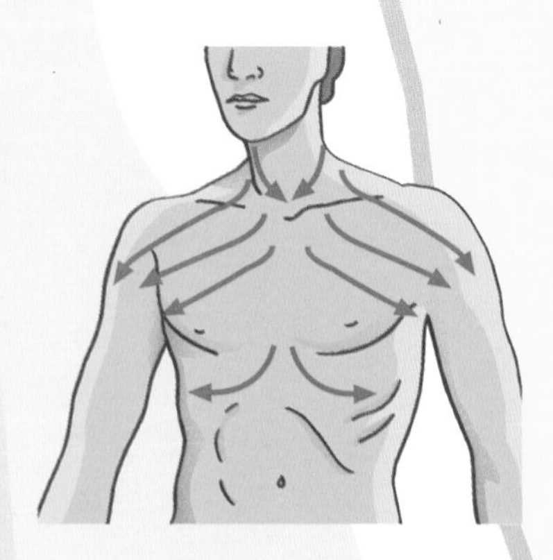

Pellizcos con fricción

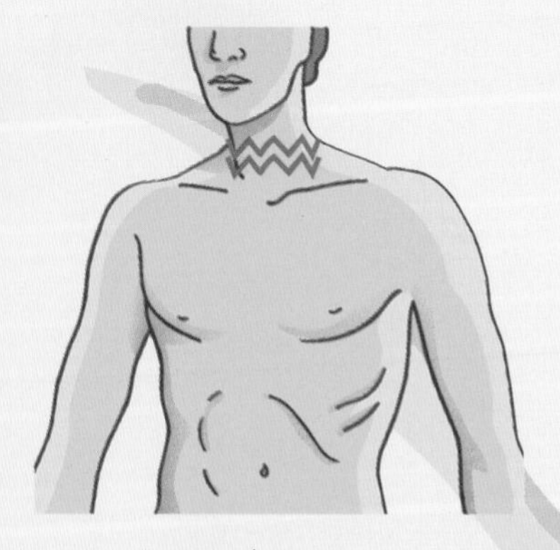

Vaciado venoso
Vibraciones

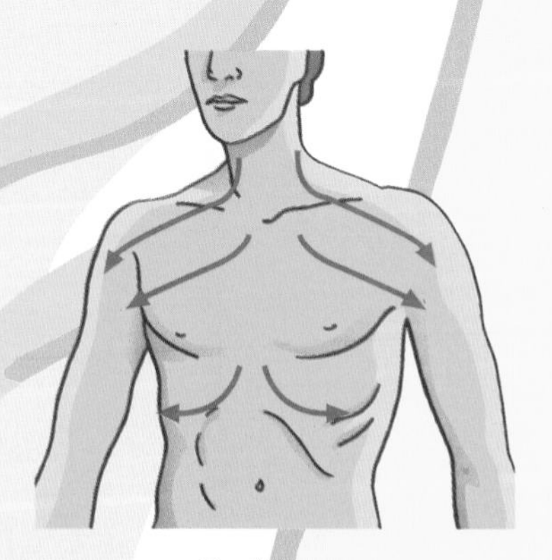

Tecleteos

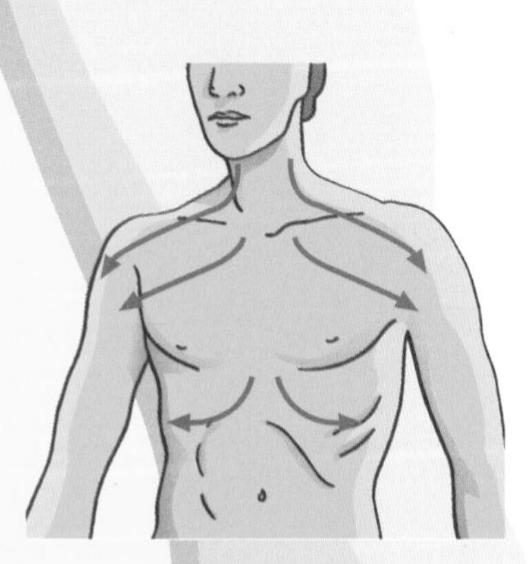

Pases magnéticos

EXTREMIDADES SUPERIORES

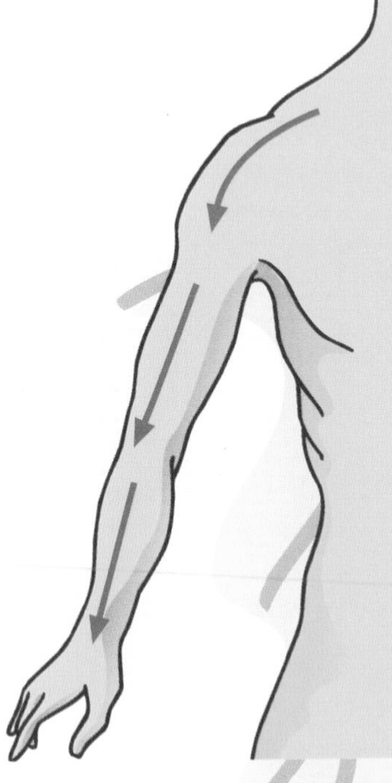

Pases magnéticos

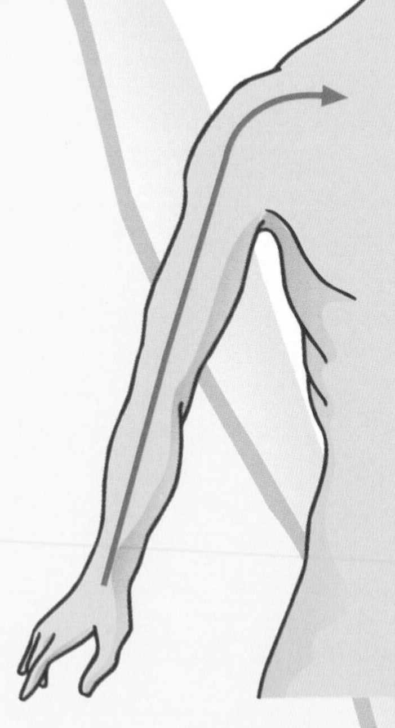

Vaciado venoso

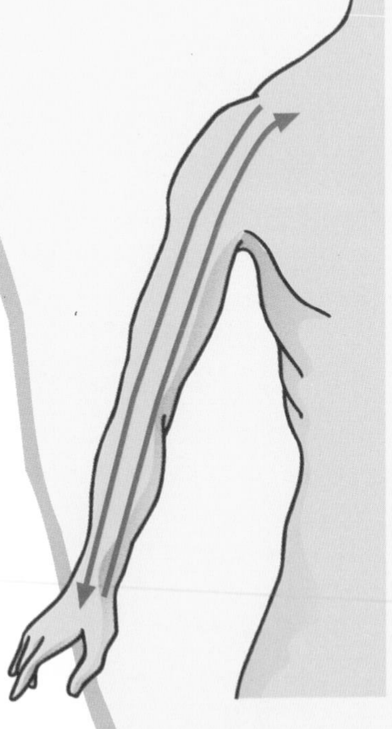

Amasamientos digitales
Amasamientos digito-palmares

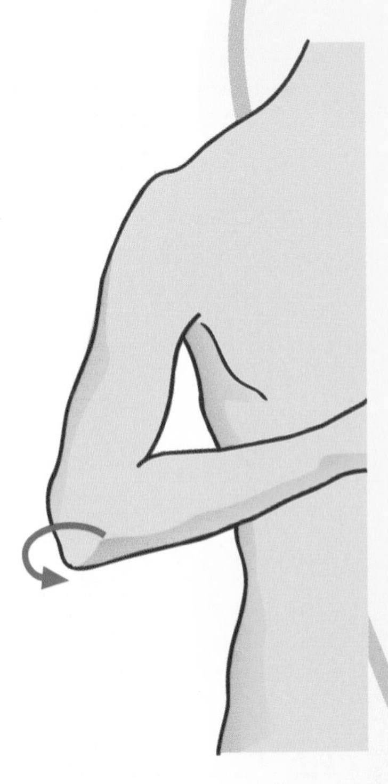

Amasamientos nudillares

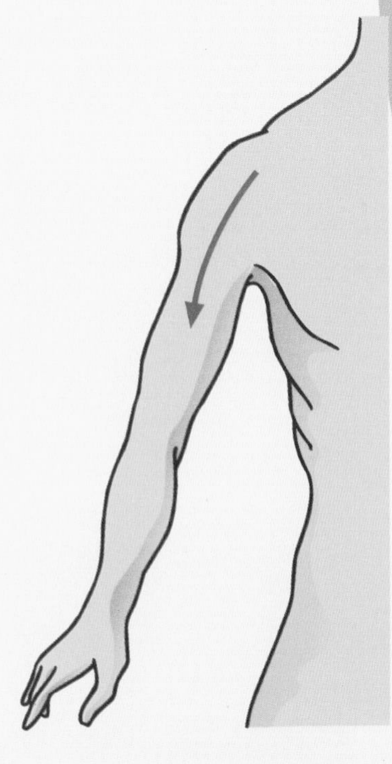

Vaciado venoso
Cachetes cubitales
(en zonas carnosas)

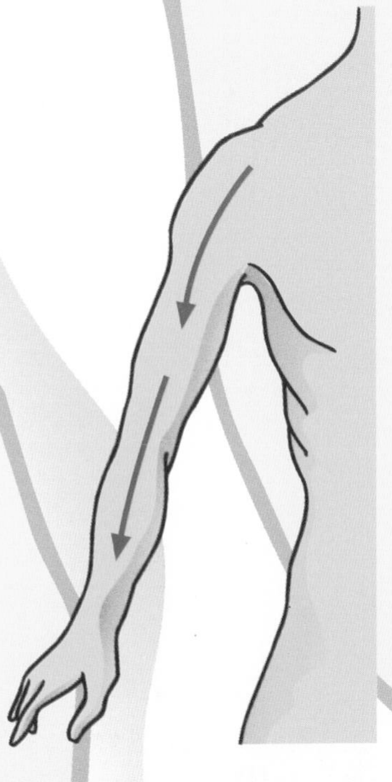

Cachetes cóncavos
(sólo en grandes
musculaturas)

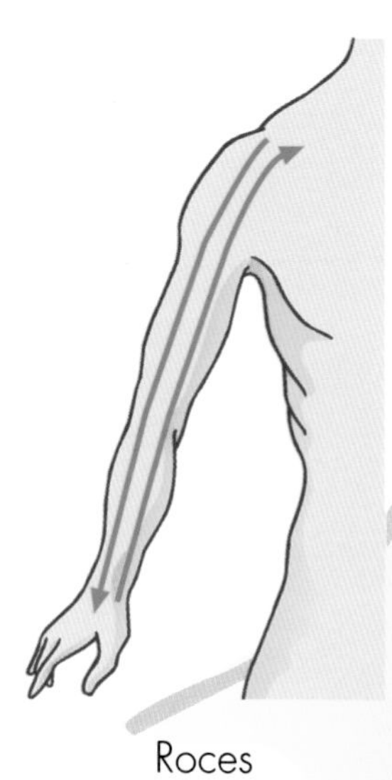

Roces

Vaciado venoso
(2ª fase)

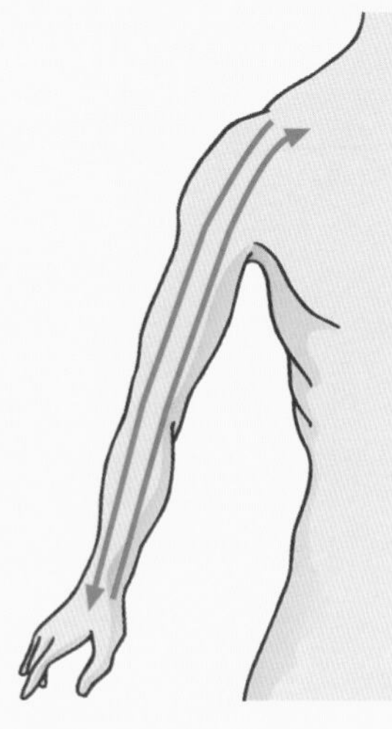

Fricciones

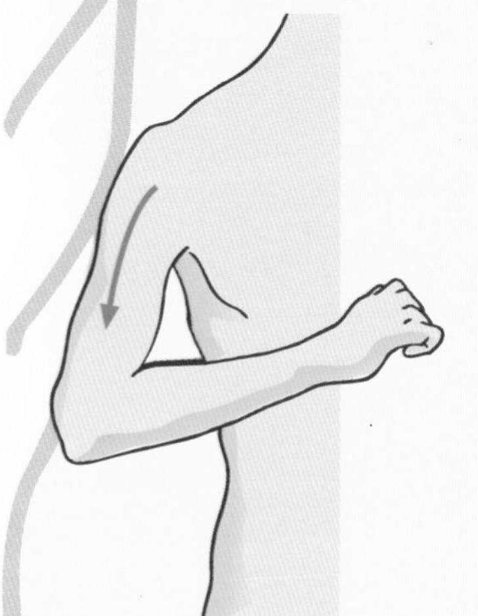

Rodamientos
(sólo en bíceps)

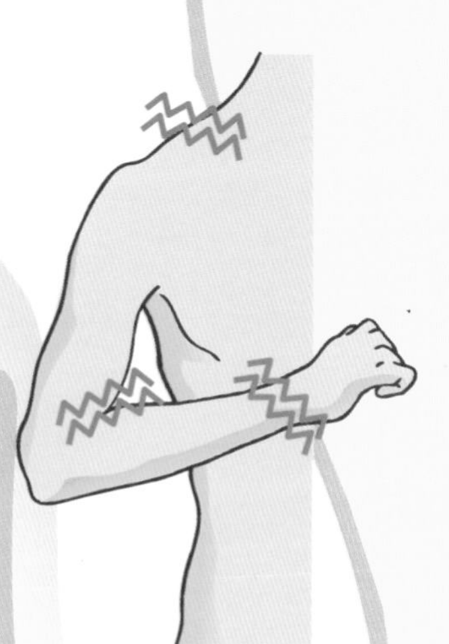

Vibraciones

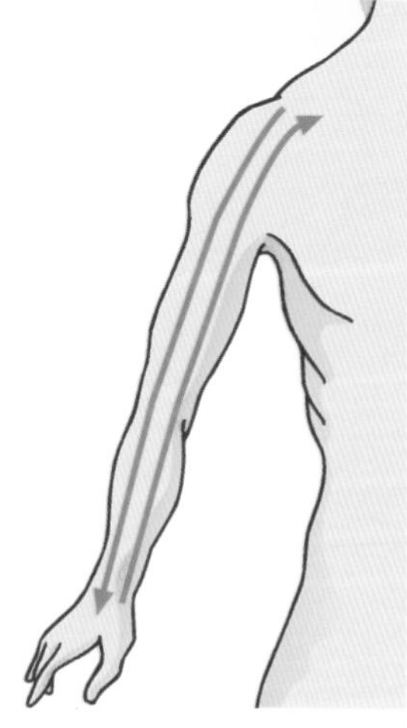

Pellizcos con fricción

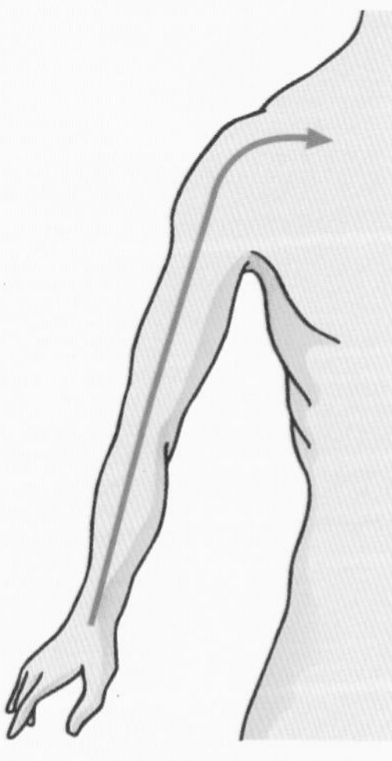

Vaciado venoso
(3ª fase)

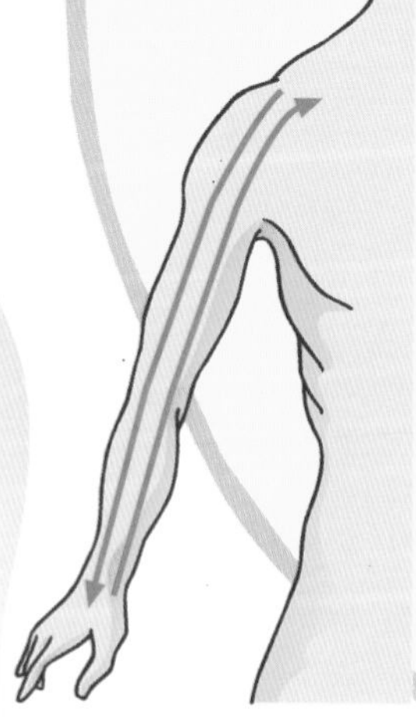

Tecleteos
Pases magnéticos

MANOS

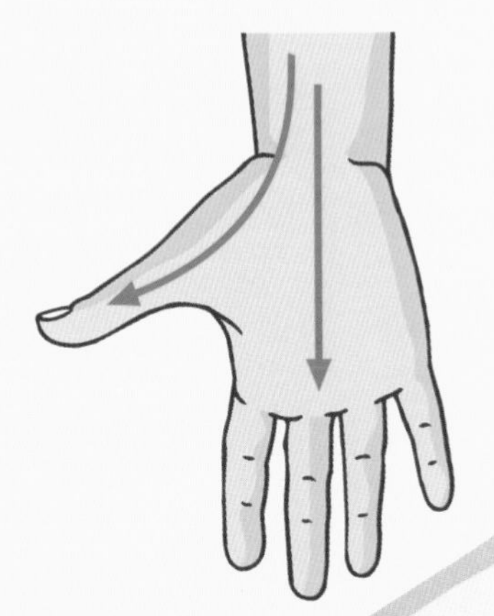

Pases magnéticos

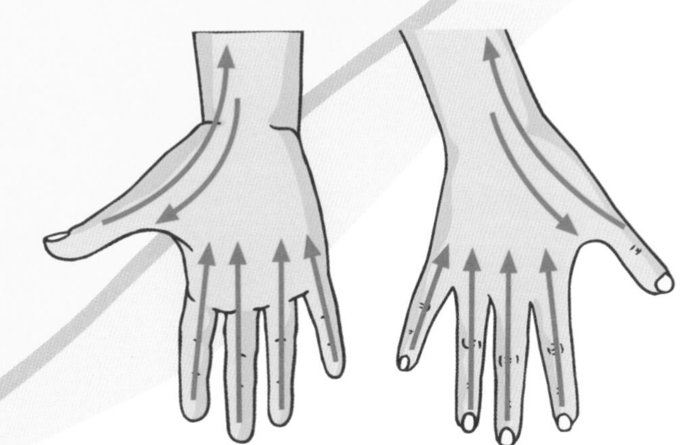

Vaciado venoso (palma y dorso)

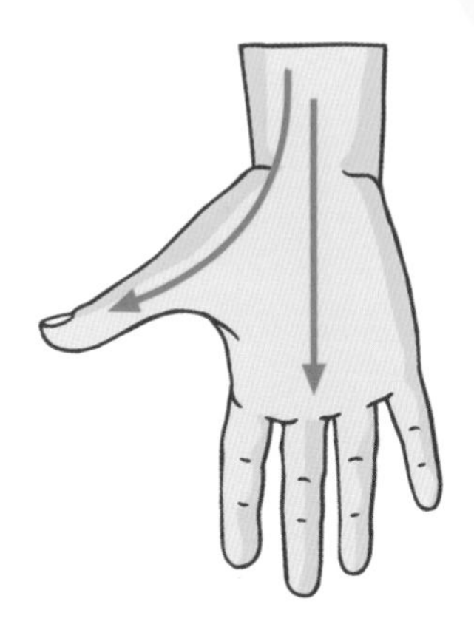

Vaciado venoso
Pases magnéticos

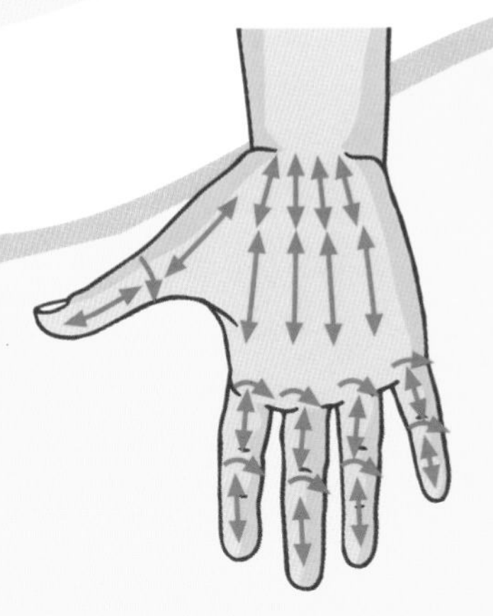

Amasamientos digitales
(dedo a dedo)

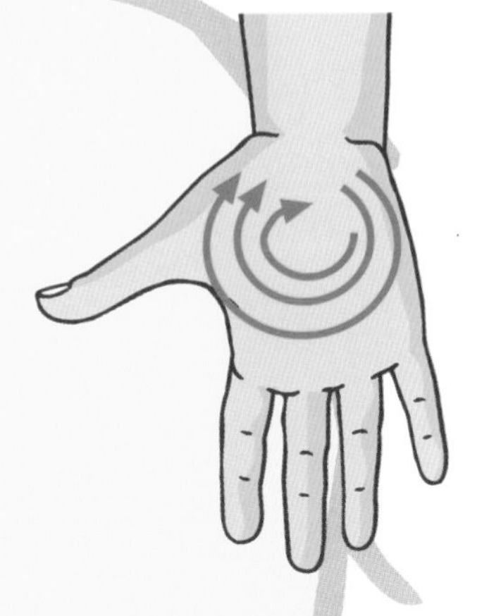

Amasamientos nudillares
(palma)

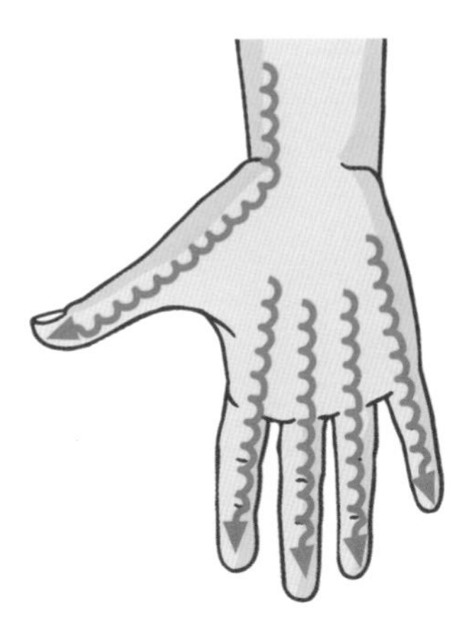

Amasamientos tenares

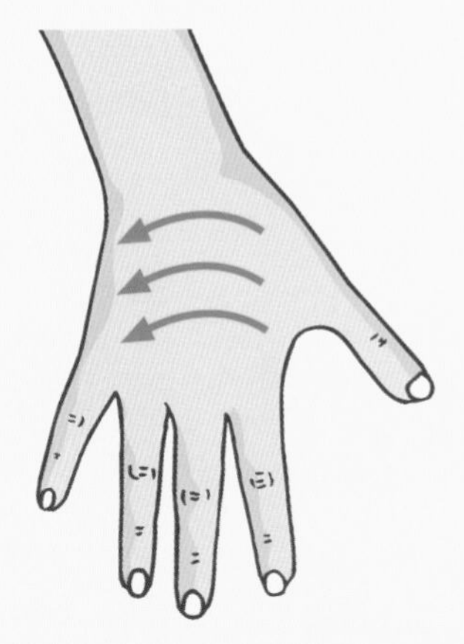

Roces (en los
tendones del dorso)

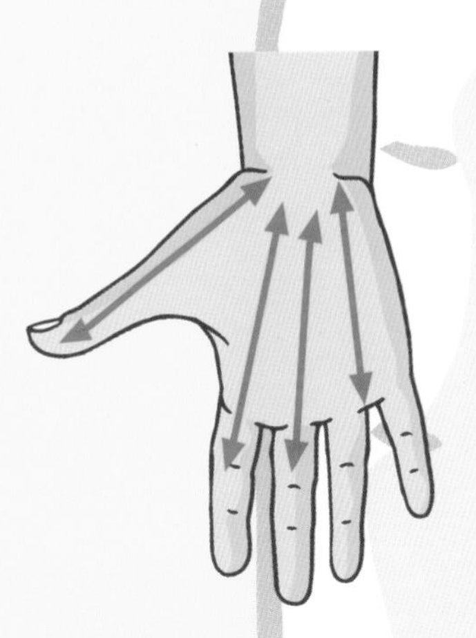

Fricciones

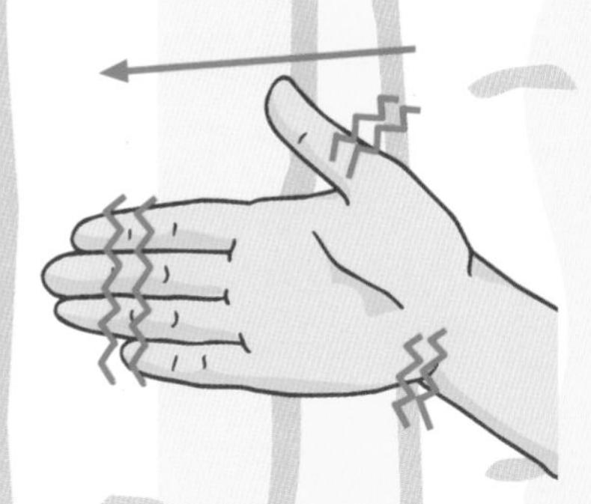

Vibraciones
(traccionando la mano)

ABDOMEN

Se debe seguir la dirección del intestino grueso.
Las piernas estarán flexionadas.
En las mujeres hay que poner especial cuidado, por posible existencia de ovarios poliquísticos.

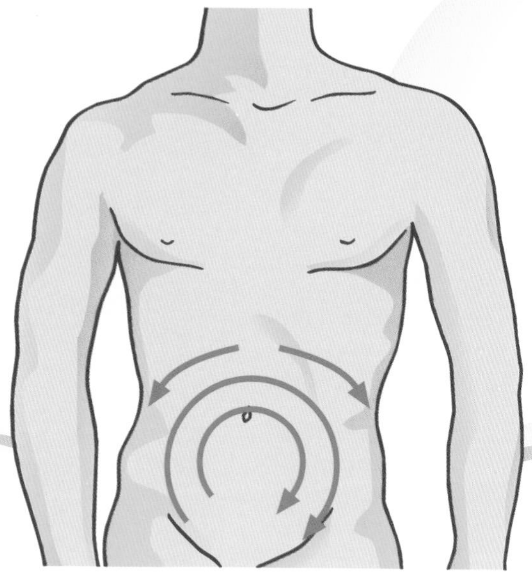

Pases magnéticos
Vaciado venoso

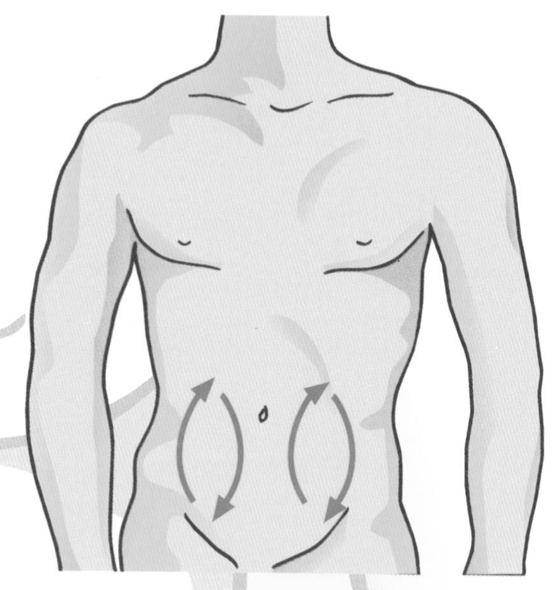

Amasamientos digitales

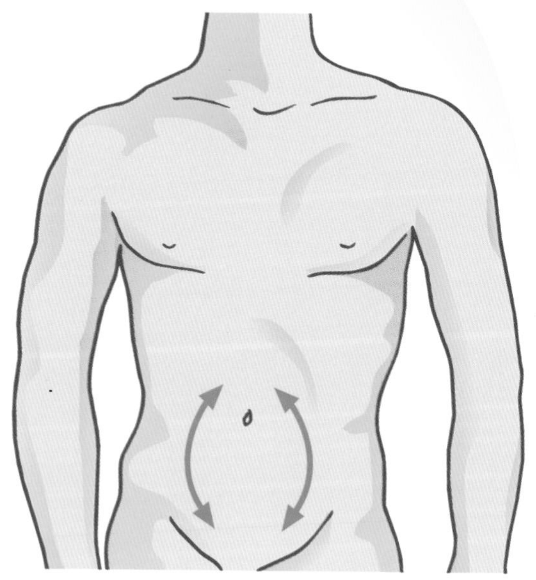

Amasamientos digito-palmares
Vaciado venoso
Cachetes cubitales
(si la zona no está blanda)

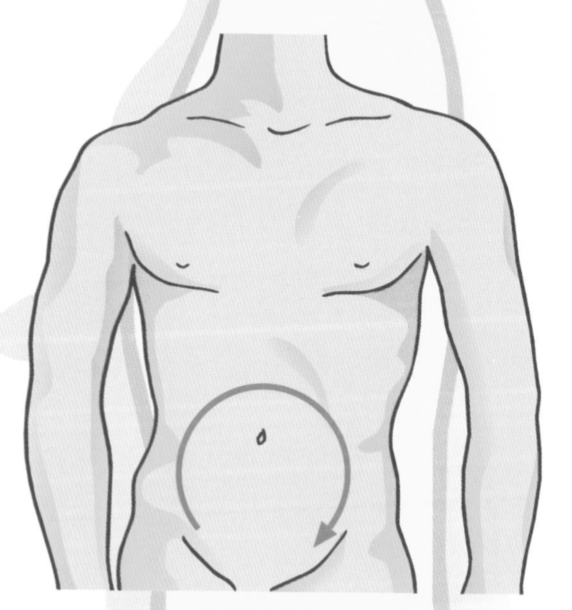

Amasamientos dorso-palmares

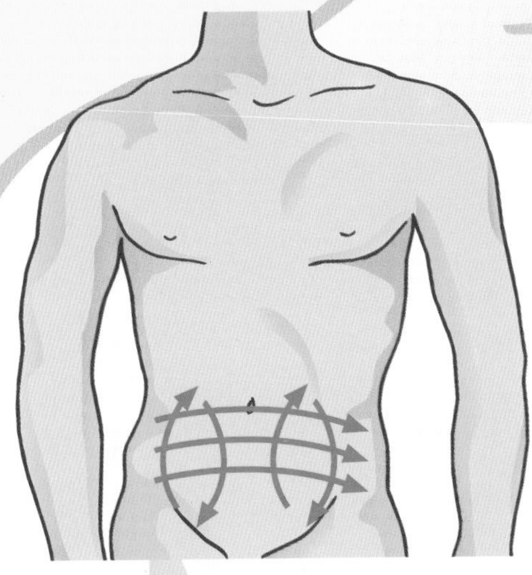

Pellizcos de oleaje
o de aproximación y separación
(dependiendo de cómo esté el tejido)

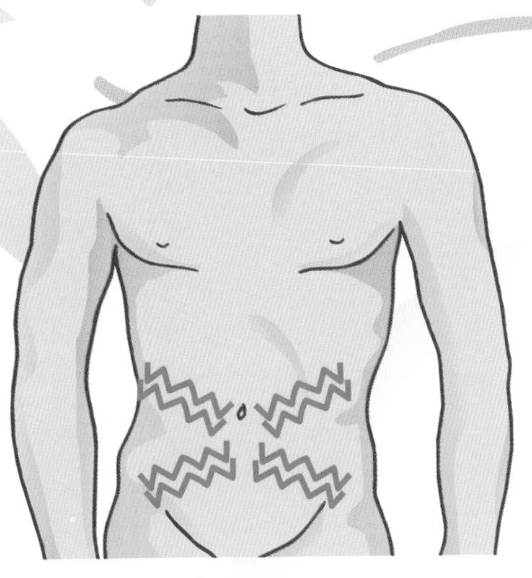

Vibraciones
(moviento todo
el paquete intestinal)

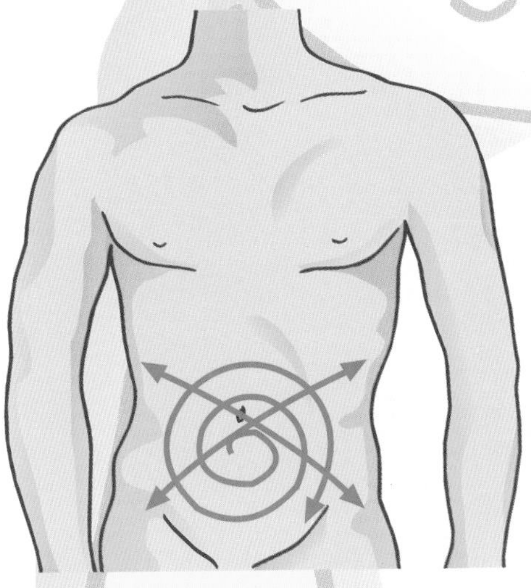

Vaciado venoso
Fricciones

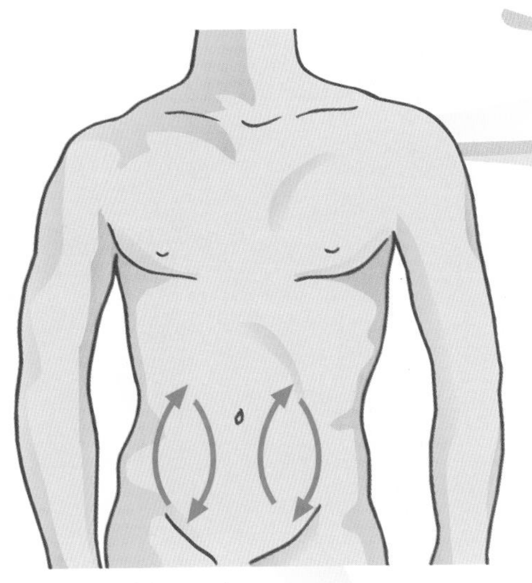

Vaciado venoso
Tecleteos

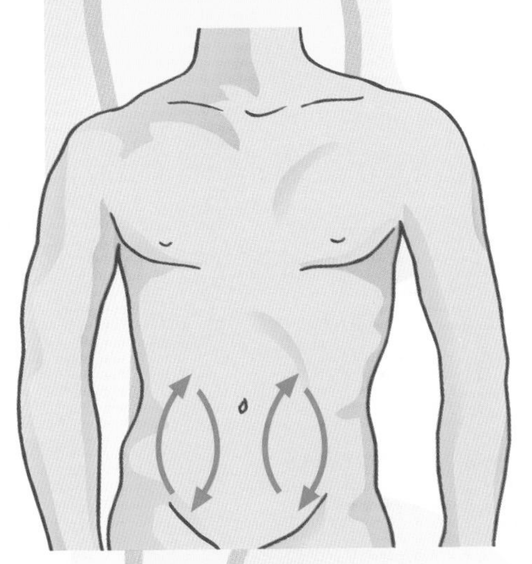

Pellizcos con fricción

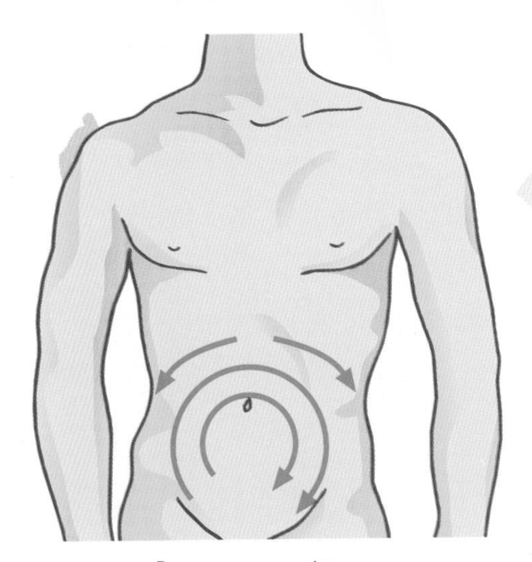

Pases magnéticos

PIERNAS

La pierna sobre la que se trabaje ha de estar flexionada. El masaje en las piernas se realiza en dos fases: pie-rodilla, rodilla-muslo.

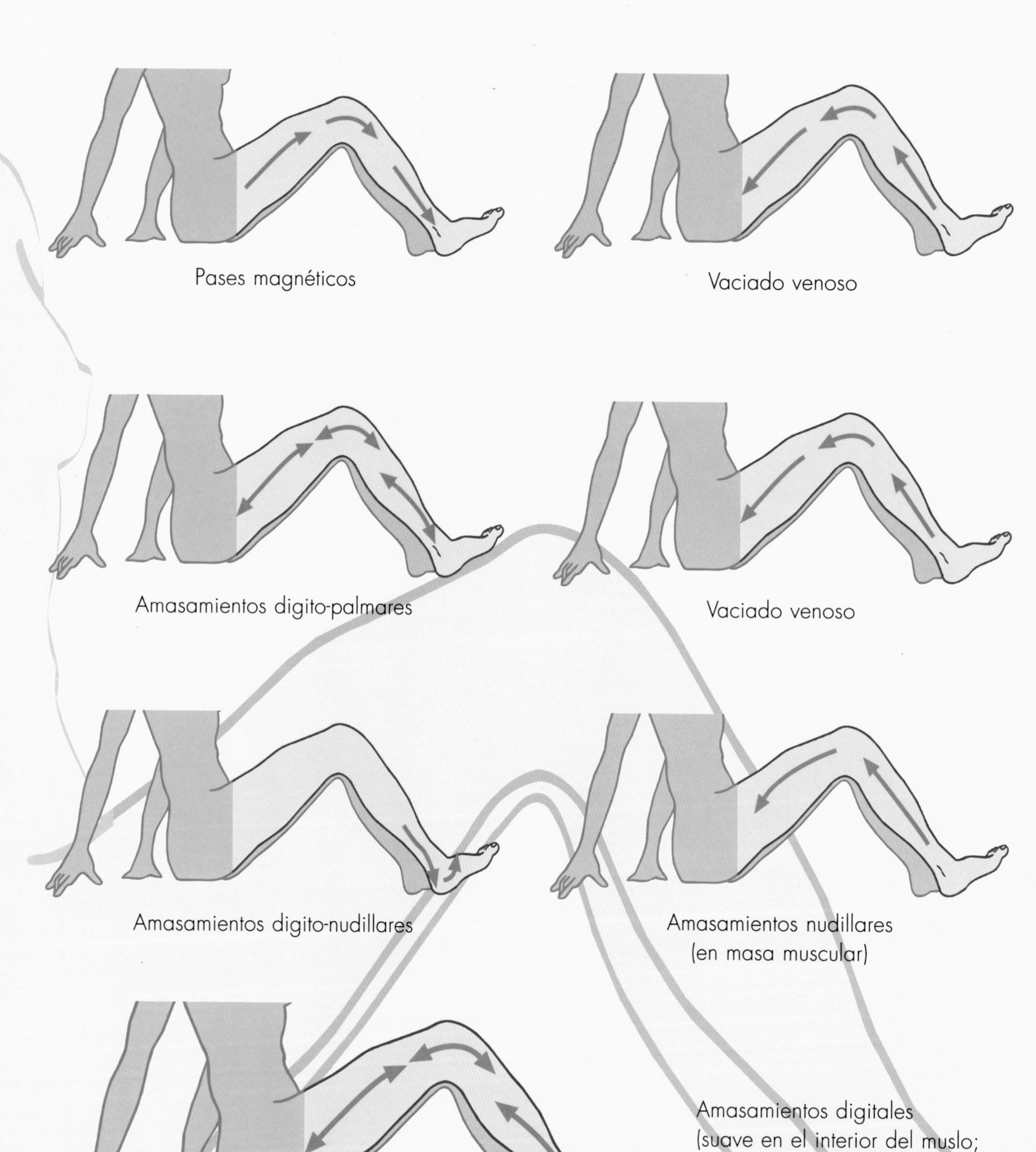

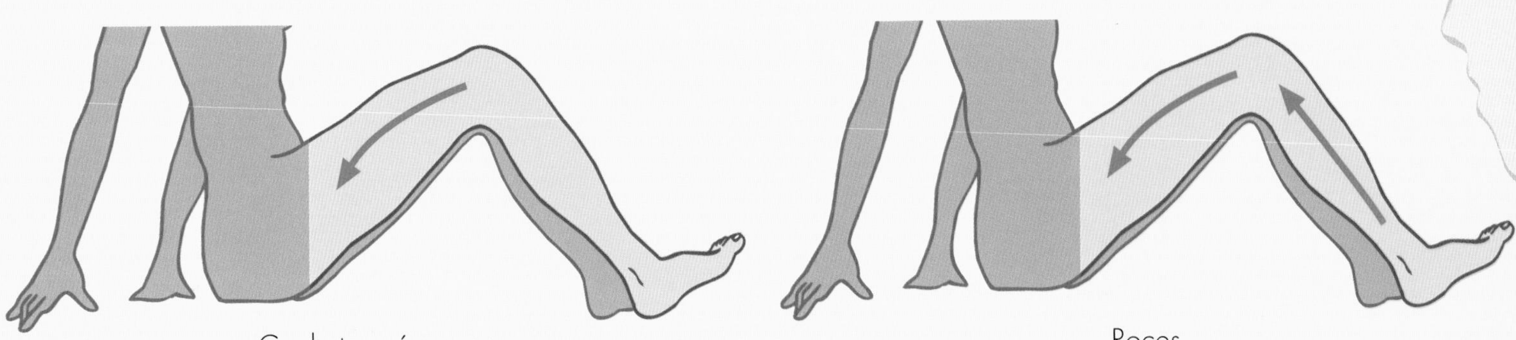

Cachetes cóncavos

Roces

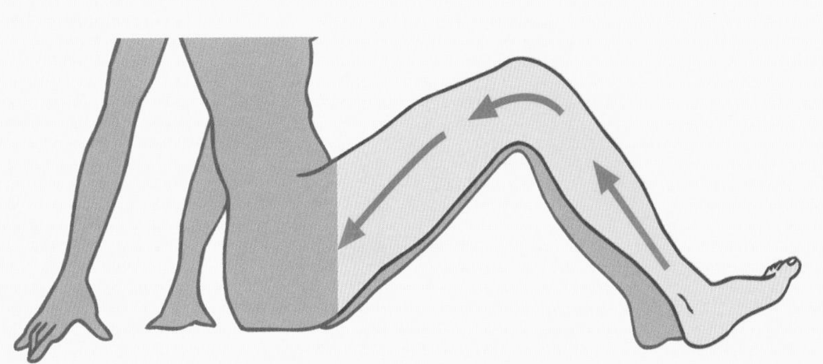

Vaciado venoso (2ª fase)

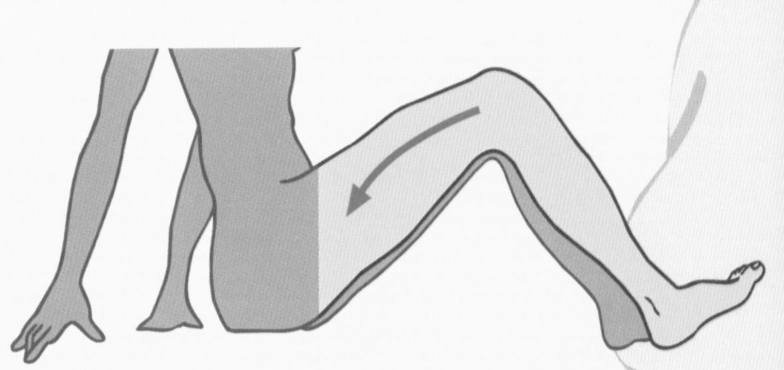

Pellizcos con fricción

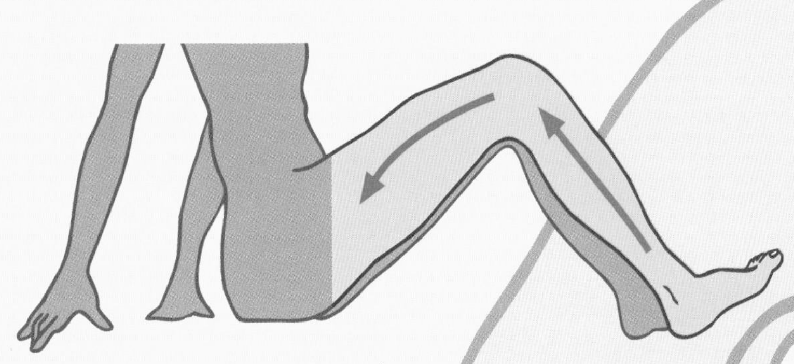

Vaciado venoso
Tecleteos

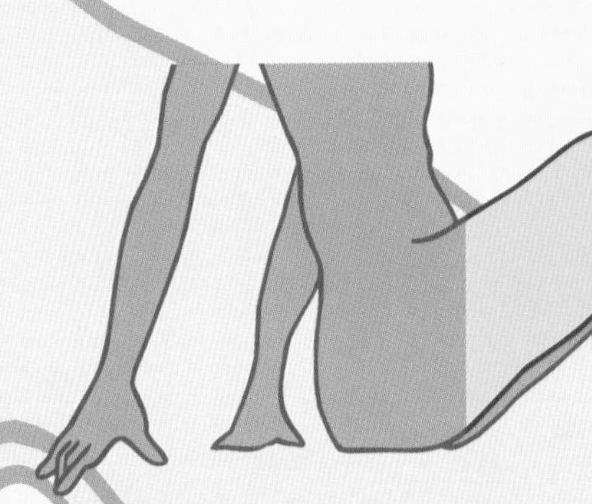

Vibraciones

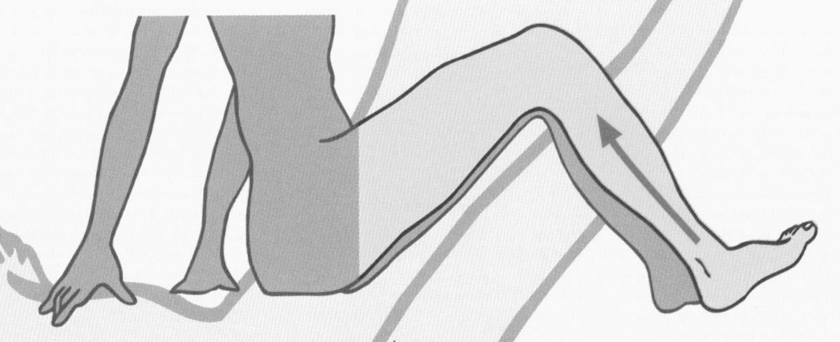

Rodamientos

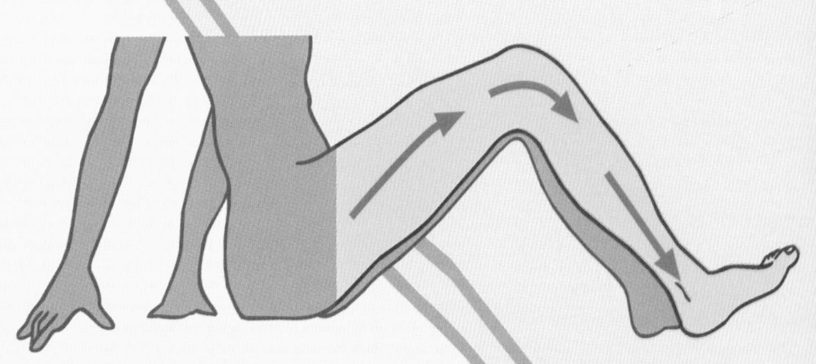

Pases mágneticos (2ª fase)

PIES

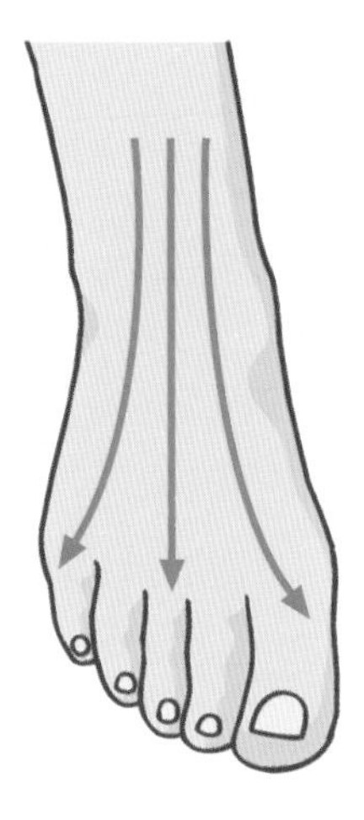

Pases magnéticos

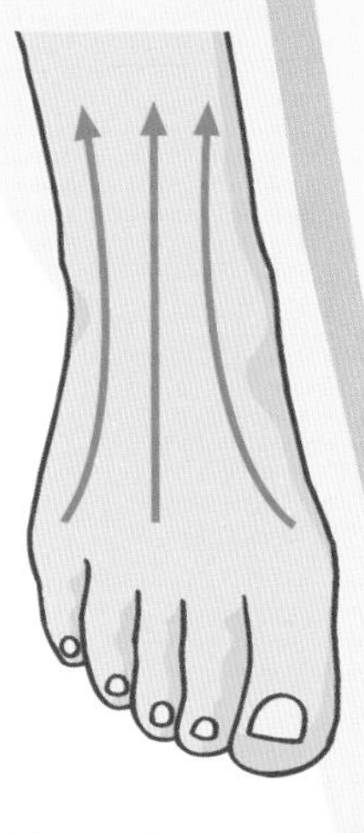

Vaciado venoso

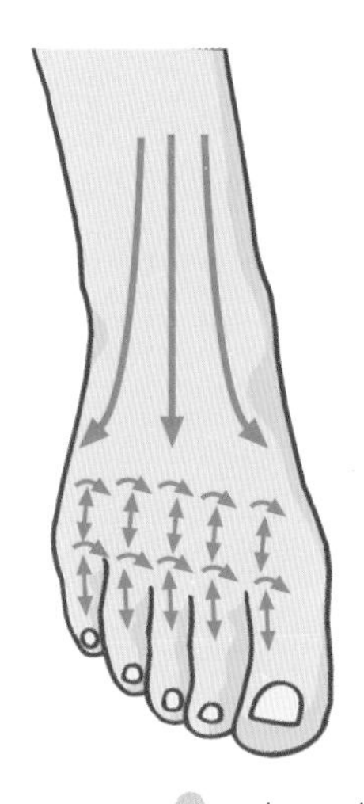

Amasamientos digitales

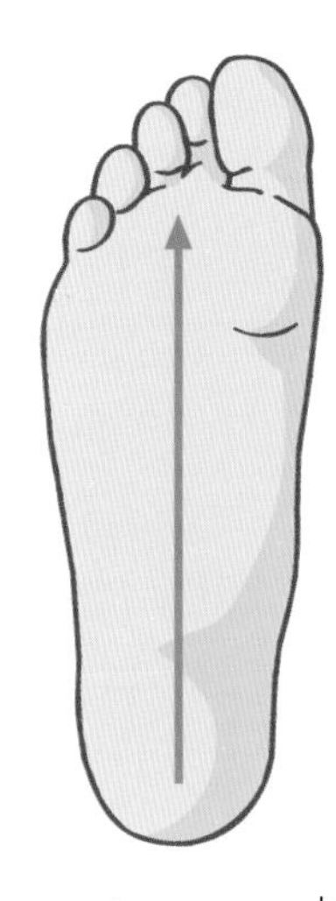

Amasamientos nudillares

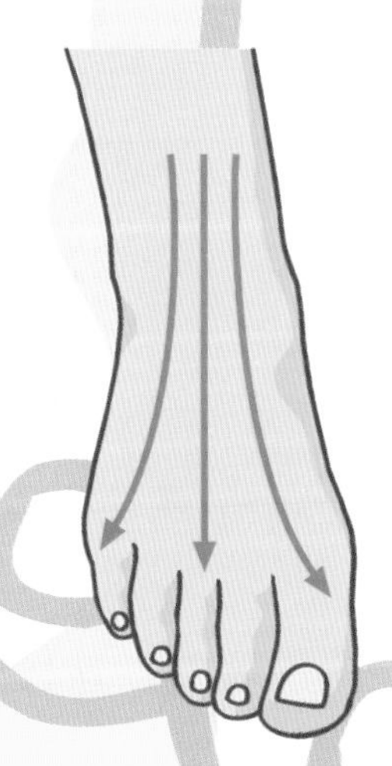

Amasamientos tenares

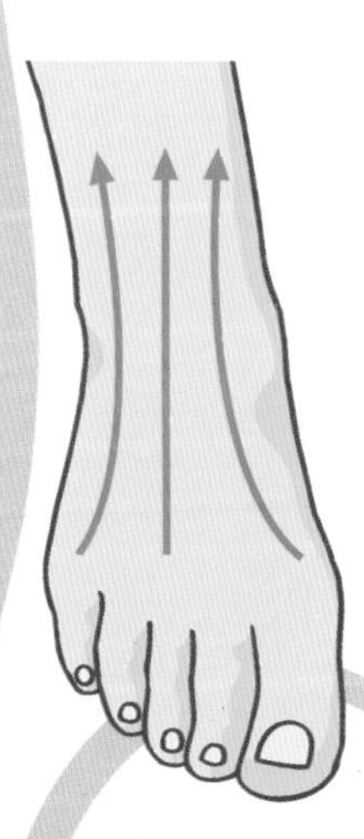

Vaciado venoso

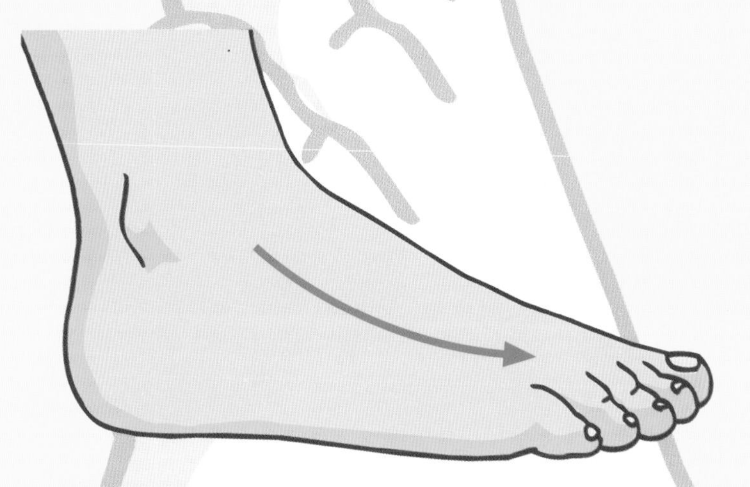

Cachetes cubitales (si hay problemas circulatorios)

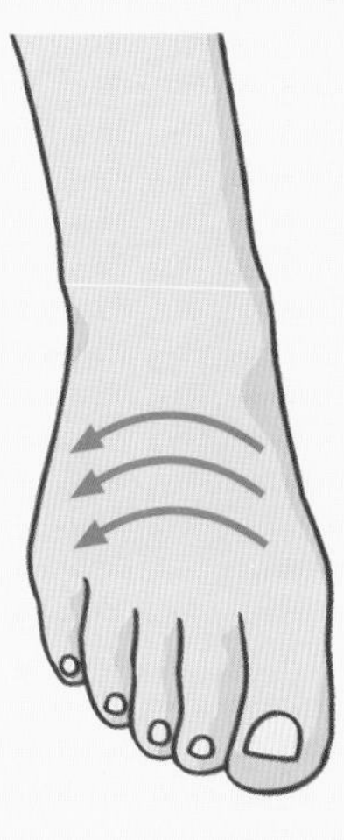

Saltar tendones

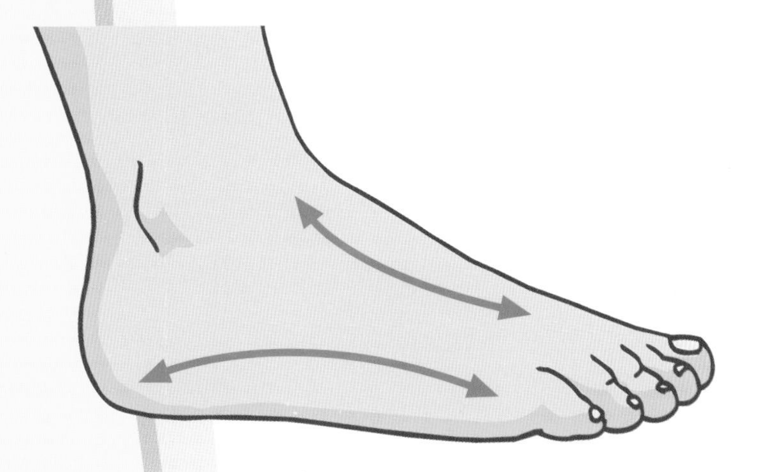

Fricciones

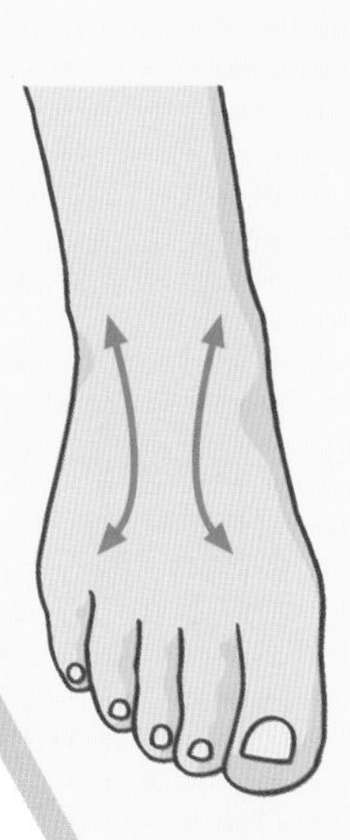

Vaciado venoso
Tecleteos

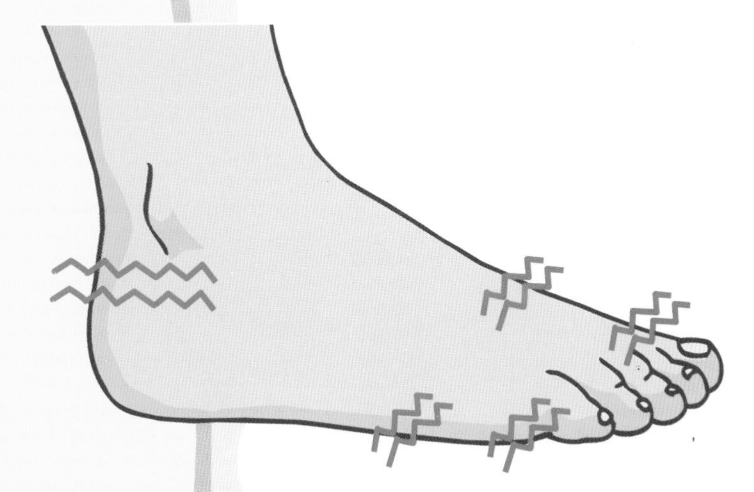

Vibraciones (traccionando ligeramente)

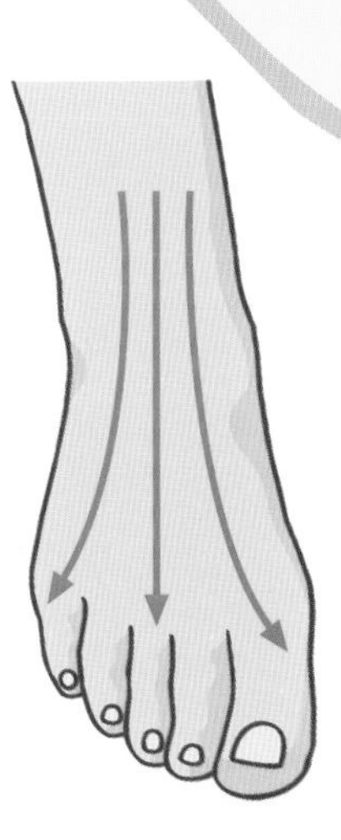

Pases magnéticos

ESPALDA

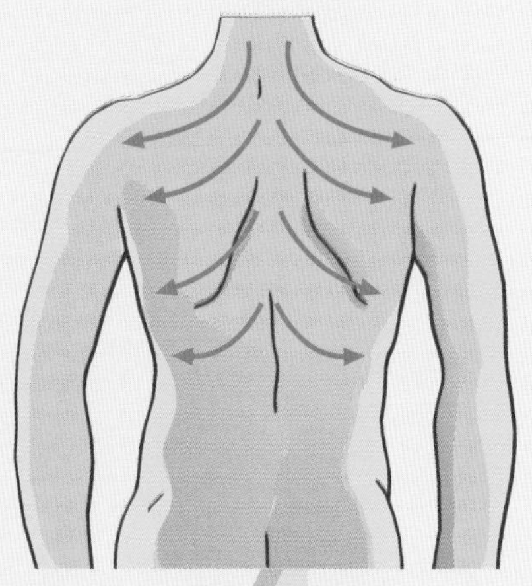
Pases magnéticos
Vaciado venoso

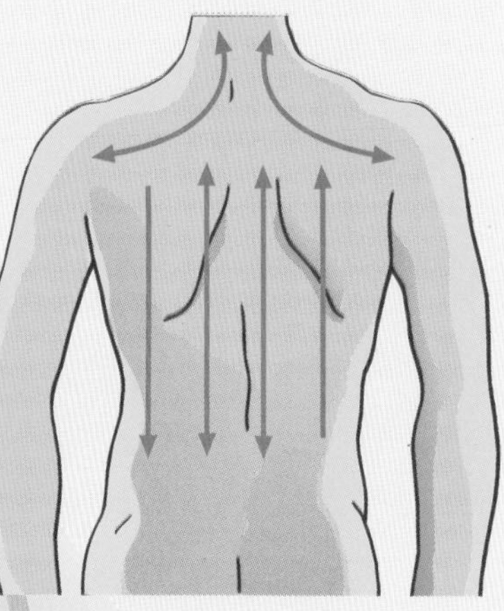
Amasamientos digitales
(primero a un lado
y luego al otro)

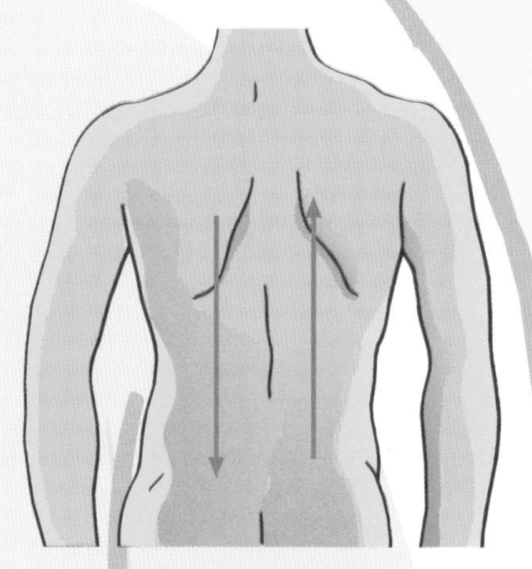
Amasamientos
digito-palmares

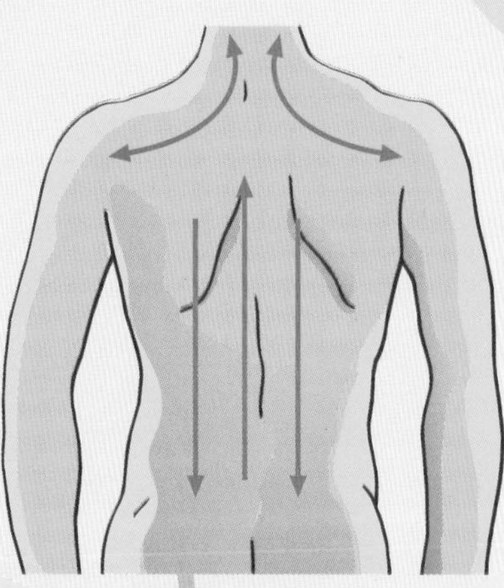
Vaciado venoso
Amasamientos nudillares
(ascender por la columna
con nudillar reforzado)

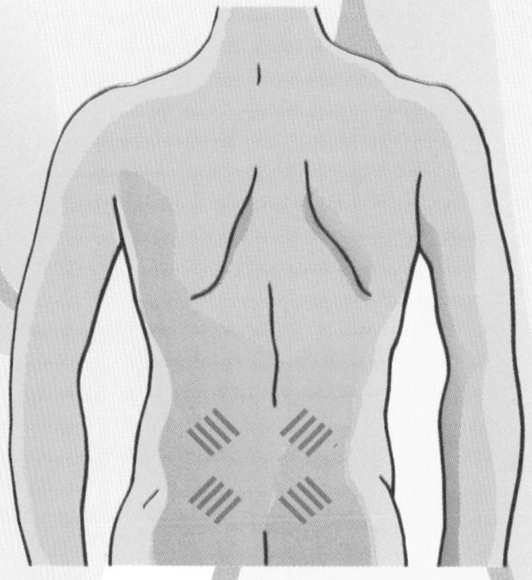
Fricciones
pulpo-pulgares

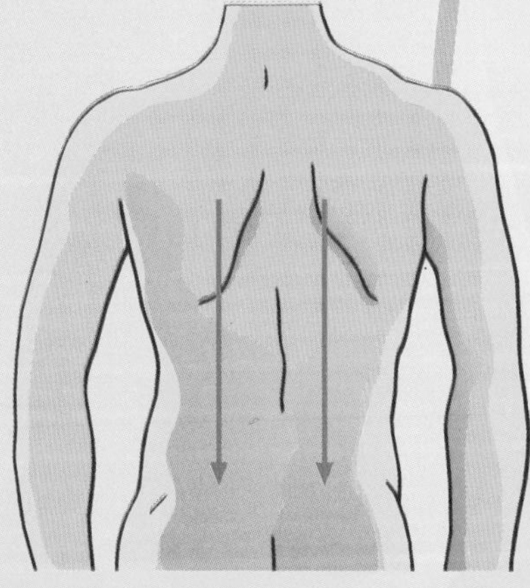
Amasamientos
digito-nudillares

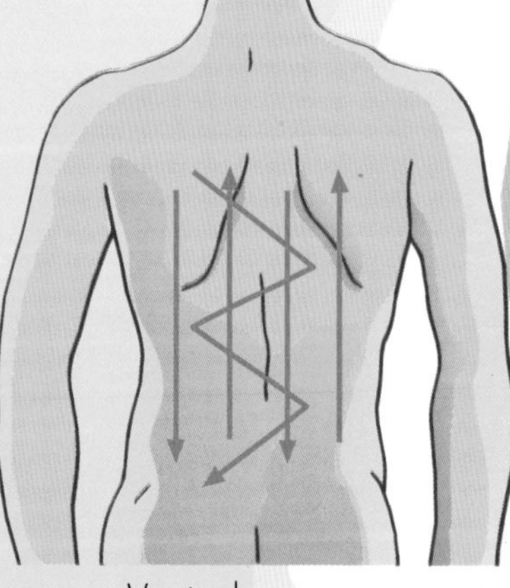
Vaciado venoso
Cachetes cubitales

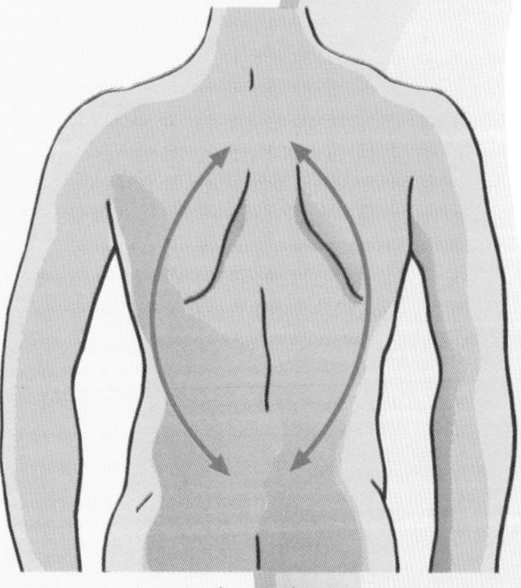
Palmadas
cóncavas

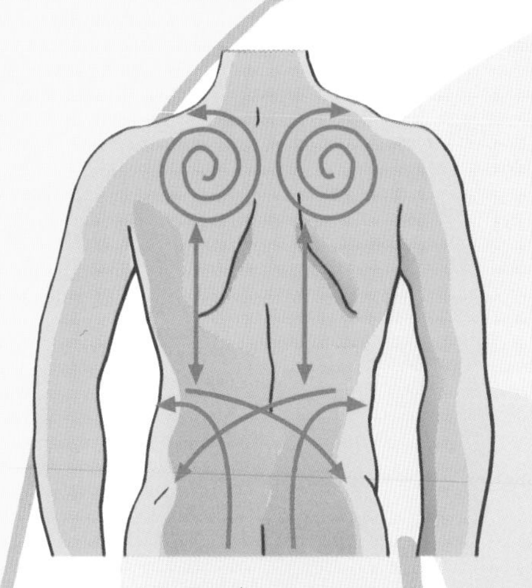

Vaciado venoso
Fricciones (A)

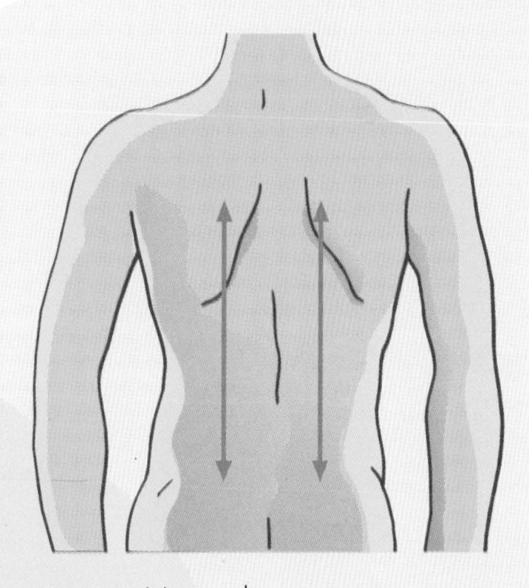

Vaciado venoso
Pellizcos con fricción (B)

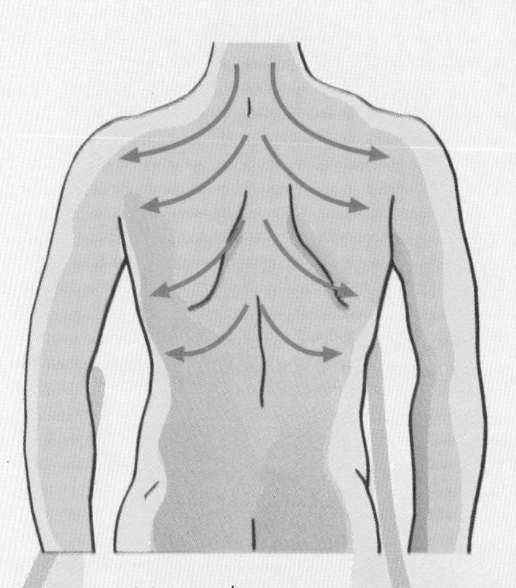

Vaciado venoso
Pases magnéticos

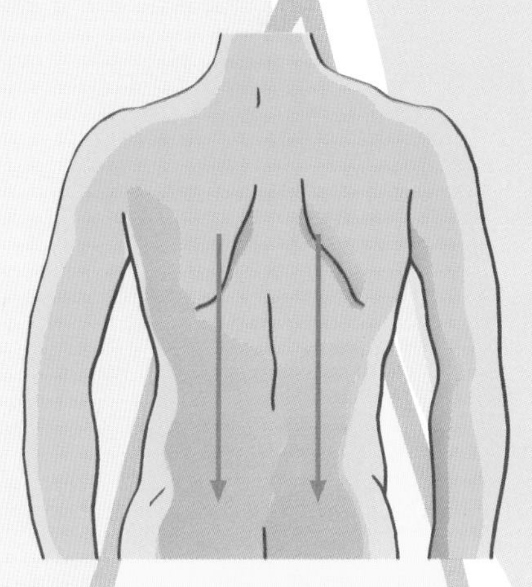

Percusiones dorso-palmares
Vaciado venoso
Roces digitales

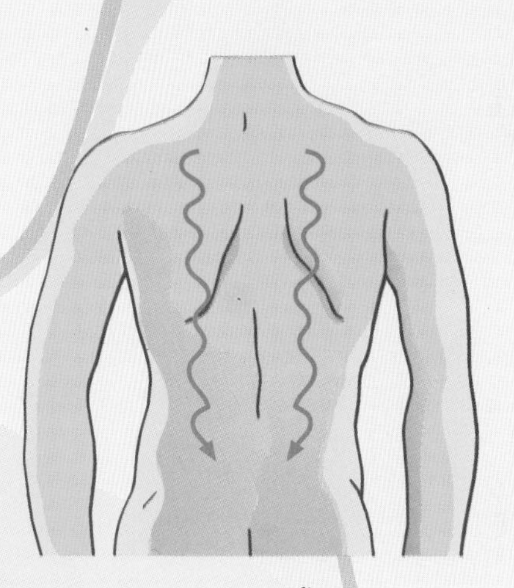

Roces circunflejos

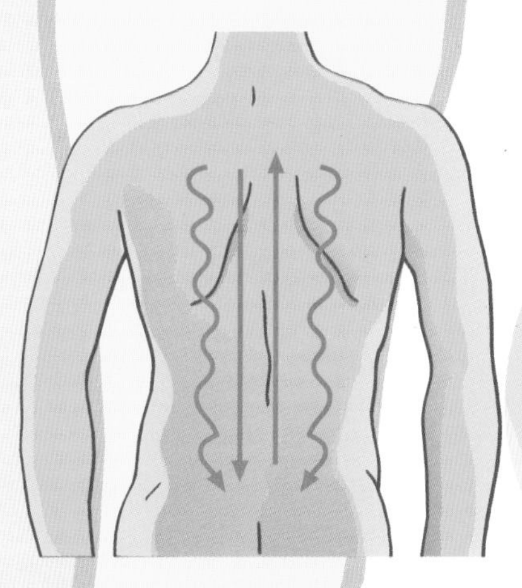

Tecleteos

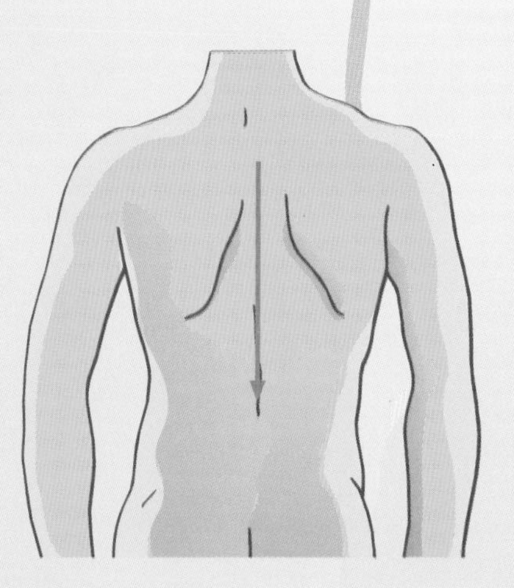

Vibraciones

TRATAMIENTOS RECOMENDADOS PARA LAS AFECCIONES MÁS COMUNES

ARTERIOESCLEROSIS

La arterioesclerosis es una de las enfermedades producto del consumo excesivo de grasas animales y alimentos refinados, típicos de nuestra civilización actual, aunque también pueden producirla la hipertensión, la diabetes o la obesidad.

Por cualquiera de estas razones, el tejido conjuntivo de la capa vascular se esclerosa, facilitando que se deposite colesterol y cal. Como consecuencia, los vasos sanguíneos pierden su elasticidad y se transforman en tubos rígidos y frágiles. En estas condiciones, la zona interna se reduce y no pueden efectuarse los aumentos de diámetro requeridos para que se produzca la máxima irrigación.

Las alteraciones arterioescleróticas pueden localizarse en diversas partes del cuerpo.

La falta de aporte sanguíneo que produce esta enfermedad en las extremidades inferiores mejora con el masaje, puesto que la estimulación de la circulación venosa incide favorablemente en la arterial.

Cuando la alteración tiene lugar en las arterias cerebrales, la arterioesclerosis puede llegar a producir trombosis, embolias o hemorragias, y, si afecta a las coronarias, angina de pecho e infarto.

En cualquiera de estos casos, está indicado el masaje. Mediante las manipulaciones, se tratará de aumentar el flujo sanguíneo muscular periférico, con lo que se facilitará la circulación arterial.

Para las extremidades inferiores, las manipulaciones más indicadas son:

Amasamiento digital
Amasamiento dígito-palmar
Roces
Rodamientos

ARTRITIS

En las articulaciones se dan a menudo procesos inflamatorios, o artritis, que cuando son la manifestación local de un estado infeccioso (tuberculosis, reumatismo agudo, etc.), no deben tratarse con masaje durante el período de inflamación.

No obstante, muchas de las artritis pasan progresivamente a un estado crónico sin presentar reacción inflamatoria alguna, evolucionando hacia la anquilosis, o inmovilidad articular, y la atrofia muscular.

El masaje y la movilización tratan de restituir, dentro de lo posible, el juego de la articulación y la potencia muscular.

Para dar este masaje, conviene utilizar alguna pomada o linimento naturales que, por sus principios activos, ayuden a mejorar la zona afectada.

El orden de las manipulaciones es el siguiente:

Pases magnéticos
Vaciado venoso
Amasamientos (digital, digito-palmar, nudillar, pulpo-pulgar)
Vaciado venoso
Fricción
Movilizaciones
Vaciado venoso
Tecleteos
Pases magnéticos

Cuando la parte a tratar está bien trabajada y antes de terminar el masaje, en las primeras sesiones es aconsejable realizar una serie de movilizaciones pasivas en las que el paciente no realiza movimiento, sino que es el terapeuta quien mueve la articulación, para ampliarlas en sucesivas sesiones con movilizaciones resistidas, en las que ya el paciente colabora con el masajista para hacer los movimientos. Una vez que se ha logrado restablecer, mejorar o aliviar el problema articular, sería muy conveniente que el paciente realizara algún tipo de gimnasia de mantenimiento con ejercicios dinámicos que, respetando los grados de movilidad fisiológica de cada persona, hagan trabajar todas las articulaciones.

ARTROSIS

Se conoce como artrosis el desgaste de las articulaciones. Es una de las enfermedades reumáticas más frecuentes a partir de los 40 años.

Siempre da lugar a una contractura en la musculatura adyacente que, en la mayoría de las ocasiones, produce más dolor que el desgaste en sí.

En estos casos, el masaje se centrará en la reducción de la contractura muscular de la zona, la activación de la circulación para lograr una mayor nutrición, mejorando el metabolismo zonal, y la realización de movimientos pasivos y activos. Con los movimientos pasivos se consigue: conservar la potencia articular (evitando la retracción capsular) y la longitud y flexibilidad tisular de los músculos; mantener los receptores sensoriales en su función (si el déficit neurológico es motor); e impedir contracciones musculares residuales. Con los movimientos activos se logra: mejorar la motricidad y la incapacidad articular, muscular, vasomotora, postural, etc.; perfeccionar la respuesta voluntaria muscular; y recuperar y desarrollar, mediante ejercicios apropiados, la ejecución de movimientos habituales en la vida cotidiana y profesional. La combinación de masaje y movilizaciones puede detener el proceso degenerativo.

Una alimentación equilibrada y controlada, sin excesos en la cantidad y lo menos tóxica posible, ayudará a que no se produzcan en el organismo carencias de minerales o vitaminas, o bien que haya más catabolitos de los que el cuerpo pueda eliminar. También favorecerá la recuperación del paciente artrósico.

En cuanto al masaje, es recomendado para este tipo de dolencias, con manipulaciones específicas según se trate de trabajar sobre las extremidades o sobre la columna vertebral. El orden de las maniobras a la hora de trabajar en las extremidades es el siguiente:

Pases magnéticos sedantes
Vaciado venoso
Amasamientos (digital, digito-palmar)
Vaciado venoso
Cachetes cóncavos
Fricciones
Rodamientos
Movilizaciones
Roces digitales
Pellizcos con fricción
Vaciado venoso
Tecleteos
Pases magnéticos sedantes

COLUMNA VERTEBRAL

Se tratará fundamentalmente el canal paravertebral. Una vez realizados los pases magnéticos sedantes y el vaciado venoso, las manipulaciones más indicadas son los amasamientos, sobre todo el digito-nudillar y el pulpo-pulgar, sobre el canal paravertebral y las apófisis espinosas. Se harán también roces pulpo-pulgares en el canal paravertebral, en dirección sacro craneal, para estimular los pares nerviosos y producir un efecto anestesiante.

BRONQUITIS

La bronquitis es una de las enfermedades más comunes durante el invierno. Presenta problemas respiratorios

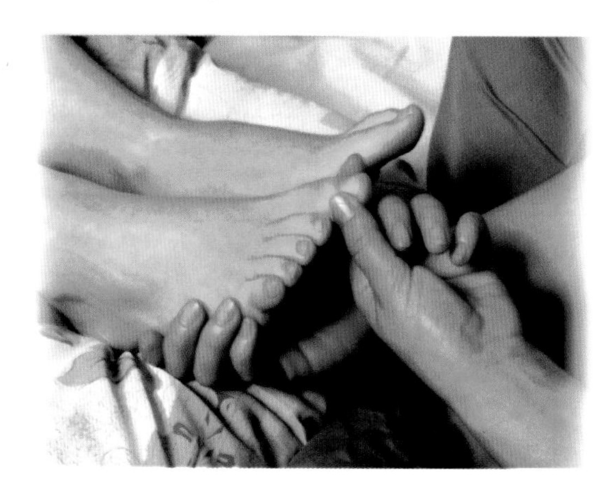

y de expectoración, debido a que se producen grandes concentraciones de mucosidad en los conductos respiratorios. A menudo suele estar asociada con el enfisema pulmonar y estadísticamente se ha confirmado que la mayoría de las personas que padecen bronquitis son fumadores, considerándose el cigarrillo la principal causa de esta enfermedad. *El tratamiento* será local en *espalda y tórax.*

Espalda

Pases magnéticos sedantes
Vaciado venoso
Amasamiento digital
Amasamiento digito-palmar
Vaciado venoso
Amasamiento nudillar
Amasamiento nudillar total
Cachetes cubitales } Expectorantes
Palmadas cóncavas } Expectorantes
Cachete puño cerrado} Expectorantes
Vaciado venoso
Cachete dorso-palmar
Roces digitales
Roces digitales circunflejos
Fricción
Pellizcos con fricción
Vaciado venoso
Vibración
Tecleteos
Pases magnéticos sedantes

Tórax

Pases magnéticos sedantes
Vaciado venoso
Amasamiento digital
Amasamiento digito-palmar
Vaciado venoso
Cachete cubital
Fricciones
Presiones torácico-respiratorias
Presiones torácico-expectorantes
Pellizcos con fricción
Tecleteos
Vaciado venoso
Pases magnéticos

CELULITIS

La celulitis se produce cuando un tejido hinchado de grasa y repleto de agua, sal y hormonas, queda atrapado entre adherencias.

Los signos más destacados de esta anomalía son: la piel de naranja, con granulaciones que aparecen al presionar la zona, y el dolor que también se manifiesta a la presión.

Siempre se localiza en la pelvis, muslos y piernas, siendo poco habitual entre los hombres y bastante común entre las mujeres.

Aunque el componente hereditario, hormonal, alimenticio, o el sedentarismo son las causas de esta disfunción, siempre se produce cuando hay problemas de circulación capilar.

El masaje, por lo tanto, al actuar sobre la circulación, activándola y mejoramdo el metabolismo de la zona, ayuda en gran medida a eliminar esta enfermedad.

Para aplicar el tratamiento más adecuado, conviene tener en cuenta que no todas las celulitis son iguales y que, dependiendo de su origen, podemos clasificarlas como celulitis dura, celulitis blanda o celulitis edematosa.

Celulitis dura

Invade, de forma compacta, los muslos o la pelvis. A la palpación se nota un acolchamiento grueso y muy adherido a los músculos, hasta el punto de impedir el desplazamiento del tejido.

Hace que la piel se mantenga tensa y seca. Son frecuentes las equimosis o manchas hemorrágicas pequeñas, provocadas con facilidad por cualquier golpe.

Aparece en mujeres jóvenes, con tejidos y piel todavía muy tónicos. Es la responsable de las estrías. Para este tipo de celulitis conviene aplicar vaciados y amasamientos (digital y digito-palmar).

Celulitis blanda

Más grave y antiestética que la anterior y más expuesta a complicaciones. Se reconoce fácilmente ya que por su volumen tiende a descolgarse por el peso. Es muy móvil y se desplaza fácilmente a la presión. Produce un aflojamiento de los tejidos que provoca ondulaciones en las que la circulación, mal alimentada, se entorpece, las venas se hinchan y los tejidos son propensos a edemas. El masaje ha de realizarse con cuidado para no producir petequias, siendo las manipulaciones más apropiadas los amasamientos, digital y digito-palmar, y vaciados venosos.

Celulitis edematosa

Es poco frecuente y la más grave de las celulitis. Produce unos aumentos de volumen considerables que pueden hacer que las medidas de la pelvis y muslos se incrementen hasta en 10 cm. en un mismo día.Durante estas crisis, que suelen desaparecer con la menstruación, hay mala eliminación urinaria, estreñimiento pertinaz, dolores de cabeza, ahogos, y estrías que invaden la pelvis y muslos.,

En el masaje se favorecerá el retorno venoso poniendo las piernas más altas que el resto del cuerpo.Las manipulaciones serán superficiales para no producir roturas de los vasos sanguíneos.

TRATAMIENTO GENERAL
Pases magnéticos sedantes
Vaciado venoso
Amasamiento digital
Vaciado venoso
Amasamiento digito-palmar
Vaciado venoso
Fricción
Tecleteos
Vibración
Pases magnéticos sedantes

En los tres casos de celulitis, el masaje, al actuar sobre la circulación venosa y linfática, hace que la mejoría sea notable.

CONTRACTURAS

Se clasifican como sigue:

- Contracturas permanentes espasmotónicas (como lo son las parálisis progresivas, hemiplejias o atrofias musculares).

• Contracturas por acortamiento de ligamentos o una aponeurosis.

• Contracturas o calambres que se producen simplemente por un trabajo excesivo de los músculos, tipicas de los deportistas.

Las últimas son las más frecuentes. En ellas no todo el músculo está contraído, sino que son sólo parte de las fibras musculares las que están afectadas por esta fibrositis. Da lugar a unos abultamientos específicos y suelen ser muy dolorosas.

Al pasar los dedos pulgares por el músculo para efectuar el diagnóstico, se llega a un punto en que el deslizamiento se dificulta y, a la presión, se produce un dolor agudo. Será el punto de localización de la fibrositis o contractura parcial. Las manipulaciones suelen ser muy molestas. Para tratar esta contractura, se efectuarán amasamientos, poniendo mucho cuidado para ocasionar el menor daño posible.

TRATAMIENTO
Pases magnéticos sedantes
Vaciado venoso
Amasamiento digital
Amasamiento digito-palmar
Vaciado venoso
Amasamiento digito-nudillar
Amasamiento pulpo-pulgar
Roces digitales
Pellizcos con fricción
Tecleteos
Vibración
Vaciado venoso
Pases magnéticos sedantes

EMBARAZO

En el caso de que exista una amenaza de aborto o pérdidas de sangre más o menos importantes, estará claramente contraindicado el masaje durante el embarazo, pero sólo en estas situaciones de riesgo.

Hay que tener en cuenta que el cuerpo de una embarazada está sufriendo una serie de transformaciones fisiológicas que, tras los primeros meses, puede empezar a causarle molestias.

Después del quinto mes, suelen aparecer lumbalgias al acentuarse la lordosis lumbar natural debido al aumento del volumen del abdomen. Se tratarán como cualquier lumbalgia común, pero con la paciente sentada en un taburete o silla sin respaldo y apoyada en una mesa o camilla, con los brazos cruzados y la cabeza reposando sobre ellos. Así se evitan las molestias que sobre la madre y el niño produciría el decúbito prono.

Los amasamientos, especialmente el pulpo-pulgar en el canal paravertebral, y las vibraciones son las manipulaciones más indicadas.

Este masaje también ayuda a aliviar las molestias que la tendencia a separarse en las articulaciones sacroilíacas pueden producir.

El útero, en su expansión, comprime las venas ilíacas y hace disminuir la circulación venosa, lo que con facilidad se traduce en varices, que mejorarán al aplicarle el tratamiento antivaricoso normal.

Después del parto, el masaje ayudará a que la musculatura abdominal recobre su tono habitual, pero será preciso esperar a que pase el puerperio para que los órganos y tejidos alterados durante el embarazo recuperen su estado normal. Es posible que las piernas estén todavía un poco hinchadas o que las varices no hayan desaparecido. Conviene masajearlas para mejorar la circulación.

TRATAMIENTO
Pases magnéticos sedantes
Vaciado venoso
Amasamiento digital
Amasamiento digito-palmar
Vaciado venoso
Amasamiento nudillar
Amasamiento nudillar total
Amasamiento pulpo-pulgar (combinando con roces pulpo-pulgares ascendentes en el canal paravertebral)
Vaciado venoso
Fricción (sedación de glúteos)
Tecleteos
Vibración
Vaciado venoso
Pases magnéticos sedantes

ESGUINCES Y DISTENSIONES

Se puede hablar de esguince o distensión, cuando se rompen total o parcialmente algunas fibras de un ligamento de sostén, manteniéndose intacta la continuidad del mismo. En cualquiera de los dos casos, siempre aparece un proceso inflamatorio agudo, con dolor e hinchazón, y a veces hematomas, que hacen que el masaje en ese momento esté contraindicado. Si se trata de una simple torcedura, sin mucha importancia, se aplicarán compresas de agua fría, y cuando los signos de inflamación hayan disminuido o desaparecido, (a las 24 ó 48 horas), se podrá masajear la zona afectada. Si se trata de este tipo de torcedura, el dolor aparece únicamente cuando se presiona la zona lesionada.

Si la distensión es muy fuerte, y el dolor espontáneo y la inflamación no desaparecen en 24/48 horas, será preciso que el médico inmovilice la zona. El masaje estará indicado cuando la inmovilización de la articulación ya no sea necesaria, para ayudarle a recuperar movilidad, y tono muscular. En el caso de que fuera preciso tratamiento quirúrgico, el masaje se aplicará cuando el especialista haya dado el alta.Después de la inmovilización, se pierde el tono muscular, y el masaje nutre, tonifica y ayuda a recobrar la elasticidad normal de los músculos afectados por la inmovilización. Se tratará la articulación, y los músculos relacionados con ella, mediante amasamientos, especialmente nudillares y pulpo-pulgares.

TRATAMIENTO
Pases magnéticos sedantes
Vaciado venoso
Amasamiento digital
Amasamiento digito-palmar
Amasamiento nudillar} dirigidos a la articu lación
Amasamiento pulpo-pulgar} sobre todo a lo ligamentos
Vaciado venoso
Fricción
Rodamiento
Movilizaciones
Roces digitales
Vaciado venoso
Pellizcos con fricción
Tecleteos
Pases magnéticos sedantes

ESTREÑIMIENTO

La dieta habitual de la mayoría de las personas que habitan la parte del planeta Tierra considerada como más civilizada, más desarrollada y más pudiente, es rica en consumo de carnes, productos refinados (harina blanca, arroz descascarillado y azúcares) y tóxicos como el café, el tabaco y el alcohol y pobre en alimentos vegetales, en los que abunda la celulosa, estimulante natural del intestino.

El no tener una hora fija de comida y evacuación, comer deprisa masticando poco, ingerir alimentos blandos y cocinados hasta eliminar la capacidad estimuladora de la celulosa, y las bebidas calientes o excesivamente frías, unido a los malos hábitos alimenticios, dan lugar a una de las más extendidas enfermedades actuales: el estreñimiento. Otra de sus causas es el sedentarismo, que hace perder el tono muscular abdominal y favorece el prolapso intestinal.

Por supuesto, el estrés y algunas alteraciones nerviosas llegan a producir espasmos que hacen que el colon se contraiga, impidiendo la normal evacuación. También puede producir estreñimiento, aunque es menos frecuente que se dé, el dolicocolon, que no es otra cosa que un colon más largo de lo habitual.

No se le suele prestar mucha atención a esta disfunción del aparato digestivo, hasta que no se empiezan a sentir sus consecuencias, entre las que aparece como más molesta el dolor de cabeza, o por los menos más llamativa, porque la verdad es que el estreñimiento es la semilla de muchas enfermedades.

Para luchar contra él, se impone un cambio de dieta, que deberá establecer un especialista, el hacer ejercicio cada día y evitar en lo posible el estrés. El masaje reforzará este tratamiento y hará que los resultados sean más rápidos y duraderos.

Los cachetes giratorios compresivos y dorsopalmares, además de las vibraciones, que aumentan el peristaltismo intestinal, son las manipulaciones más apropiadas.

Para lograr una mayor relajación antes de masajear el abdomen, conviene trabajar primero la espalda. La posición del paciente ha de facilitar la distensión del abdomen, por lo que es aconsejable que, una vez en decúbito supi-

no, flexione las piernas y haga respiraciones lentas y profundas.

TRATAMIENTO:

El orden de las manipulaciones será:

Pases magnéticos sedantes
Vaciado venoso
Amasamiento digital
Amasamiento digito-palmar
Vaciado venoso
Amasamiento dorso-palmar
Cachete giratorio compresivo
Vibración
Vaciado venoso
Pases magnéticos sedantes

GASES

La hiperfermentación intestinal es una de las molestias digestivas más comunes. Se produce cuando la flora microbiana intestinal se exalta debido a su acción sobre diversos alimentos sin digerir que se encuentran en los intestinos. También se producen gases cuando se ingiere aire con la comida (aerofagia).

La masticación rápida impide que los alimentos sean bien triturados por los dientes y se impregnen bien en la saliva que tiene a su cargo la preparación del bolo alimenticio (mediante la Ptialina, que escinde el almidón transformándolo en maltosa, y la Mucina, secreción mucosa que facilita el deslizamiento del alimento), para que el gran laboratorio que es el aparato digestivo cumpla adecuadamente sus funciones.

Las dentaduras en mal estado no pueden cumplir con su cometido de reducción de las partículas alimenticias. No hay que olvidar que la digestión comienza en la boca y que los dientes tienen como misión en este proceso el cortar (incisivos), desgarrar (caninos) y triturar (premolares y molares) los alimentos. Si esta primera parte de la digestión no se realiza debidamente, el resto del aparato digestivo se verá afectado.

Cuando, por alguna de estas causas u otras similares, se generan cantidades anormales de gas o existe alguna incapacidad para eliminar las que se producen normalmente, aparecen los clásicos síntomas de gases y las consabidas molestias abdominales que en ocasiones producen un dolor agudo en el hipocondrio izquierdo que llega a confundirse con un dolor cardíaco.

El masaje ayuda a las personas que padecen con frecuencia este problema, aunque conviene que el masajista le haga ver que un cambio de hábitos alimenticios y una manera más racional de masticación e insalivación pueden hacer que ese problema desaparezca.

La posición del paciente en la camilla deberá favorecer la relajación abdominal, tumbado en supino con las rodillas flexionadas.

El amasamiento digito-palmar es la manipulación más importante en estos casos.

Con la mano en forma de U, empezando desde la parte inferior del abdomen, se irá amasando hacia arriba todo el paquete intestinal, llegando hasta la zona epigástrica.

Durante el tratamiento se incorporará al paciente cuantas veces sea necesario para que expulse los gases.

Éste será el orden de las manipulaciones a seguir para estos casos:

Pases magnéticos sedantes
Vaciado venoso
Amasamiento digital
Amasamiento digito-palmar
Amasamiento digito-palmar (con una mano se insiste en el paquete intestinal)
Fricciones
Vaciado venoso
Pases magnéticos sedantes

HÍGADO

El masaje es de gran ayuda si el hígado no realiza bien su función colerética (estimulación de la producción de bilis) y la colagógica (estimulación del flujo de la bilis hacia el duodeno). Así, si es deficiente, las digestiones son difíciles por el mal metabolismo de las grasas.

Por ello, el masaje está recomendado siempre que exista una hipofunción hepática, pero estará contraindicado en casos de cirrosis, inflamaciones hepáticas y siempre que exista dolor en la zona.

Para cerciorarse de que podemos masajear sin producir ningún daño, es preciso hacer un diagnóstico por palpación, introduciendo la mano por debajo del reborde costal derecho comprobando que ni hay dolor ni el hígado sobrepasa esa zona costal, lo cual sucederá en el caso de inflamación o hepatomegalia (crecimiento del hígado), informando de que no debe realizarse manipulación alguna. No es misión del masajista.

Una vez que se ha confirmado que no existe ninguna contraindicación, las manipulaciones más apropiadas para estimular la función hepática son las palmadas cóncavas, mientras que las vibraciones estimularán el sistema nervioso de esa región, mejorando la función del hígado.

EL TRATAMIENTO por lo tanto constará de:

Pases magnéticos sedantes
Vaciado venoso
Amasamiento digital
Amasamiento digito-palmar
Vaciado venoso
Palmadas cóncavas (no más de seis)
Vibraciones
Tecleteos
Pases magnéticos sedantes

LUXACIONES

Cuando de manera traumática se dislocan o desplazan las superficies de cualquier articulación, produciéndose una luxación, existen unas consecuencias inmediatas y unas secuelas, a veces graves.

En ocasiones se produce una restricción del movimiento o una anquilosis más o menos persistente. Para evitarlo, es preciso tratar cuanto antes estas luxaciones por medio de masajes y movilizaciones. Hay que tener en cuenta que la recuperación de los movimientos deberá hacerse muy lentamente y que no siempre se va a lograr la movilidad total.

En una primera fase se practicará la inmovilización de la parte afectada para permitir que se restablezcan los tejidos, ceda la inflamación y se puedan realizar las manipulaciones apropiadas con el menor dolor posible. Por supuesto, hay que contar con que no existen daños óseos, que se trata de una luxación simple. Tras la inmovilización, el masaje puede aplicarse una o dos veces al día, durante una o dos semanas para, dependiendo de la evolución del paciente, ir espaciándolo en las semanas siguientes.

Las movilizaciones pasivas (es el terapeuta quien las hace moviendo y cambiando de posición un grupo muscular), se pueden comenzar a hacer desde el tercer o cuarto día, y dentro de la segunda semana se incluirán en la rehabilitación de esa articulación, las movilizaciones activas (las realiza el propio paciente hasta el límite o resistencia que sus restricciones le permitan).Estas movilizaciones hacen que se active la circulación, tonifican la musculatura y flexibilizan los ligamentos.

EL TRATAMIENTO de luxaciones incluye:

Pases magnéticos sedantes
Vaciado venoso
Amasamiento digital
Amasamiento digito-palmar
Amasamiento nudillar
Amasamiento pulpo-pulgar
Vaciado venoso
Movilizaciones
Fricción
Vibración
Vaciado venoso
Pases magnéticos sedantes

NEURALGIAS

En las neuralgias, el dolor se extiende por la trayectoria de uno o más nervios debido a que un tronco nervioso de mayor o menor importancia está comprimido en un canal osteofibroso (de tejido fibroso y hueso) o en un intersticio muscular.

Suelen desencadenarse más habitualmente en las salidas de:

- Las raíces nerviosas a través de los agujeros de conjunción de la columna vertebral.
- Los tres ramos perforantes de cada nervio intercostal.
- Los nervios del plexo braquial en el espacio entre los escalenos anterior y posterior
- Los orificios supraorbitarios, inframbitarios y mentoniano del nervio facial.

Existen muchas variedades de neuralgia, pero las más frecuentes son las de origen mecánico en las que la raíz queda aprisionada o comprimida por una oclusión o atrapamiento vertebral. Aunque en estos casos la movilización de las vértebras, la reducción de las subluxaciones sacroilíacas y otras maniobras correctoras del desplazamiento efectuadas manualmente son a veces muy eficaces, deben reservarse a osteópatas o quiroprácticos muy especializados, porque, si no se realizan bien, pueden ser peligrosas.

El masaje reduce el dolor y mejora la rigidez muscular producida por la inflamación del nervio en este tipo de afecciones.

El TRATAMIENTO a realizar incluye:

Pases magnéticos sedantes
Vaciado venoso
Amasamiento digital
Amasamiento digito-palmar
Presiones
Fricciones
Vaciado venoso
Tecleteos
Pases magnéticos sedantes

OBESIDAD

Aún cuando existe mucha publicidad y mucho comercio en torno a la obesidad y es evidente que se puede tratar con masajes, conviene aclarar desde el principio que, cuando se trata de verdadera obesidad, esto es, desarrollo anormal de grasa en el tejido celular subcutáneo, el masaje tendrá unos efectos mediocres y dudosos sobre el origen de la grasa, si el tratamiento no está reforzado por un régimen alimenticio restringido y ejercicios físicos que se irán incrementando paulatinamente.

Lo que sí puede hacer el masaje es facilitar la eliminación de los productos de combustión de las grasas.

Conviene recordar que la obesidad es el resultado de un desequilibrio entre la cantidad de nutrientes y la actividad muscular, dependiendo el tipo de obesidad de la preponderan-

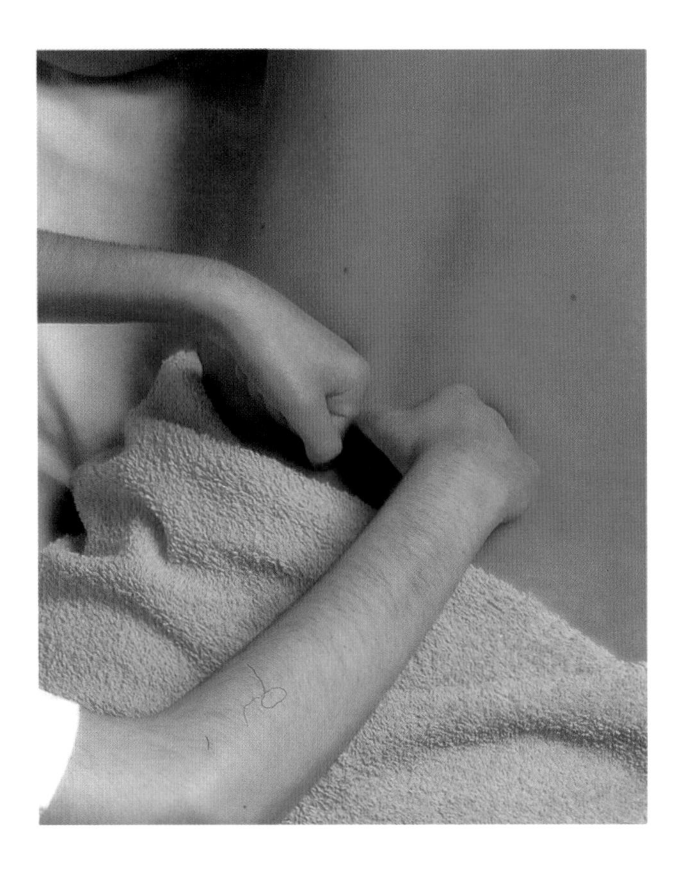

cia de uno de estos dos factores: cantidad de nutrientes y actividad muscular.

No es igual la obesidad de los grandes comedores que la de las personas sedentarias, aunque los dos factores que se mencionan van casi siempre asociados.

En el caso de los grandes comedores, suelen ser los hombres los más afectados.

Comen demasiado, por lo general, teniendo en cuenta el ejercicio que realizan. Las mujeres son más asiduamente candidatas al caso segundo, el sedentarismo.

No hacen suficiente ejercicio aunque coman menos.

Por supuesto, hay otros tipos de obesidad que dependen de alteraciones o trastornos glandulares, aunque son menos frecuentes.

El masaje será especialmente útil al principio del tratamiento de la obesidad de los grandes comedores, conocida también como obesidad pletórica, cuando la persona no se ha mantenido inactiva, ha hecho algo de deporte y los miembros conservan una estructura más o menos normal, aunque el vientre está distendido.

El tratamiento para la obesidad, pretende favorecer el metabolismo de las grasas y reducir el volumen de las zonas afectadas, pero, hay que insistir en que si se controla la dieta y se realizan ejercicios apropiados, los resultados son mejores.

Las manipulaciones que ayudan en la lucha contra la obesidad son:

Pases magnéticos sedantes
Vaciado venoso
Amasamiento digital
Amasamiento digito-palmar
Cachetes cubitales
Palmadas cóncavas
Vaciado venoso
Pellizcos de oleaje
Pellizcos de aproximación y separación
Fricción
Pellizcos con fricción
Vaciado venoso
Tecleteos
Pases magnéticos sedantes

PARÁLISIS

Una poliomielitis o una hemiplejia dan lugar, en algunos casos a parálisis completas, definitivas. Aunque no llega a restablecerse la movilidad, el masaje tiene unos efectos excelentes en estos casos.

La circulación, en estos miembros inertes, no es buena.

Los músculos están mal nutridos, degenerando en tejido fibroso, la piel se reseca y las articulaciones se van anquilosando.

El masaje logra restablecer cierta circulación, estimulando los intercambios nutricios y el organismo puede luchar mejor contra estas secuelas.

Son aconsejables las manipulaciones que producen una mayor hiperemia como son:

Pellizcos
Pellizcos con torsión
Cachetes radiocubitales
Fricciones

Cuando las parálisis no son completas, sino parciales, presentando problemas de espasticidad (hipertonicidad o aumento del tono muscular normal) hay que masajear buscando la posición de mayor confort muscular, sin tratar de reducir la contracción espástica.

Se irá poco a poco mejorando el metabolismo de la extremidad afectada y se irá ganando en funcionalidad. En estos casos, están indicados los amasamientos y las manipulaciones relajantes.

TRAUMATISMOS Y LESIONES ARTICULARES

Los masajes tienen la virtud de mejorar siempre la función articular, incluso cuando no existen traumatismos ni lesiones, y deberían recibirse periódicamente, pero su aplicación está mucho más justificada cuando se producen contusiones, esguinces, etc.

Las lesiones articulares son muy dolorosas y provocan una inmovilización instintiva de la articulación, lo que conlleva el enlentecimiento de la circulación y la aparición de tejido fibroso. Las consecuencias de esta reacción de defensa del organismo que pretende evitarnos el dolor mediante una postura antiálgica, serán las rigideces articulares y anquilosis progresivas.

Estas regideces, cuando parece que la lesión ya está curada, llevan a una disminución, a veces seria, del juego articular, que mejora con lentitud y no acaba de restablecerse. Desde el primer momento es preciso centrarse en la lucha contra esta tendencia a la anquilosis y no prolongar excesivamente la inmovilización por sistema. El masaje para combatir estas lesiones o traumatismos articulares, tiene una acción anestésica, disminuyendo la impotencia funcional y activando la circulación con lo que se beneficia al metabolismo.Los movimientos activos y pasivos ayudan a eliminar adherencias (fibrosis) que se han producido por la lentitud circulatoria y la impotencia funcional. Para lograr un restablecimiento más completo se realizarán:

Pases magnéticos sedantes
Vaciado venoso
Amasamiento digital
Amasamiento nudillar
Amasamiento pulpo-pulgar
Vaciado venoso
Fricción hipotenar
Movilizaciones
Rodamiento
Pellizcos con fricción
Vaciado venoso
Vibraciones
Tecleteos
Pases magnéticos sedantes

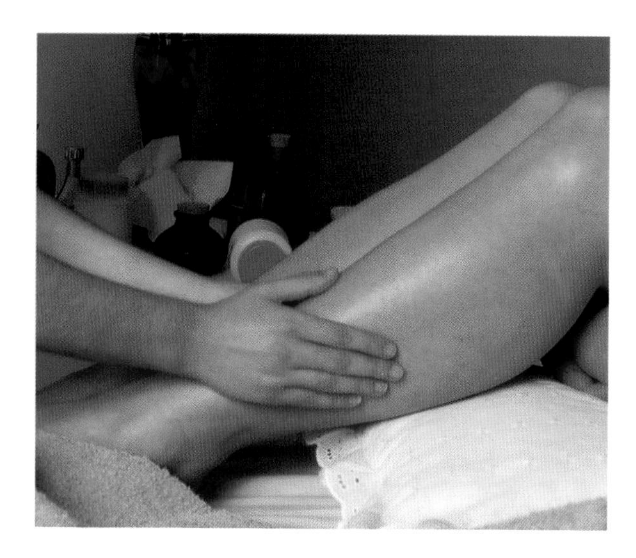

VARICES

Las varices, o dilataciones venosas, aparecen por lo general en personas a las que su profesión les exige pasar muchas horas de pie. El sistema venoso se ve en estos casos obligado a vencer la fuerza de gravedad hasta el corazón. El ensanchamiento de las venas y los pliegues que en estados avanzados llegan a producirse, hacen que se estanque la sangre en los miembros inferiores y la circulación de retorno se vea claramente afectada, dando lugar, en ocasiones, a trombos, flebitis, etc.

Aparecen en edades avanzadas, cuando ya la pared venosa ofrece menos resistencia a la distensión, aunque no están libres de este padecimiento personas jóvenes, y, con más profusión, mujeres.

Dependiendodesilasvenasafectadascorresponden a la circulación superficial o profunda, se puede hablar de varices externas o internas.Al circular más lentamente, en el interior de las venas llegan a formarse coágulos o trombos. Para comprobar si existen en una zona determinada de las piernas, se pasa el dorso de la mano por dicha zona. Si se perciben diferencias de temperatura, y se ve claramente que hay excesivo calor, es un síntoma de que la sangre está ahí semiestancada y de que es posible que existan trombos o flebitis.

En ese caso no se debe masajear esa zona, ya que se corre el riesgo de que los trombos se desprendan incorporándose al torrente sanguíneo, con el peligro que eso conlleva. Cuando las varices afectan a la circulación, aparece hinchazón, pesadez de piernas, dolor y, en casos más graves, pueden dar lugar a la aparición de úlceras varicosas. Como la circulación sanguínea no es fluida y no se sanea bien esa región, pueden anidar bacterias provocando en estas úlceras supuración y pérdida de sangre constante.

El masaje tiene que ser superficial cuando exista este problema y ha de favorecer siempre la circulación de retorno. Conviene colocar las piernas más altas que el cuerpo para que la propia gravedad facilite el masaje.

Si se comprueba que no hay muchas venas implicadas, pero que, las que lo están, están seriamente dañadas, el masaje se dará sin tocarlas, bordeando la zona, y haciendo mucho hincapié en el vaciado venoso.

Se pueden realizar las siguientes maniobras:

Pases magnéticos sedantes
Vaciado venoso
Amasamiento digital
Vaciado venoso
Amasamiento nudillar
Vaciado venoso
Tecleteos
Vaciado venoso
Pases magnéticos sedantes

MANIPULACIONES PROFUNDAS

Por mucho que se hable de lo que el sedentarismo puede perjudicar, nunca será suficiente. Una de sus consecuencias más inmediatas es la repercusión negativa sobre articulaciones y músculos. Los márgenes articulares van perdiendo poco a poco elasticidad y algunos grupos musculares llegan a adquirir posiciones de acortamiento debido a la vida sendentaria.

Es indudable que el masaje es un aliado insustituible cuando se trata de hacer frente a las secuelas que produce este tipo de vida. Las manipulaciones de un masajista bien entrenado logran potenciar la eliminación de sustancias tóxicas almacenadas en la sangre, produciendo un riego más potente en las zonas del cuerpo afectadas. La mejor irrigación las tonificará y saneará, pero a veces no será suficiente porque el abandono llega a hacer estragos y lo que en principio se solucionaría con facilidad ha dado paso a una patología crónica.

En estos casos, conviene recurrir a técnicas específicas perfectamente estudiadas y descritas para ir, primero de una forma más directa a calmar el dolor y, en una fase posterior, a dar elasticidad a los músculos resentidos y a restablecer el movimiento articular con la intención de evitar la degeneración de los tejidos. Tanto en procesos crónicos como en agudos, por diferentes causas, es fácil encontrarse con que algunos músculos o grupos musculares se han acortado. Entre las causas de estos acortamientos musculares y siempre teniendo como punto de partida el mencionado sedentarismo, destacan cosas tan simples y cotidianas como los malos hábitos al sentarse o los asientos que hacen al cuerpo adoptar una postura antianatómica y también los vicios posturales mientras se está de pie. En este último caso, es muy frecuente el adoptar habitualmente la misma posición, cargando el peso del cuerpo sobre un lado, lo que hace que un grupo muscular trabaje en exceso, mientras otros permanecen reiteradamente inactivos.

Si se toma conciencia de estos vicios posturales, pueden subsanarse y evitar muchos problemas de columna, porque cuando un músculo o grupo de músculos se acorta, otros, tratando de compensar el desequilibrio, producirán el efecto contrario: se estirarán en exceso, perdiendo tono muscular, lo que los debilitará.

Los malos hábitos posturales pasarán factura en la pelvis, los isquiotibiales, psoas ???, rotadores internos y aductores. En las piernas, los gemelos y sóleo, tendrán una clara tendencia al acortamiento, mientras que los glúteos, abdominales, cuádriceps, espinales, tibiales y peronéos son los más firmes candidadatos a perder su tonicidad.

En muchos casos, esta tendencia hipotónica se refleja con claridad en la estética corporal, como es el caso de una musculatura abdominal débil, pero es mucho más importante su repercusión en el funcionamiento visceral. Al estar la pared abdominal distendida, los órganos internos se desplazan dando lugar a muchas patologías.

Una demostración del caso contrario, es decir, un músculo o grupo muscular excesivamente contraído, es el de los rotadores externos de cadera. Bajo ellos, importantes elementos vásculo-nerviosos tienen la misión de hacer funcionar a las extremidades inferiores.

Cuando la contracción es anormal, los vasos sanguíneos y los nervios quedan atrapados y no pueden cumplir su misión con normalidad. Es frecuente, por ejemplo, la contractura del músculo piramidal de la pelvis, que da lugar a pseudociáticas que remiten con facilidad al estirar este músculo.

Los ligamentos se lesionan por presión, tracción, irritación o rotura, alterándose su misión de soporte, a veces porque determinados movimientos, posturas o actividades los ponen en tensión permanente o intermitente. Cuando es así, la mejor forma de que recobren su longitud normal es el reposo hasta que se recobre el tono habitual; debiendo, a partir de ese momento, centrarse el tratamiento en el refuerzo de los músculos de la zona.

Las manipulaciones profundas son las idóneas para solucionar problemas de contracturas o debilidad de los músculos, movilidad articular o restringida, que ya se van haciendo crónicos. Para ello se recurrirá a las técnicas siguientes:

Punto gatillo
Técnica de Jones
Bombeos
Espondiloterapia
Presiones
Estiramientos musculares contrariados
Estiramientos vertebrales
Pinzado rodado
Fricción pulpo-pulgar en el canal paravert bral
Tratamiento de fascias
Estiramientos isométricos
Movilizaciones

PUNTO GATILLO

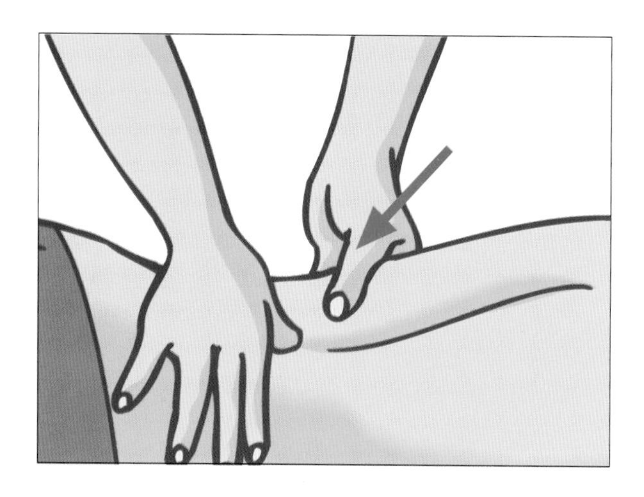

Punto gatillo en el cuadrado lumbar

Se conoce con este término al lugar donde se desencadena el dolor. La técnica inhibidora está basada en los 90 segundos que tarda la corriente nerviosa en llegar al cerebro. Si se corta durante ese período de tiempo esta corriente, se consigue un efecto anestesiante.

Según la zona a tratar, el paciente se colocará en supino o en prono. El terapeuta, una vez localizado el punto doloroso, sitúa el dedo medio o el pulgar encima. Pide al paciente que respire lenta y profundamente y que se mantenga relajado e inmóvil. (Es importante la inmovilidad total). El terapeuta presiona durante 90 segundos ininterrumpidamente en la zona de dolor.

TECNICA DE JONES

Puede considerarse una variante de la técnica anterior. Se utiliza cuando al presionar en el punto gatillo el dolor es excesivo. En ese caso es preciso llevar el músculo a una postura de máximo confort, que se logrará acortándolo.

Para aplicar esta técnica en el trapecio o en el angular del omóplato, el paciente debe estar en prono. El terapeuta, a un lado de la camilla, buscará la posición en la que la cabeza del paciente logra hacer ceder la tensión muscular, presio-

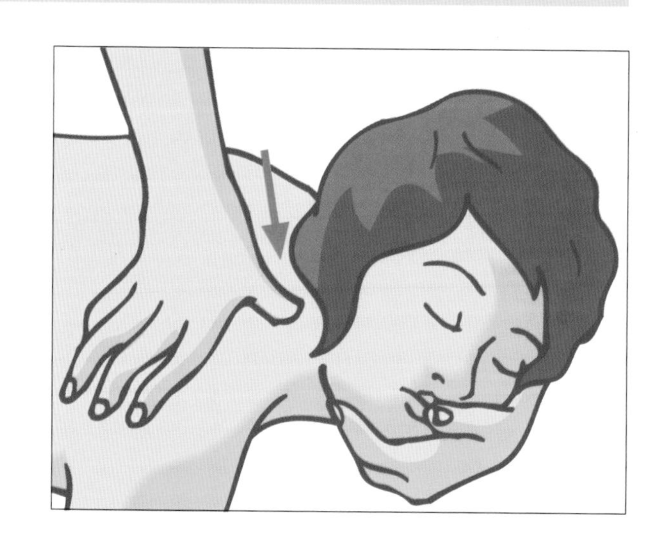

Trapecio

nando sobre el punto doloroso. Mantiene la presión 90 segundos. El paciente estará tumbado en la camilla en prono, cuando se aplique la técnica de Jones a los ligamentos Ilio-lumbares. El terapeuta, en el lado de la lesión, busca el punto gatillo, mientras con la otra mano atrapa la pierna del lado lesionado realizando una extensión y abdukcción hasta encontrar el punto en que cede la tensión. Mantiene entonces la presión durante 90 segundos.

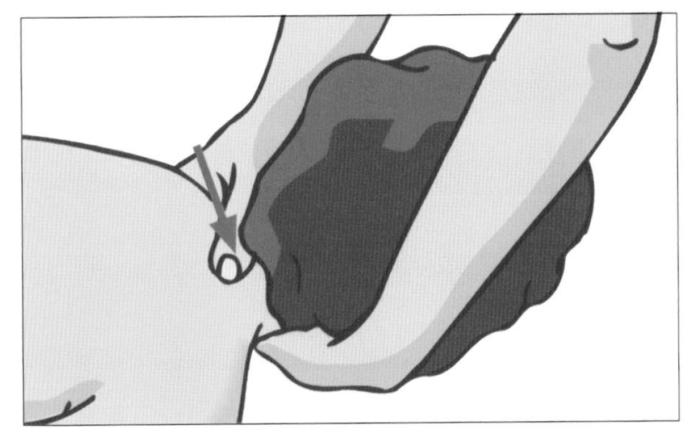

Angular del Omóplato

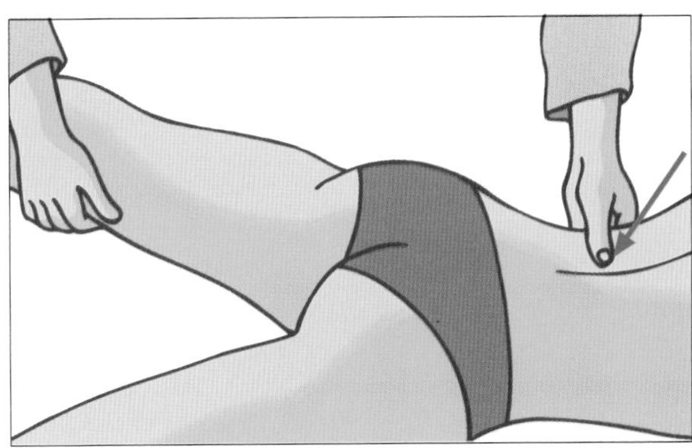

Ligamentos Ilio-lumbares

BOMBEOS

Se aplican específicamente a la columna vertebral, la articulación costo-esternal, y a los órganos internos por vía refleja a través de la parrilla costal.

Con esta técnica se pretende nutrir, drenar y activar la circulación de los tejidos.

Para aplicarla, es preciso sujetar los segmentos que se están tratando durante el inicio de la inspiración, soltándolos bruscamente antes de llegar a la inspiración máxima. Esta maniobra hace que la presión ejercida en la inspiración profunda bombee los tejidos, que reciben de esta manera un aporte brusco y rápido de nutrientes. Paralelamente, se liberan cartílagos o facetas articulares ligeramente superpuestas.

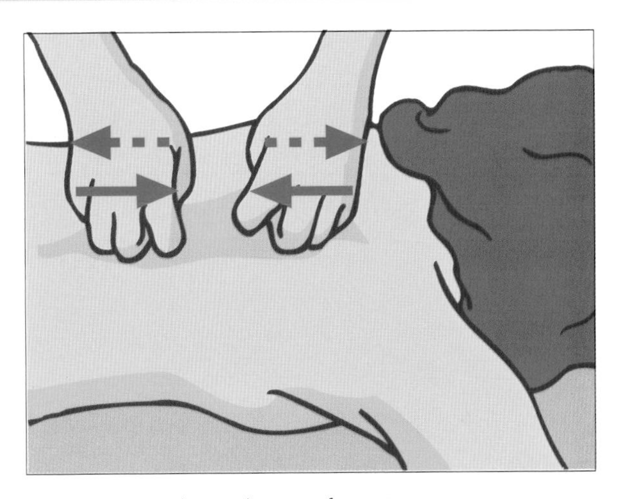

Bombeo de Apófisis Espinosas

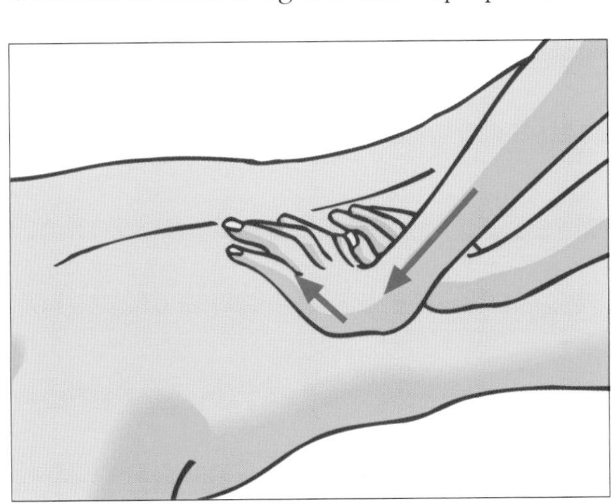

Bombeo de Escoliosis Estructuradas

El paciente estará en prono para realizar el bombeo de apófisis espinosas. El terapeuta, a un lado, atrapa las apófisis espinosas de las dos vertebras que requieran bombeos, con el índice y pulgar de ambas manos. Sujeta al principio de la fase de inspiración y suelta antes de la inspiración máxima.Para bombear varias vértebras se pueden utilizar las eminencias tenares.

En los bombeos adaptados a las escoliosis estructuradas el paciente deberá tumbarse en la camilla en posición de prono. El terapeuta se colocará del lado de la convexidad de la escoliosis, colocando ambas manos sobre las apófisis transversas de las vértebras de ese mismo lado, realizando movimientos de presión y empuje.

Bombeos costales

Para realizar los bombeos costales superior e inferior, el paciente debe estar tumbado en supino y respirar con la boca abierta. El terapeuta se situará en la cabecera de la camilla para el bombeo costal superior, colocando las manos a ambos lados del esternón, sujetando la parrilla costal en el movimiento inspiratorio. Para el inferior, se sitúa a un lado de la camilla sujetando la parrilla costal inferior con ambas manos entrelazadas transversalmente. En ambos casos, soltará las manos antes de que el paciente realice la inspiración forzada máxima.

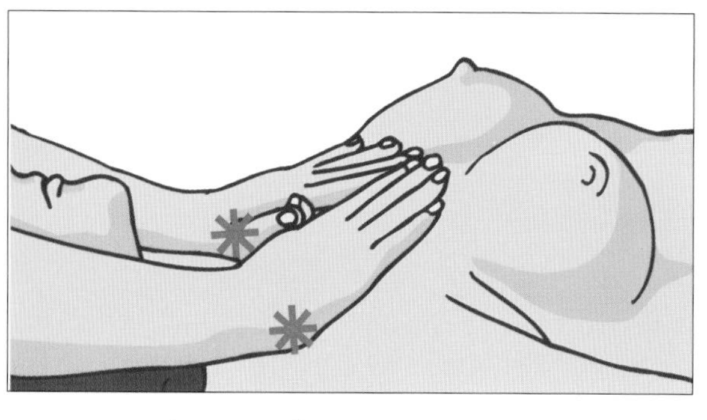

Superior

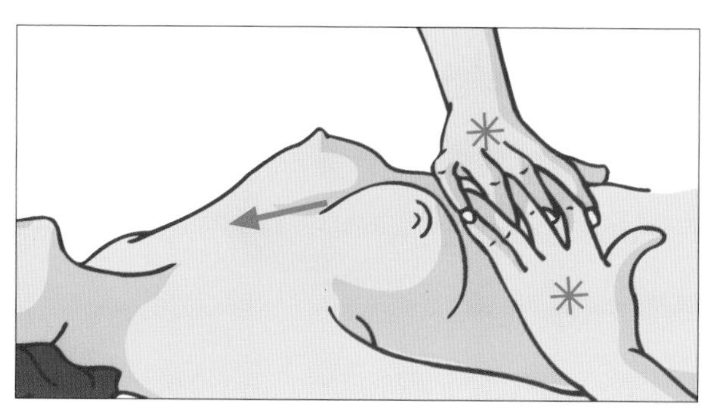

Inferior

ESPONDILOTERAPIA

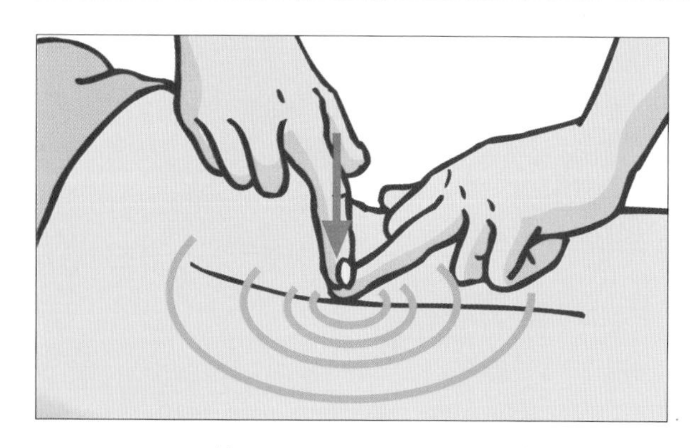

Espondiloterapia en una vértebras

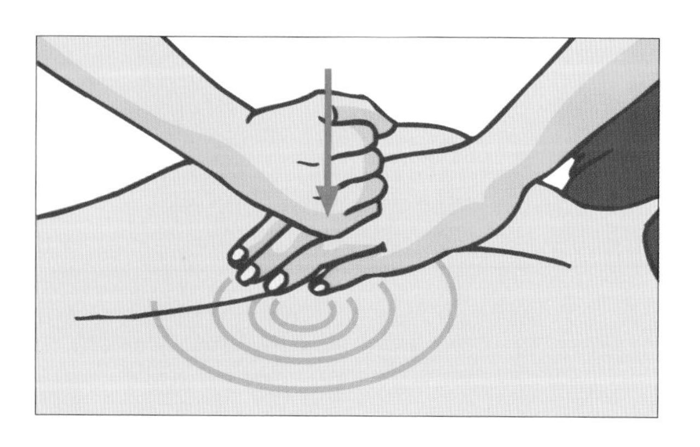

Espondiloterapia en varias vértebras

Esta técnica se utiliza para tonificar el sistema neurovegetativo por vía refleja, para lo cual se percute directamente sobre un segmento vertebral. La espondiloterapia se realiza cuando la zona está dolorosa al tacto y sirve para estimular el tejido y órgano inervado por el segmento percutido.

En la fase de inspiración se estimula el sistema simpático, en la de espiración el parasimpático y entre ambas fases respiratorias se considera neutro.

Puede realizarse sobre una o varias vértebras a la vez.

Para realizar la espondiloterapia sobre una vértebra, el paciente deberá estar en prono.

El terapeuta, a un lado de la camilla, coloca el dedo medio sobre la apófisis espinosa afectada. Con el mismo dedo de la otra mano, efectúa las percusiones sobre la uña del primero durante 5 segundos (aproximadamente 15 golpes).

Paciente y terapeuta en la posición descrita para una vértebra. La mano del terapeuta, extendida sobre el segmento a tratar, percutirá con el borde cubital del puño de la otra mano sobre ella. Se dan la misma cantidad de golpes.

PRESIONES

Esta manipulación está especialmente indicada en masaje deportivo y consiste en mantener durante varios segundos la presión sobre el vientre muscular, inhibiendo la contracción de las fibras.

Con el paciente en decúbito prono, el terapeuta, con los brazos totalmente estirados para transmitir el peso de su cuerpo a los músculos, apoya sobre la zona a tratar las eminencias tenar e hipotenar de una o ambas manos, ejerciendo una presión transversal a las fibras musculares.

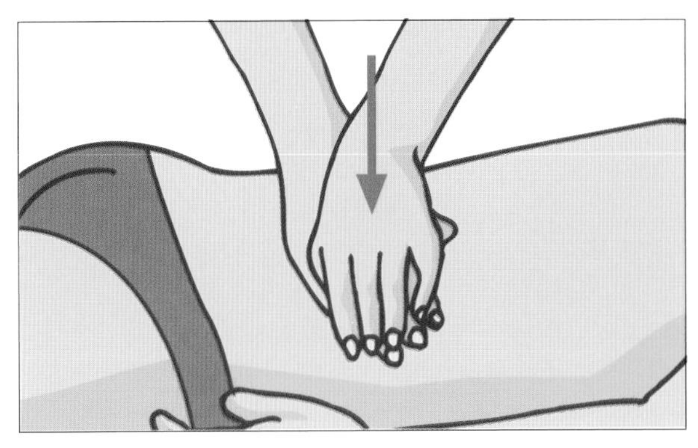

Presiones en el cuadrado lumbar

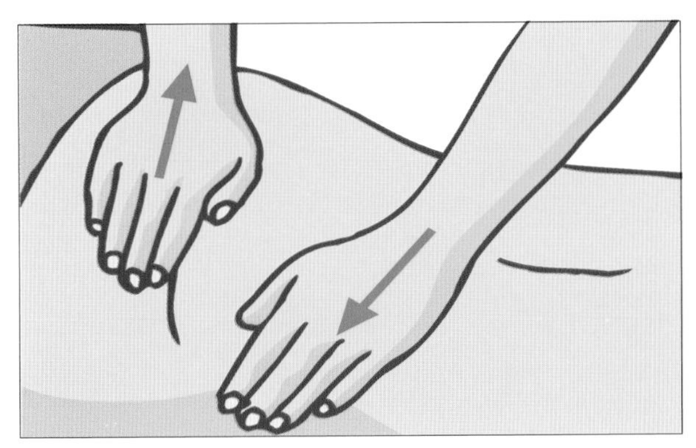

Presiones contrariadas del cuadrado lumbar

Para lograr una mayor superficie de estiramiento se realizan rotaciones de las manos, según se presiona, hacia uno u otro lado.

También se hacen presiones contrariadas, presionando con una mano el vientre muscular a inhibir, a la vez que con la otra se hace una presión en sentido contrario. Para no producir mucho dolor, estas presiones serán lentas y pausadas. En ambos casos, además de ayudar a normalizar el deslizamiento de las fascias y el drenaje de los tejidos, estas manipulaciones tienen un importante efecto relajante.

ESTIRAMIENTOS MUSCULARES CONTRARIADOS

Los estiramientos musculares contrariados tienen la misma finalidad que las presiones contrariadas ya descritas. En este caso, se utiliza un brazo de palanca (corto o largo) lo que permite ejercer una mayor presión con menos esfuerzo y mejores resultados.

También se utiliza en masaje deportivo y para musculaturas fuertes en general.

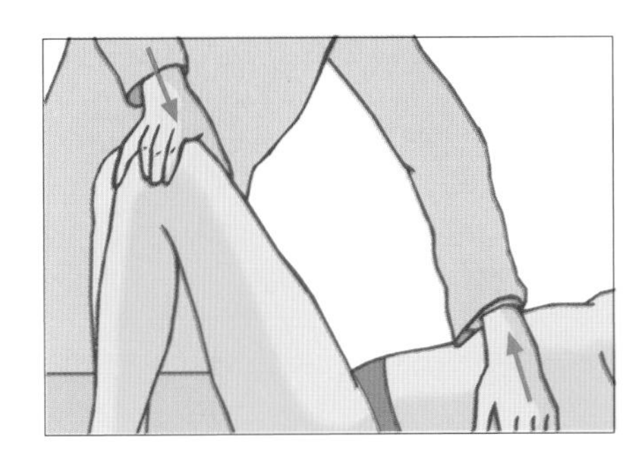

Estiramiento del cuadrado lumbar con palanca larga

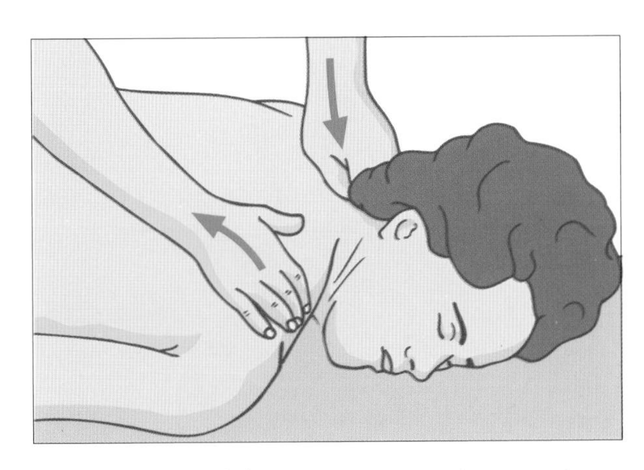

Estiramiento del trapecio con palanca corta

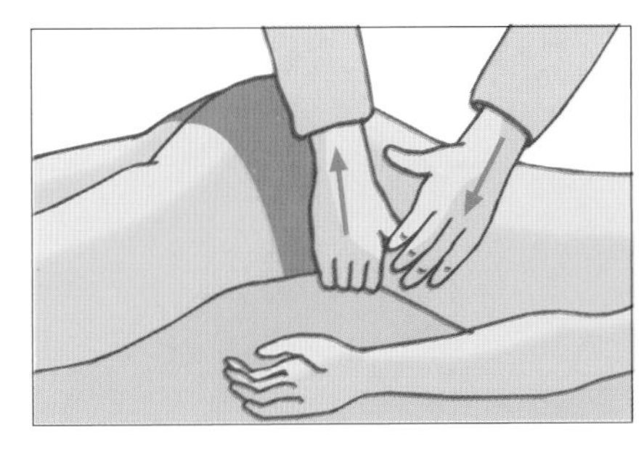

Estiramiento del cuadrado lumbar con palanca corta

ESTIRAMIENTOS VERTEBRALES

Los estiramientos vertebrales tienen una gran repercusión en la nutrición de los discos intervertebrales. Al estirar la columna, además, se normaliza la posición del núcleo pulposo por succión, aumentando el espacio nuclear, mejora la circulación de la articulación y la alineación vertebral.

El paciente, con las piernas flexionadas, en posición de decúbito supino. El terapeuta, desde la cabecera de la camilla, coge ambas rodillas presionando en la espiración hacia abajo y hacia delante.Con el paciente tumbado en supino, el terapeuta, desde la cabecera de la camilla, pone una mano a la altura del occipucio del paciente y con la otra sujeta la barbilla, realizando leves estiramientos aprovechando la fase de espiración del paciente.

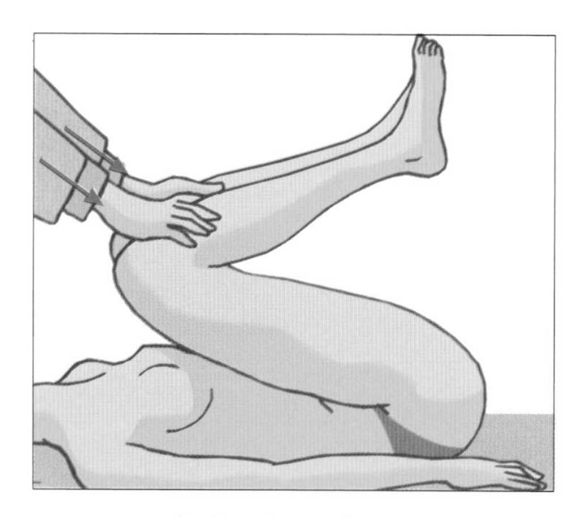

Estiramiento de la charnela sacro-lumbar en flexion máxima de cadera

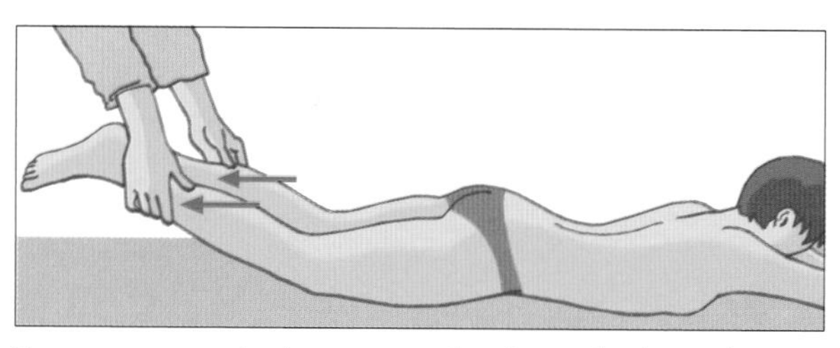

Estiramiento de la región lumbar de la columna

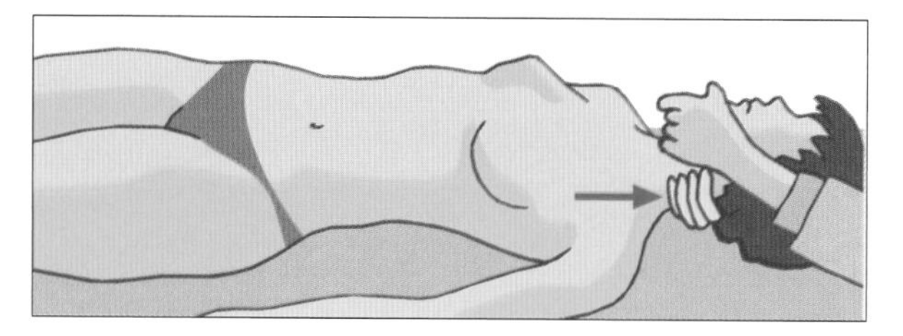

Estiramiento de la región cervical de la columna

PINZADO RODADO

Cuando el tejido está fibrotizado (adherido al hueso) esta técnica puede resultar dolorosa. Es muy útil en el diagnóstico de posibles problemas en la columna vertebral.

Tiene un efecto drenatorio y vascularizador importante. Esta técnica es parecida al pellizco de oleaje descrito en las Manipulaciones más importantes, sólo que en el pinzado rodado se levanta más el tejido

Se realiza en dos fases. En la primera, se pellizca la piel y tejidos adyacentes entre el pulgar y el resto de los dedos, que se desplazan rodando progresivamente mientras que transportan entre ellos un pellizco de tejido en forma de ola.

Cuando este tejido está fibrótico es preciso liberarlo y para ello se hace una tracción ascendente en la fase respiratoria de la espiración.

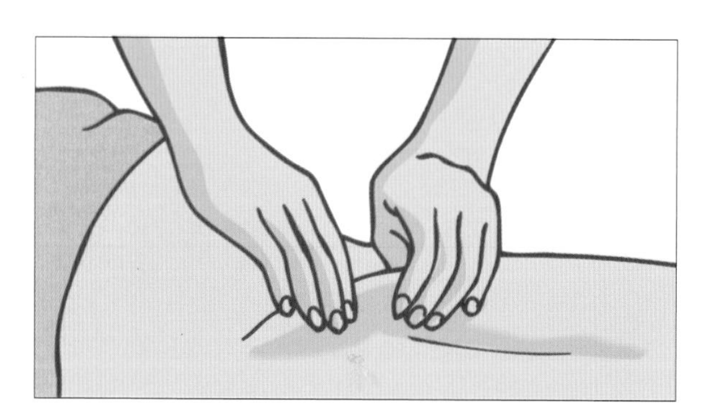

Pinzado rodado (Segunda fase)

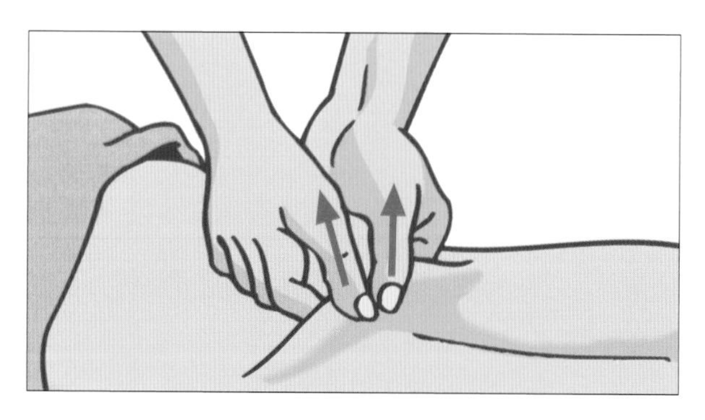

Pinzado rodado (Primera fase)

FRICCIÓN PULPO-PULGAR EN EL CANAL PARAVERTEBRAL

Esta técnica tiene unos efectos vasculares, anestesiantes y drenatorios considerables. Está especialmente indicada para la columna vertebral.

Para realizarla, los pulgares presionan a ambos lados de la columna en sentido ascendente, manteniéndose la presión mientras se deslizan los dedos.

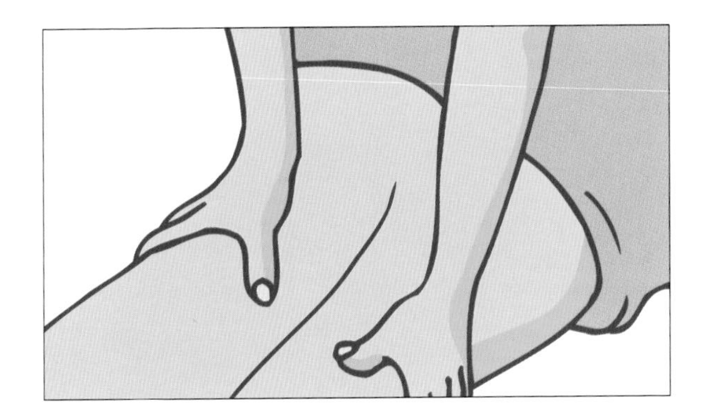

Fricción pulpo-pulgar

TRATAMIENTO DE FASCIAS

En nomenclatura anatómica se denomina fascia a una capa o banda de tejido fibroso. Es, entre otras cosas, la membrana que recubre la parte libre de los músculos.

Debido a que la musculatura de la espalda abarca grandes superficies, es importante el tratamiento de fascias, puesto que, si existe alguna disfunción muscular o articular, las fascias también resultan afectadas quedándose adheridas a los tejidos más profundos en vez de estar libres y flexibles.

El tratamiento requiere un diagnóstico previo para averiguar cuál es el lado afectado. Una vez realizado éste, la técnica se realiza en dos fases:

a) en el sentido de la lesión,

b) en el sentido de la corrección.

Siguiendo el ritmo de la respiración del paciente, puesto que a él se adapta el movimiento fisiológico de las fascias.

La cabeza del paciente estará, en la primera fase, rotada en el sentido de la lesión y en la segunda fase en el sentido de la corrección, para impedir que se aumente la tensión y para facilitar la realización de la técnica.

Para hacer el diagnóstico, el paciente estará tumbado en la camilla, en prono con la cabeza en posición neutra, es decir, apoyada en los brazos o en la camilla sin girarla a ninguno de los dos lados, porque cualquier otra posición tensa las fascias y falseará el diagnóstico.

El terapeuta coloca sus manos a ambos lados del canal paravertebral y le pide al paciente que respire lenta y profundamente. Comprueba, en el movimiento respiratorio, si el desplazamiento de las manos es simétrico. Si no lo es, en las siguientes respiraciones exagera el movimiento de las manos tanto en sentido ascendente como descendente. El lado de la lesión será aquél en el que el movimiento sea más fácil.

Para realizar el tratamiento, con el paciente en la misma postura que para el diagnóstico, se le pide que realice una respiración lenta y profunda. Las manos del terapeuta estarán en posición contrariada a ambos lados del canal paravertebral. Siguiendo el ritmo respiratorio, se realiza una presión contrariada, primero en el sentido de la lesión y luego, cambiando las manos de posición, en el sentido de corrección, hasta que se nota que ya no cede más. Esta técnica se puede hacer, también, utilizando los antebrazos en lugar de las manos, o con el canto de la mano sobre la columna si se quiere ser más selectivo.

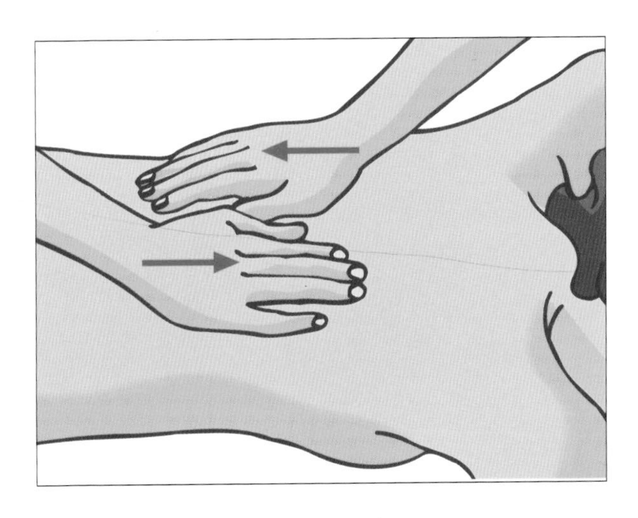

Tratamiento de fascias

CAPITULO V

Apuntes breves sobre anatomía

Es bastante habitual considerar el cuerpo humano como una serie de partes aisladas sin caer en la cuenta de que es una pieza sola o, en cualquier caso, un conjunto que trabaja solidariamente, y que no se debe desligar porque lo que le ocurre a la más pequeña de estas partes tiene relación con el resto. Un golpe dado en el dedo de un pie, o un esguince, llegan a tener repercusiones en sentido ascendente hasta la región cervical de la columna y la cabeza.

Si contemplamos el cuerpo humano con una visión mecánica, comprenderemos fácilmente estas repercusiones. Partiendo del ejemplo del esguince en un pie, es fácil comprender que el dolor va a hacer que se modifique la forma de pisar y de moverse al andar. Toda la cadena muscular relacionada directamente con la marcha tendrá que adaptarse para poder mantener el equilibrio. Pero también se involucrarán en esta rectificación el resto de los grupos musculares dorsales y cervicales, porque unos tirarán de los otros.

El cuerpo seguirá su tendencia instintiva para buscar la mayor comodidad sin perder el equilibrio y la horizontalidad de los ojos. Estas prioridades de equilibrio provocan posturas antiálgicas o no dolorosas que inevitablemente darán lugar a lesiones secundarias, que no se corregirán en tanto no se solucione la lesión primaria que las ha provocado.

Es como cuando un niño juega con bloques de madera. En el momento en que uno no está bien puesto, los que le siguen encima, para que la torre no se caiga, deberán ir compensando esa anomalía y adoptando posiciones extrañas. Si tuviesen la flexibilidad de los músculos, se retorcerían, estirarían o acortarían, según les conviniera para no caerse.

Por lo tanto, cuando exista una lesión, es imprescindible revisar las zonas próximas o de compensación, si se pretende hacer un trabajo serio y duradero. Además de estas alteraciones estructurales, también conviene tener en cuenta que, según la intensidad de la lesión, el funcionamiento de los tejidos se limita, y lo que en un principio es un problema funcional, que impide moverse con normalidad, llega a degenerar en alteraciones celulares de los tejidos implicados en la lesión. Así pues, las lesiones afectan, en un plazo más o menos largo, a la estructuras nerviosas, vasos sanguíneos, vísceras, huesos, ligamentos y articulaciones, músculos, piel y tejido conectivo:

Estructuras nerviosas: La lesión provoca irritación y compresión en los terminales nerviosos, disminuyendo o aumentando la conducción normal.

Vasos sanguíneos: Las funciones vasculares están regidas y coordinadas por el Sistema Nervioso Autónomo por lo que las alteraciones vasomotoras, por exceso o por defecto, condicionan el funcionamiento normal de los vasos sanguíneos. Las presiones directas sobre las paredes de los vasos sanguíneos o los defectos posturales de adaptación que sitúen la gravedad en dirección contraria del flujo sanguíneo normal, hacen que ese tejido esté mal nutrido.

Vísceras: Fundamentalmente les afectará la mecánica defectuosa de la columna vertebral. Se producirán impulsos vasomotores anormales dando lugar a una mala irrigación, congestiones venosas por posturas defectuosas y tensiones, y estiramientos anormales de los tejidos de sostén de las vísceras.

Huesos: Las presiones anormales continuas, llegan a deformar los huesos.

Ligamentos y articulaciones: Cada articulación tiene una manera específica de movimiento. Las presiones directas y los movimientos anormales, causan desgarros ligamentosos, irritación de las bolsas sinobiales, destrucción de cartílagos y, en términos generales, la degeneración de las superficies articulares.

Músculos: Cuando hay acortamiento muscular, existe la posibilidad de que se produzcan atrofias, alteraciones en las fibras (fibrositis), contracturas, dolores musculares (mialgias), engrosamientos, etc.

Piel y tejido conectivo: Las presiones intermitentes dan lugar a un aumento de la estructura córnea y las cantimas provocan atrofia en la piel y enfermedades del colágeno.

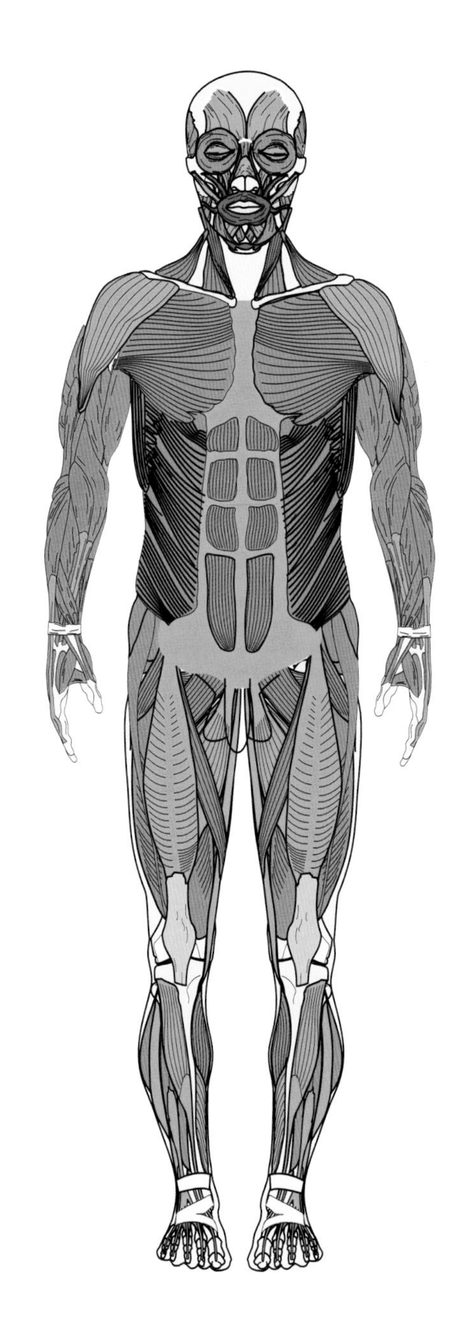

ELEMENTOS ANATÓMICOS MÁS IMPORTANTES

Retomando nuevamente la imagen del cuerpo humano desde la perspectiva de la mecánica, para que el sistema funcione, requiere una serie de elementos que, complementándose, dan forma al hombre o a cualquier animal, y le permiten moverse, entre otras cosas. Los huesos, ligamentos, tendones, músculos, tejido conectivo y fascias, son las partes anátomicas que hacen posible todo esto.

Los huesos son las piezas más duras del conjunto y van ensamblándose entre sí, formando articulaciones que facilitarán el movimiento, pero además tienen la misión de proteger algunas partes muy delicadas, como lo hace el cráneo con la masa encefálica o la columna vertebral con la médula espinal.

Dependiendo de la función que tenga asignada dentro del complejo anatómico, cada hueso tiene una forma específica y unas características diferentes, si bien es habitual clasificarlos en tres grandes bloques: largos, cortos y planos.

Los huesos largos tienen una parte central cilíndrica conocida como diáfisis, que está formada por tejido compacto y donde se encuentra la médula ósea, y dos extremos más voluminosos que la parte central, llamados epífisis, formados básicamente por tejido esponjoso y sobre los que se encuentran las superficies articulares recubiertas de cartílagos. La tibia, el peroné o el fémur pertenecen a este grupo de huesos largos.

Los huesos cortos tienen una masa central de tejido esponjoso, donse se aloja la médula ósea, que está revestida de tejido compacto, excepto en los puntos de correspondencia con las superficies articulares que, como en el caso de los huesos largos, están recubiertas de cartílago. Un ejemplo de este tipo de huesos son las vértebras.

Finalmente, los huesos planos están formados por tejido esponjoso revestido de dos capas de tejido compacto llamadas láminas o tablas externa e interna. Son la bóveda del cráneo, el esternón, etc. Para que puedan insertarse los tendones musculares, la parte externa de los huesos tiene algunas protuberancias o engrosamientos conocidas como apófisis o eminencias y cavidades o depresiones.

Los ligamentos son bandas de tejido fibroso que conectan huesos y cartílagos y que sirven para sostener y reforzar las articulaciones y limita sus movimientos. Cada articulación posee más de uno. Tienen una estructura de tejido fibroso denso con raras fibras elásticas, excepto en los ligamentos amarillos de la columna vertebral y en el de la nuca. Están tan fuertemente adheridos a los huesos, que resultaría más fácil romper el ligamento o el hueso que separarlos.

Los tendones son cordones fibrosos de tejido conjuntivo en los que terminan las fibras de los músculos. Sirven para que el músculo se inserte al hueso o a otra estructura. Son blancos, brillantes, de longitud y grosor variables y muy resistentes.

Los órganos activos del movimiento son los músculos. Tienen capacidad o tendencia a contraerse en respuesta a un estímulo adecuado, por lo que se dice que son contráctiles. Los músculos conocidos como rojos son estriados, con movimiento voluntario, y realizan su origen e inserción por medio de tendones. El otro grupo de

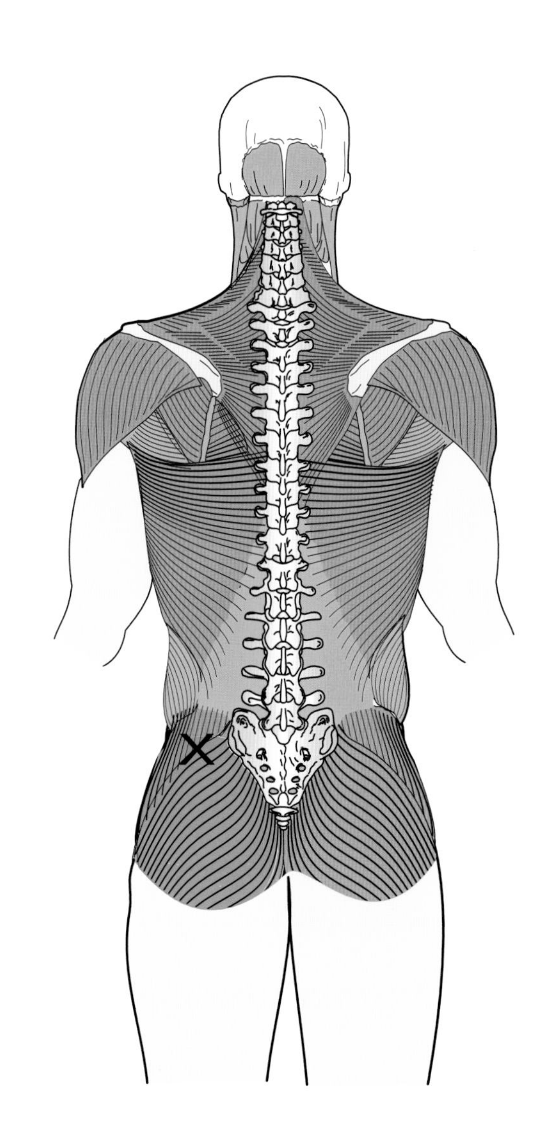

músculos, denominados blancos, son lisos, con movimiento involuntario propio de la vida vegetativa e intervienen en la constitución de las vísceras, formando en muchos casos la pared de los órganos huecos.

Si los músculos tienen su origen e inserción en los huesos, se llaman músculos esqueléticos, pero si están bajo la piel y se insertan en la dermis, reciben el nombre de músculos cutáneos.

Algunas veces los músculos tienen dos, tres o cuatro extremos o cabezas, denominándose en estos casos bíceps, tríceps o cuádriceps.

Los músculos esqueléticos hacen posible los movimientos de flexión, extensión, rotación, abducción, adducción o aducción, pronación y supinación. Con frecuencia, para realizar uno de estos movimientos, es preciso que se alíen varios músculos, hablándose en este caso de músculos asociados.

El tejido conectivo o conjuntivo es el que enlaza y sirve de sostén de las diversas estructuras del cuerpo. Está formado por fibroblastos, fibrocoglia, fibrillas de colágena y fibrillas elásticas. En él se desarrollan casi todas las reacciones de defensa del organismo cuando es atacado por sustancias extrañas.

En nomenclatura anatómica, el término fascia se utiliza para nombrar a una banda o capa de tejido fibroso, como sinónimo de aponeurosis y también se aplica a la membrana que recibe la parte libre de los músculos.

La fascia lata crural es la encargada de recubrir los músculos del muslo.

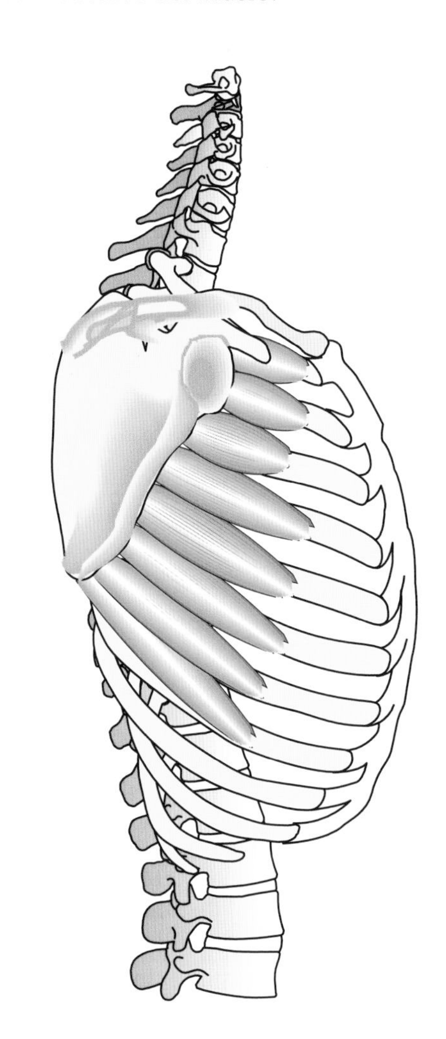

ACORTAMIENTOS MUSCULARES

El acortamiento de los distintos grupos musculares tiene una gran repercusión en las lesiones, en especial en las de la espalda, e involucra a otras estructuras. Mediante amasamientos, percusiones, y otras manipulaciones directas se consigue elastificar estos grupos musculares, pero además se utilizan otras técnicas que son más efectivas, sobre todo cuando están afectados músculos o grupos musculares profundos a los que no se tiene acceso de otra manera.

Dependiendo de la longitud del músculo, de su potencia o de la palanca sobre la que ejerza su acción, se puede recurrir a técnicas miotensivas, en las que se utiliza la tensión del músculo, o utilizar el peso del cuerpo del mismo paciente.

Se comprenden mejor las técnicas de estiramiento teniendo en cuenta el funcionamiento solidario de grupos musculares para lo cual puede considerarse esta división del cuerpo:

Extremidades inferiores y pelvis
Región dorsal de la columna y cintura escapular
Región cervical de la columna o cuello

Extremidades inferiores y pelvis

El hombre no siempre ha sido así. Su estructura física ha ido evolucionando y adaptándose en torno a un eje vertical, para contrarrestar la fuerza de la gravedad y las presiones que ejerce la resistencia del suelo durante la marcha. Tras esta tarea de adaptación al medio, en la que se invirtieron muchos miles de años, el sistema pélvico y las extremidades inferiores toman una nueva configuración con la bipedestación. Sobre ellas recae la responsabilidad del desplazamiento y son las que con más facilidad, al lesionarse, producirán en sentido ascendente, una serie de compensaciones estructurales para que el hombre se mantenga erguido.

Por supuesto, estas compensaciones van a repercutir en distintos grupos musculares que se irán adaptando desde los pies a la cabeza para que el homus erectus lo siga siendo. Es fácil comprender la relativa fragilidad de esta estructura y la facilidad de compensación de esta parte del cuerpo, simplemente con recordar que en cada uno de los coxales o huesos de la cadera se insertan 36 músculos y ocho en el sacro.

EXTREMIDADES INFERIORES Y PELVIS GRADOS DE MOVILIDAD EN LOS GRUPOS MUSCULARES

Cadera

Movimiento de flexión-extensión

Paciente tumbado en supino con la parte del cuerpo que se vaya a comprobar al borde de la camilla y una de las piernas flexionadas. Los grados de movilidad a alcanzar por la otra, considerando la posición de partida 0º, serán, en dirección craneal, de 90º, sin que se levante de la camilla la articulación de la cadera. Cuando comience a despegarse estará forzando el movimiento, y se calculará la falta de movilidad. Volviendo la pierna a la posición de 0º, se comprobará el movimiento en dirección al suelo, con la pierna ligeramente fuera de la camilla, vigilando el despegue de la camilla de la cadera. La movilidad correcta en este caso es de 20º. Una vez comprobado un lado, se pasará al otro y se compararán entre sí.

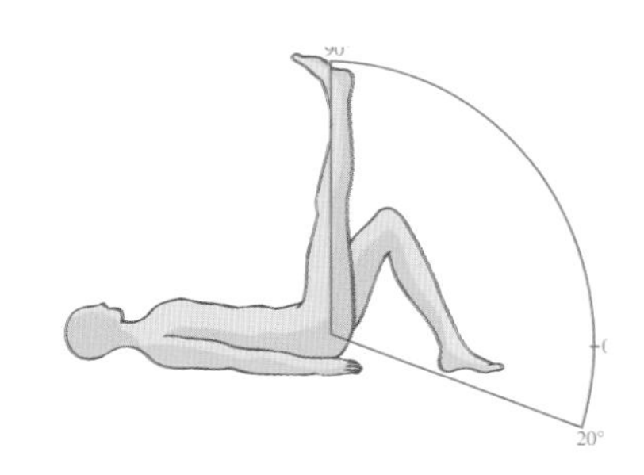

Cadera. Flexión-extensión

Flexión (con la rodilla en flexión)

El paciente tumbado en supino, con una pierna estirada y descansando en la camilla 0º. Al flexionar la otra, deberá lograr un arco de 135º. Menos grados indican acortamiento muscular. Se comprobará la otra pierna y se compararán entre sí.

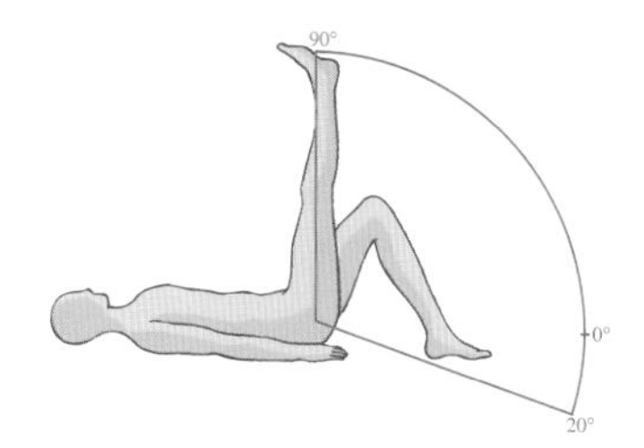

Flexión (Rodilla en flexión)

Rotación

Se medirá la rotación con la pierna flexionada y mediante el juego de la rodilla. El paciente continúa en decúbito supino y la movilidad será de 45º en ambas direcciones. Siempre se efectúa la comprobación y confirmación de los dos lados.

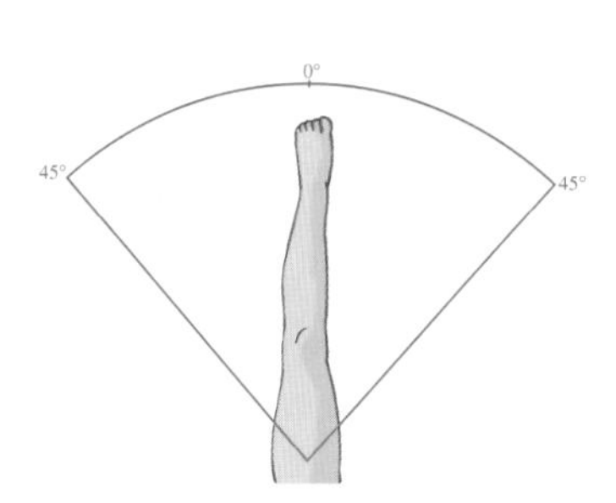

Rotación

Abducción-Aducción

Continuando con el paciente en supino, se comprueba el movimiento en Aducción-Abducción. Las piernas estiradas y juntas. En este caso, los 0º se consideran partiendo del movimiento articular de la cadera. En abducción o separación de la extremidad se lograrán 45º, y en aducción con la pierna en dirección a la otra 15º. Como en casos anteriores, se comprueban las dos piernas y se comparan entre sí.

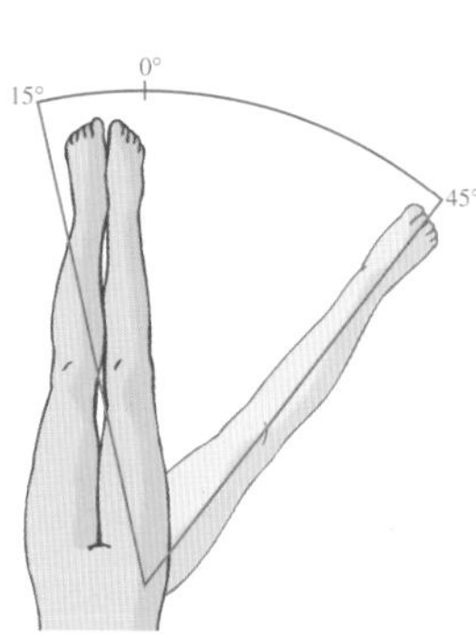

Abducción / Aducción

Flexión

Se cambiará al paciente de posición ya que la flexión se comprobará en decúbito prono. En esta posición, considerando los 0º el eje de la cadera, la pierna hará un recorrido de 130º. Se pueden flexionar ambas piernas a la vez comprobando así cual de las dos presenta más acortamiento.

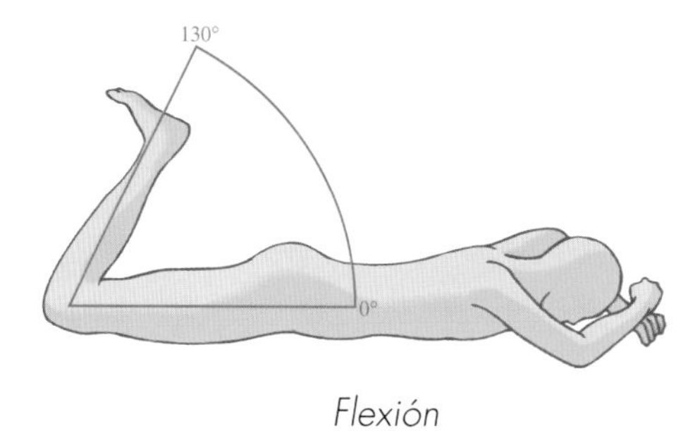

Flexión

Extremidades inferiores y pelvis músculos más importantes

Los músculos que revisten mayor importancia para el quiromasaje terapéutico, en la mitad inferior del cuerpo, son los Isquiotibiales, que van del isquión o parte dorsal inferior del hueso ilíaco, a la tibia, y el glúteo mayor como grandes responsables de las alteraciones mecánicas del juego de la articulación pélvica, los abductores y aductores, rotadores internos y externos, cuádriceps, psoas, flexores, plantares, cuadrado lumbar y oblicuos.
Cada músculo o grupo muscular de la cadera, si es utilizado indebidamente, puede llegar a acortarse. La consecuencia inmediata es la restricción de movilidad en uno o ambos lados (unilateral o bilateral) afectando además a las articulaciones vecinas.

Músculos Isquiotibiales

El semitendinoso, semimembranoso y bíceps crural se localizan en la parte posterior del muslo, y componen el grupo de los isquiotibiales.

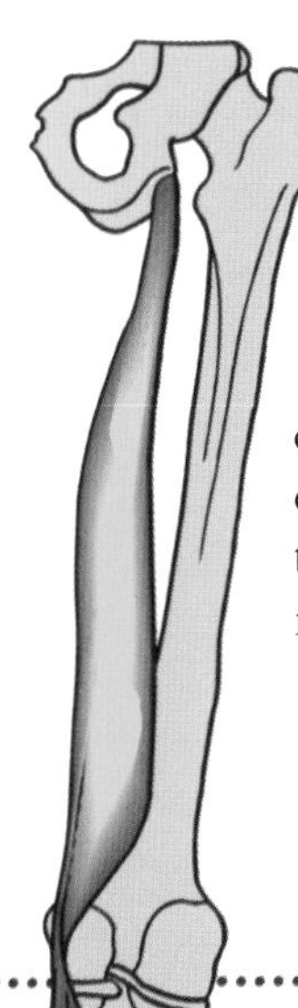

SEMIMEMBRANOSO

Va desde la tuberosidad Isquiática a insertarse en el cóndilo interno de la tibia. Hace flexionar la pierna y extender el muslo.

M. Semimembranoso

BÍCEPS CRURAL

El origen de este músculo está en la cara inferior interna de la tuberosidad isquiática. Se inserta en la cara externa de la cabeza del peroné, enviando una prolongación a la tuberosidad externa de la tibia. Su función es la de extensor del muslo y flexor y rotador interno de la pierna.

M. Bíceps crural

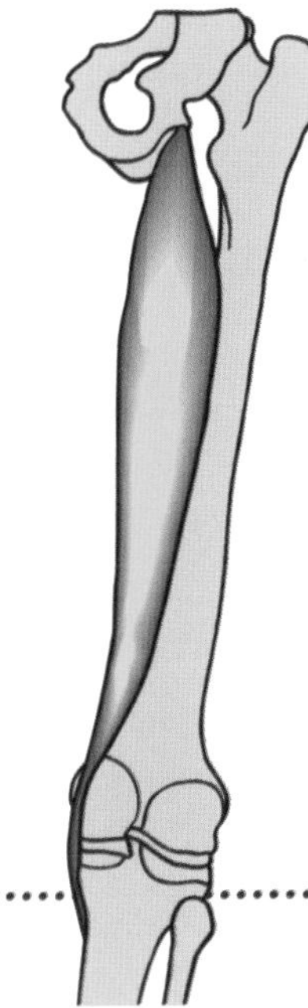

SEMITENDINOSO

Tiene su origen en la tuberosidad Isquiática. Se inserta en la parte superior de la superficie interna de la tibia y su función es la de flexionar la pierna y extender el muslo.

M. Semitendinoso

GLÚTEO MAYOR

Este músculo tiene su origen en la superficie externa del ileón, superficie dorsal del sacro y coxis y ligamento sacrociático. Se inserta en la banda iliotibial de la fascia lata por encima del trocánter mayor, y en el surco que va del trocánter mayor a la línea áspera. Es uno de los principales músculos extensores y potente rotador externo, y uno de los responsables del acortamiento de la pierna.

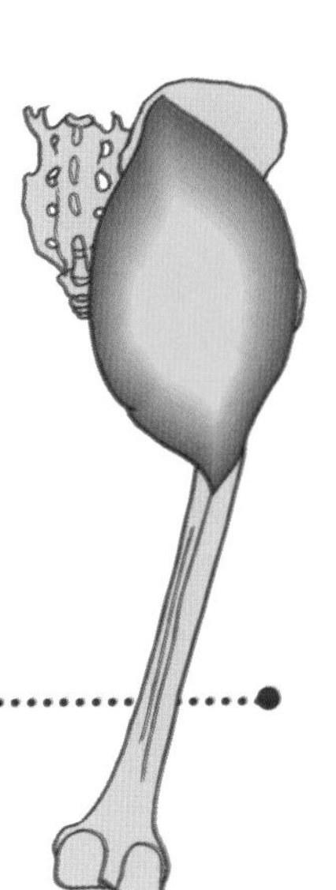

M. Glúteo mayor

MÚSCULOS ABDUCTORES

Son los que se encargan de separar las extremidades inferiores.

Los más importantes son el glúteo mediano y el glúteo menor, aunque están ayudados en su función por el tensor de la fascia lata y el glúteo mayor.

GLÚTEO MEDIANO

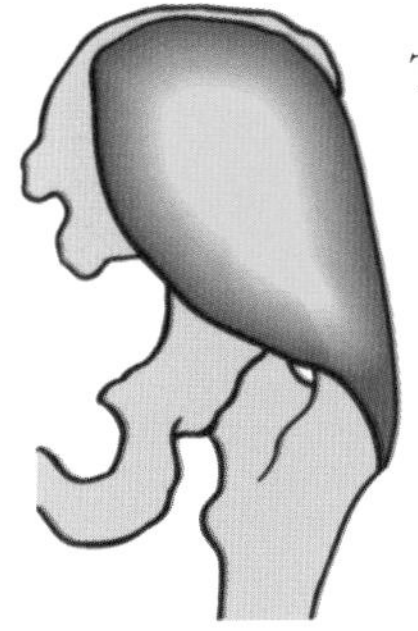

Tiene su origen en la cara externa del Ileón entre las líneas glúteas anterior y posterior. Su función es la abducción del muslo. Se inserta en el trocánter mayor del fémur.

M. Glúteo mediano

GLÚTEO MENOR

Se origina en la cara externa del Ileón entre las líneas glúteas anterior e inferior. Tiene como función la abducción y rotación del muslo hacia adentro. Va a insertarse en el trocánter mayor del fémur.

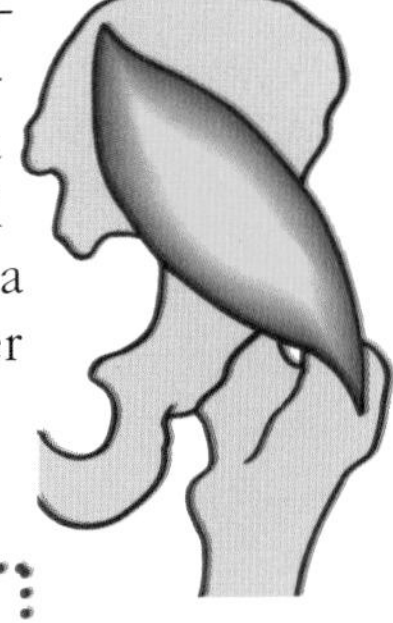

M. Glúteo menor

Musculos aductores

Su misión es aproximar las extremidades inferiores.

Están en este grupo los aductores mayor, mediano y menor, pectíneo, y recto interno del muslo.

ADUCTOR MAYOR

Se localiza en la cara interna del muslo. Su origen está en la rama inferior del pubis, rama del isquión, y tuberosidad isquiática. La función que hace es la aducción del muslo, en su parte profunda. Extensión del muslo, en su parte superficial. Su inserción está en línea áspera y tubérculo aductor del fémur.

M. Aductor mayor

ADUCTOR MEDIANO

Tiene su localización en la cara interna del muslo, y su origen en la cresta y sinfisis del pubis. Su función es la aducción, rotación y flexión del muslo. Va a insertarse en la línea áspera del fémur.

PECTÍNEO

También se localiza en la cara interna del muslo. Su origen está en la línea iliopectínea y espina del pubis. Realiza la función de flexión y aducción del muslo. Tiene su inserción en la parte del fémur distal al trocánter menor.

ADUCTOR MENOR

Como en los anteriores, su localización es la cara interna del muslo. Su origen está en la superficie externa de la rama inferior del pubis. Tiene la función de aducción, rotación y flexión del muslo. Se inserta en la parte superior de la línea áspera del fémur.

M. Aductor menor

RECTO INTERNO DEL MUSLO

Como al resto de los músculos aductores se le localiza en la cara interna del muslo. Su origen está en la rama inferior del pubis. Hace que se realice la función de aducción del muslo y flexión de la rodilla. Su inserción está en la superficie interna de la diáfisis tibial.

M. Recto interno del muslo

Músculos rotadores internos

Se origina en la cara externa del Ileón entre las líneas glúteas anterior e inferior. Tiene como función la abducción y rotación del muslo hacia adentro. Va a insertarse en el trocánter mayor del fémur.

Músculos rotadores externos

Hacen girar hacia el exterior las extremidades inferiores. Son los obturadores externo e interno, cuadrado crural, piramidal de la pelvis, y géminos superior e inferior.

OBTURADOR EXTERNO

Tiene su origen en el pubis, isquión y superficie superior de la membrana obturatriz. Se encarga de la rotación externa y flexión del muslo y su inserción está en la fosa trocantérea del fémur.

M. Obturador externo

OBTURADOR INTERNO

Partiendo de la superficie pélvica del hueso ilíaco, borde del agujero obturador, ramas del isquión e inferior del pubis y superficie interna de la membrana obturatriz. Se inserta en el trocánter mayor del fémur. Su función es la de rotación externa del muslo y abducción.

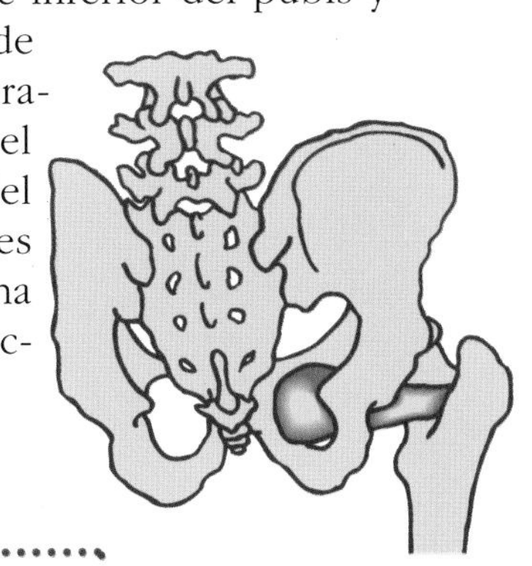

M. Obturador interno

CUADRADO CRURAL

Va desde la parte superior del borde externo o lateral de la tuberosidad isquiática a insertarse al tubérculo cuadrado del fémur. Su función es la aducción y rotación externa del muslo.

M. Cuadrado crural

PIRAMIDAL DE LA PELVIS

Originándose en el ileón y entre la segunda y la cuarta vértebras sacras, realiza la función de rotación externa del muslo. Va a insertarse en el borde superior del trocánter mayor del

M. Piramidal de la pelvis

GÉMINO SUPERIOR

Se origina en la cara externa de la espina isquiática y realiza la función de rotación externa del muslo. Va a insertarse en el trocánter mayor del fémur.

M. Gémino superior

GÉMINO INFERIOR

Partiendo de la superficie pélvica del hueso ilíaco, borde del agujero obturador, ramas del isquión e inferior del pubis y superficie interna de la membrana obturatriz. Se inserta en el trocánter mayor del fémur. Su función es la de rotación externa del muslo y abducción.

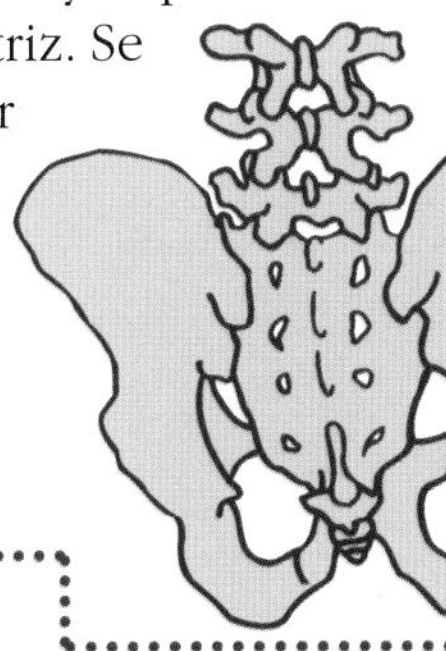

M. Gémino inferior

Cuádriceps

El cuádriceps está formado por cuatro músculos que se localizan en la parte anterior del muslo. Son: recto anterior, crural, vasto interno y vasto externo.

RECTO ANTERIOR

Con origen en la espina ilíaca anterior inferior y el reborde del acetábulo o cavidad cotiloidea. Se inserta en la rótula y tubérculo tibial. Hace la función de extensión de la pierna y flexión del muslo.

M. Recto anterior

CRURAL

Tiene el origen en las caras anterior y externa del fémur. Realiza la función de extensión de la pierna y se inserta en la base de la rótula y tendón común del músculo cuádriceps crural.

M. Crural

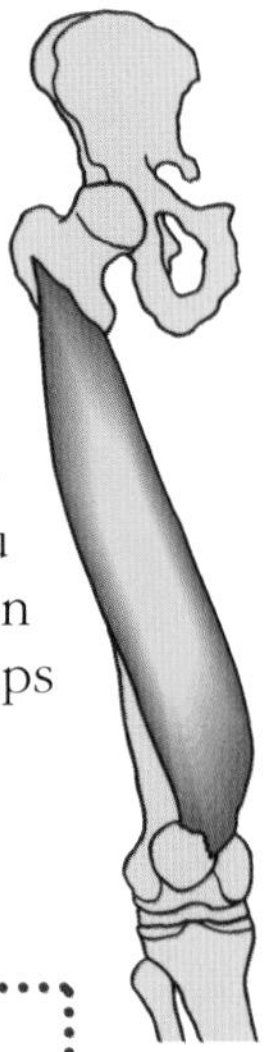

VASTO INTERNO

El origen de este músculo es la cara interna del fémur. Su función es la de extensión de la pierna, y su inserción la rótula y tendón común del músculo cuádriceps crural.

M. Vasto interno

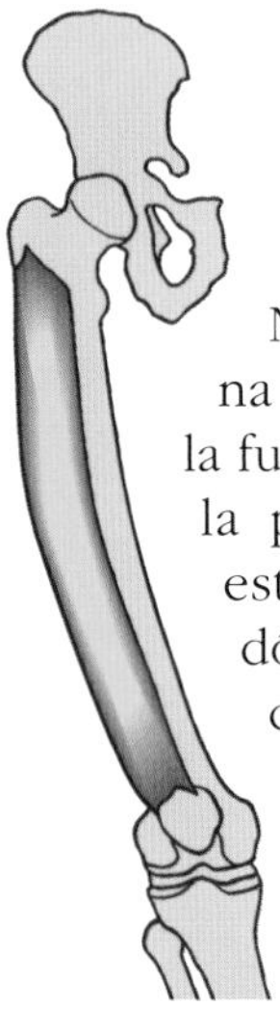

VASTO EXTERNO

Nace en la cara externa del fémur, haciendo la función de extensor de la pierna. Su inserción está en la rótula y tendón común del cuádriceps crural.

M. Vasto externo

Psoas

Es un músculo largo y potente que, cuando se acorta, involucra directamente a la región lumbar de la columna. Una de sus partes se une al músculo ilíaco, por lo que, para su estudio, se desglosa en dos secciones: el psoas mayor y la porción ilíaca del psoas, o Psoasilíaco.

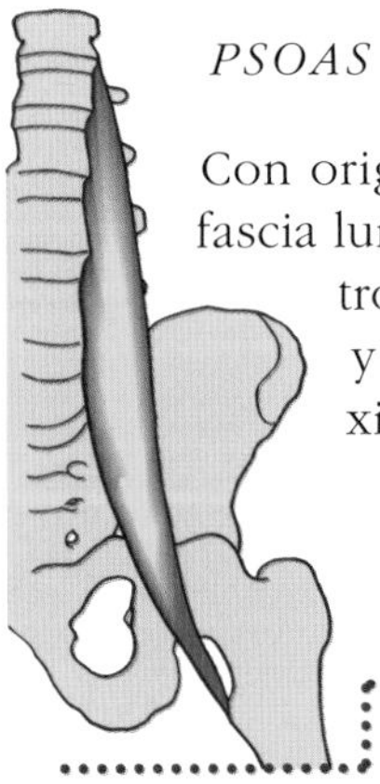

PSOAS MAYOR

Con origen en las vértebras y fascia lumbares. Se inserta en el trocánter menor del fémur y realiza la función de flexión del muslo.

M. Psoas mayor

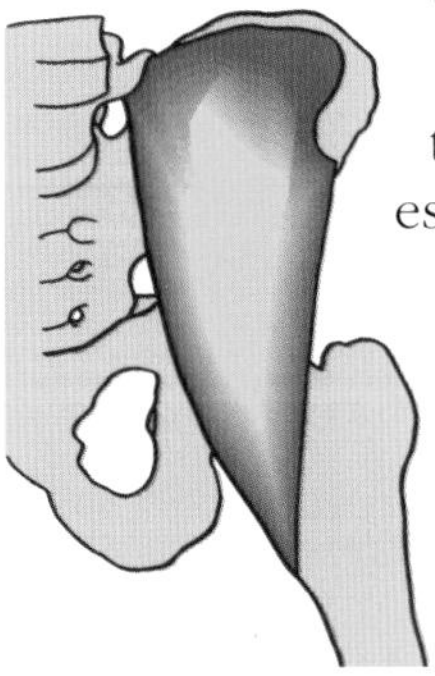

PORCIÓN ILÍACA DEL PSOAS O PSOASILÍACO

Tiene un triple origen en la fosa ilíaca superior, labio interno de la cresta ilíaca y base del sacro. Su función es la flexión del muslo. Va a insertarse en la cara externa del tendón del psoas mayor y cuerpo del fémur, por debajo del trocánter menor.

Porción ilíaca del M. psoas o M. psoasilíaco

FLEXORES PLANTARES

Están situados en la parte posterior de la pierna. Son los gemelos y sóleo.

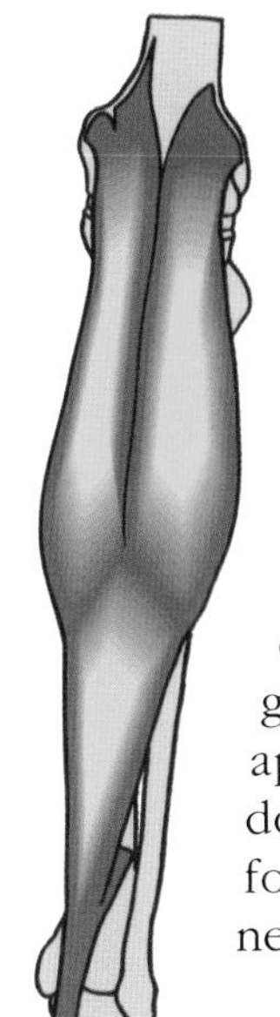

GEMELOS (INTERNO Y EXTERNO)

El origen del gemelo interno es la superficie poplítea del fémur, parte superior del cóndilo interno y cápsula de la rodilla, mientras que el del gemelo externo es el cóndilo externo y cápsula de la rodilla. Se encargan de la flexión plantar, su aponeurosis se une con el tendón del músculo sóleo para formar el tendón del calcáneo o tendón de Aquiles.

M. Gemelos

SÓLEO

Su origen es el peroné, fascia poplítea y tibia. Su función, la flexión plantar de la articulación del tobillo. Se inserta en el calcáneo por el tendón de Aquiles.

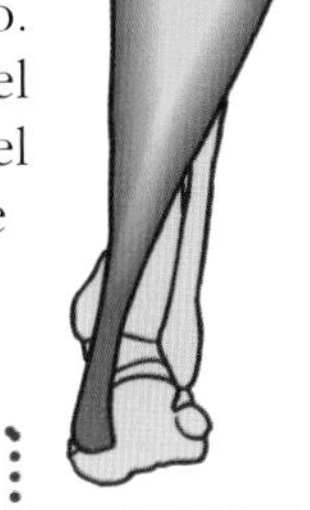

M. Sóleo

CUADRADO LUMBAR

Tiene su localización en la parte posterior de la espalda, en la zona lumbar y su origen en la cresta ilíaca, fascia toracolumbar, y vértebras lumbares. Se encarga de la flexión externa de las vértebras lumbares, tirando de la caja torácica hacia abajo, y se inserta en la costilla duodécima y apófisis transversas de las cuatro primeras vértebras lumbares.

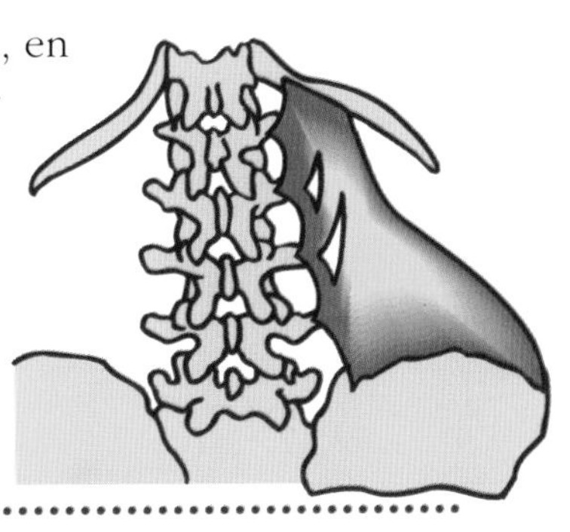

M. Cuadrado lumbar

OBLICUOS

Los músculos oblicuos están situados en la parte anterior del tronco y son el oblicuo mayor y el oblicuo menor.

OBLICUO MAYOR

Con origen en los cartílagos costales de las ocho costillas inferiores e inserción en la cresta ilíaca, línea alba por la túnica del recto. Su función es la flexión y rotación de la columna vertebral y compresión de las vísceras abdominales.

M. Oblicuo mayor

OBLICUO MENOR

Tiene su origen en el ligamento inguinal, cresta ilíaca y aponeurosis lumbar. Su función es la de flexión y rotación de la columna vertebral y compresión de las vísceras abdominales. Se inserta en los cartílagos de la 7ª, 8ª y 9ª costilla, línea alba, y tendón conjunto del pubis.

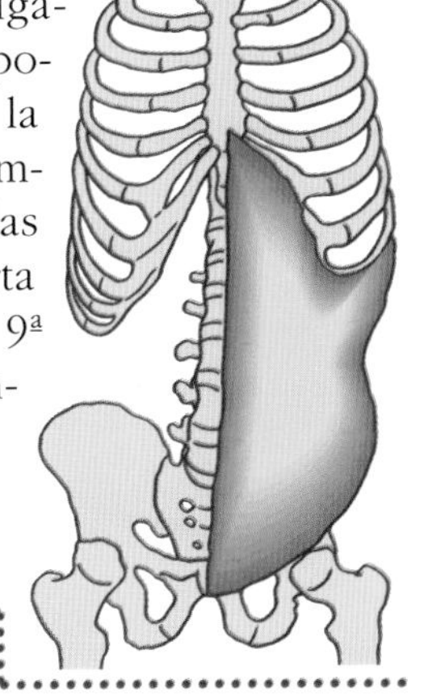

M. Oblicuo menor

ESTIRAMIENTO POR MEDIO DE TÉCNICAS MIOTENSIVAS DE LA MUSCULATURA PÉLVICA Y EXTREMIDADES INFERIORES

Cuando se ha comprobado que existe tensión muscular o acortamiento de algún músculo, las técnicas miotensivas (de tensión muscular) permiten realizar los estiramientos sin que el paciente realice un gran esfuerzo y, a la vez, tome conciencia del funcionamiento de su organismo y evite futuras lesiones.

Para algunos grupos musculares se pueden utilizar las técnicas de inhibición, aunque son más aconsejables las miotensivas.

En las llamadas técnicas de inhibición, se elimina, mediante presión sostenida, la contracción de las fibras musculares.

Para realizar las técnicas miotensivas conviene tener en cuenta los siguientes pasos:

- Colocar el músculo o grupo muscular en el movimiento contrario al fisiológico.
- Buscar el ángulo de máxima tensión.
- Pedir al paciente que realice respiraciones lentas y profundas.
- Al inspirar, mientras el terapeuta resiste este movimiento, el paciente empuja la extremidad en la que se encuentran los músculos que se tratan de estirar. La presión del paciente irá en la dirección del movimiento fisiológico.
- En la espiración, se relajará el paciente y cederá la tensión muscular producida en la inspiración. Éste es el momento en el que el terapeuta deberá aprovechar para, empujando en el movimiento contrario al fisiológico del músculo, ir ganando movilidad.

Se irá repitiendo la operación aprovechando el ritmo respiratorio, hasta lograr el grado de estiramiento fisiológico máximo de ese músculo o grupo muscular.

COMPROBACIÓN DE ACORTAMIENTO DE LOS GRUPOS MUSCULARES DE LAS EXTREMIDADES INFERIORES Y PELVIS

ISQUIOTIBIALES

EN BIPEDESTACIÓN

El paciente, de pie, flexionará el tronco.

Los músculos estarán acortados si, a los pocos grados de flexión del tronco, las piernas tienden a flexionarse.

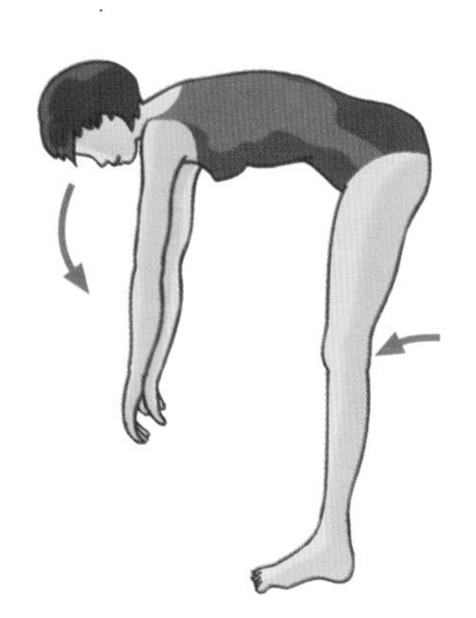

UNILATERAL

Paciente tumbado en la camilla, en supino.

El terapeuta al lado, coge una pierna extendida y la eleva despacio a la vez que comprueba, con la otra mano en la Espina Ilíaca Anterno Superior, (EIAS), el movimiento pélvico.

Con acortamiento, se moverá la EIAS. Se compara el ángulo de movilidad con el de la otra pierna.

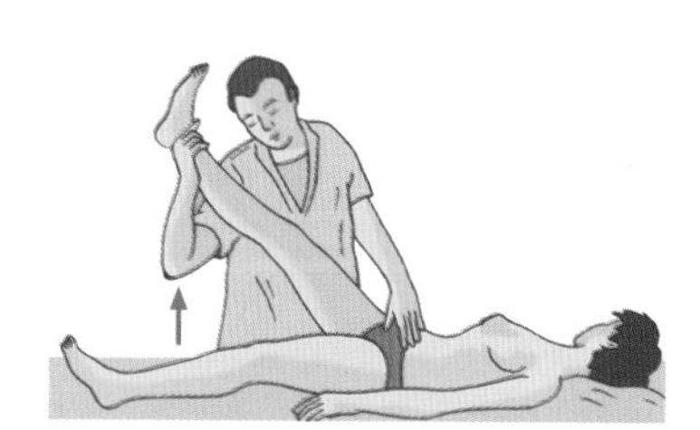

BILATERAL

Paciente en supino.

El terapeuta coge los dos pies del paciente, levantando progresivamente las piernas, a la vez que observa el comportamiento de los glúteos.

Si uno está más levantado que el otro, existe acortamiento de isquiotibiales de ese lado.

Mirando las piernas lateralmente, sin perder esta posición, la rodilla de la pierna acortada estará más flexionada confirmando el acortamiento.

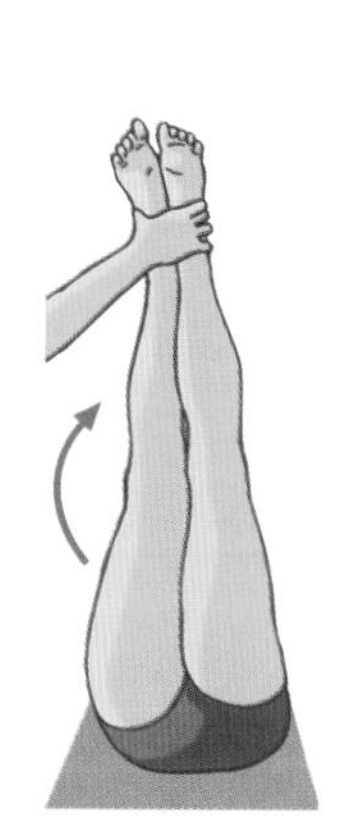

Abductores

Paciente en decúbito supino.
Terapeuta a los pies de la camilla. Con una mano, sujeta un tobillo, mientras que con la otra toma la extremidad inferior intentando aproximar la pierna, ligeramente levantada, hacia el eje central del cuerpo.
En este movimiento se comprueba la movilidad pélvica. Los abductores acortados harán que a los pocos grados exista movimiento pélvico.
Se realiza la prueba con ambas piernas comparando el grado de acortamiento.

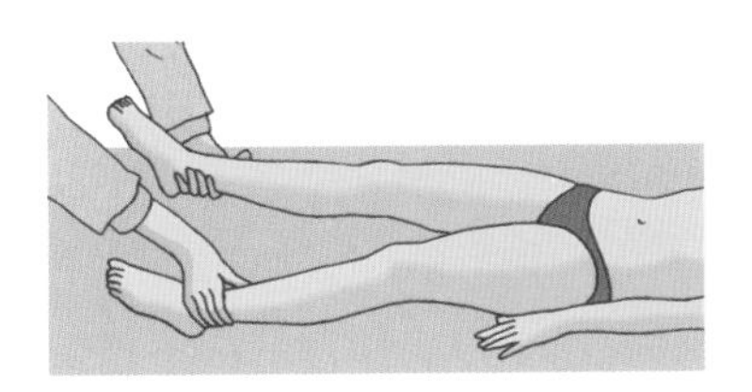

Aductores

Paciente en supino.
Terapeuta a un lado de la camilla. Toma una pierna y con la otra mano sobre la EIAS contraria comprueba el comportamiento de la pelvis en el movimiento de aducción.
Si a los pocos grados de separación, la EIAS se mueve, esto será un síntoma de acortamiento muscular de los músculos aductores.
Para calibrar el grado de acortamiento, se realiza una prueba comparativa con la otra pierna.

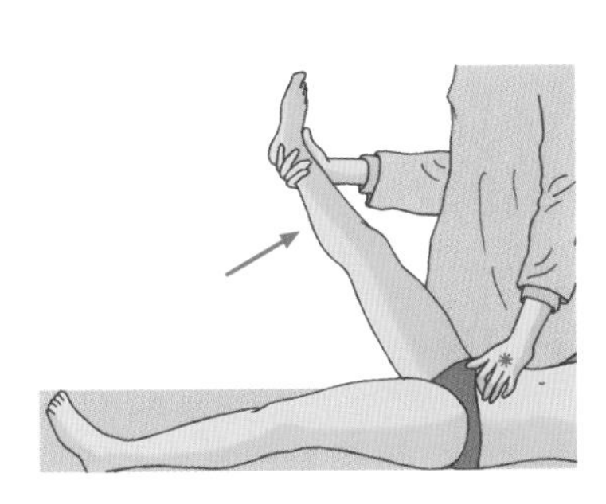

Rotadores internos

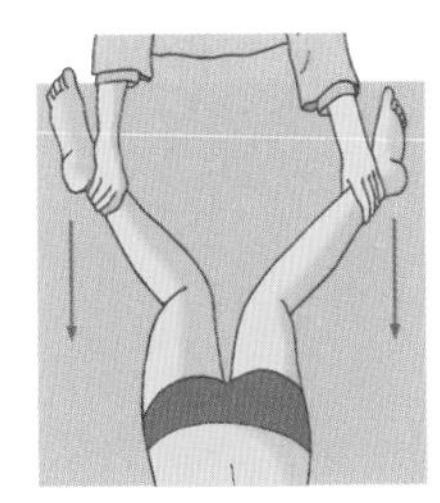

Paciente en decúbito prono. Piernas flexionadas.

Terapeuta a los pies de la camilla. Las manos sobre la parte interna de los tobillos, intentan llevar ambas piernas hacia los lados, comprobando el ángulo articular que permite la tensión muscular.

Rotadores internos a 90º

Paciente en decúbito supino.
Terapeuta a un lado de la camilla, hace flexionar a 90º la pierna del paciente más próxima a él y coge con una mano el pie y con la otra sujeta la rodilla. Realiza un movimiento de rotación externa de cadera.
El movimiento pélvico de los EIAS del lado contrario indica la tensión miofascial máxima del músculo en reposo.

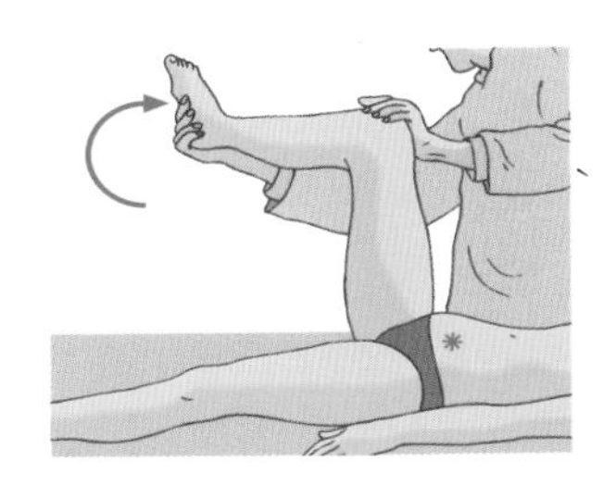

Rotadores externos

Paciente en prono. Piernas flexionadas y cruzadas.
El terapeuta, con las manos sobre los tobillos, presiona en sentido descendente hasta notar la tensión miofascial máxima del músculo en fase de reposo. Comprueba los grados de movilidad.

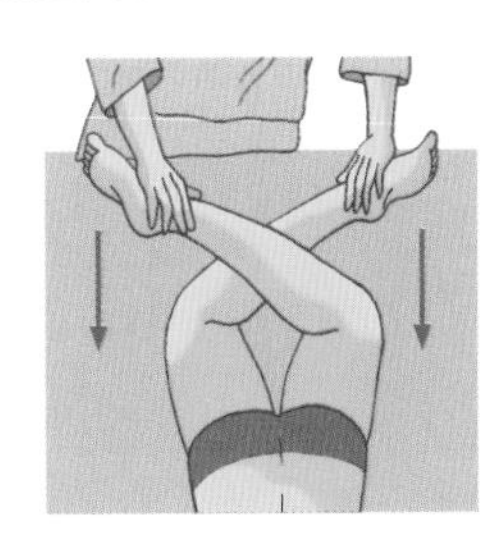

Rotadores externos a 90º

Paciente en supino. El terapeuta a un lado de la camilla, lleva la pierna del paciente más próxima a flexión de 90º. Coge con una mano el pie y con la otra la rodilla, llevando la pierna en rotación interna de cadera hasta ver que la EIAS del lado contrario se mueve, indicando la tensión miofascial máxima.

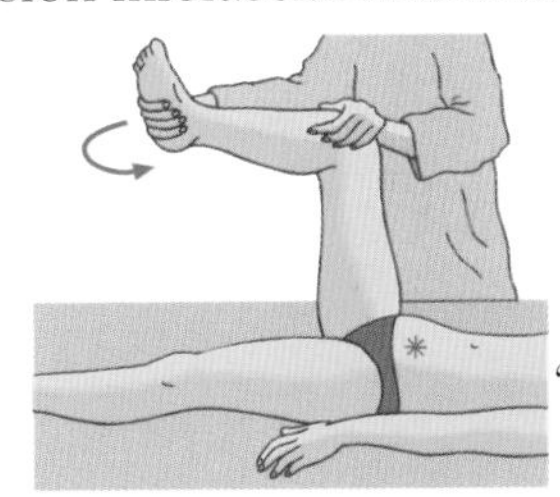

Piramidal de la pelvis

Paciente en supino.
Si uno de los pies está más rotado hacia fuera que el otro, es un claro indicio de acortamiento del músculo piramidal (acortamiento unilateral). Pueden estarlo los dos (acortamiento bilateral).

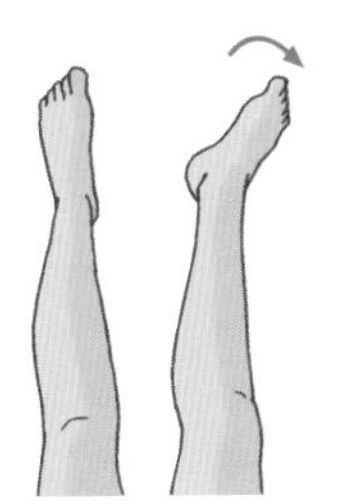

Acortamiento unilateral

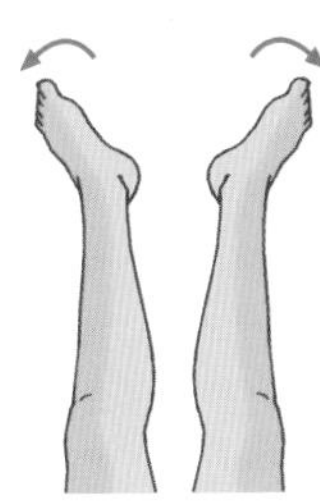

Acortamieto bilateral

Cuádriceps

Paciente en prono.
El terapeuta al lado, flexiona las rodillas del paciente al máximo, ejerciendo presión sobre los tobillos hasta encontrar un tope. La distancia de los talones a los glúteos determina la unilateralidad o bilateralidad del acortamiento y sus grados.

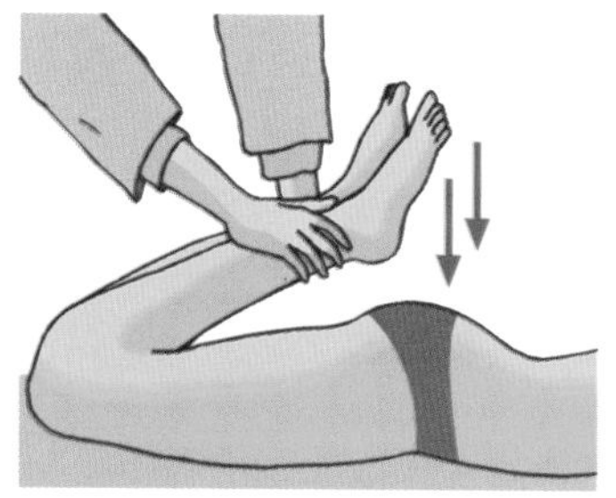

Cuadrados lumbares

Paciente en supino.
El terapeuta, a un lado de la camilla, levanta las dos piernas del paciente y observa si la pelvis se mueve hacia un lado, indicando acortamiento del cuadrado lumbar del lado de la lateralización.
Si el acortamiento es bilateral, cuando se levantan las dos piernas, los glúteos se elevarán de la camilla.
Esta elevación estará más acentuada si los isquiotibiales están también acortados.

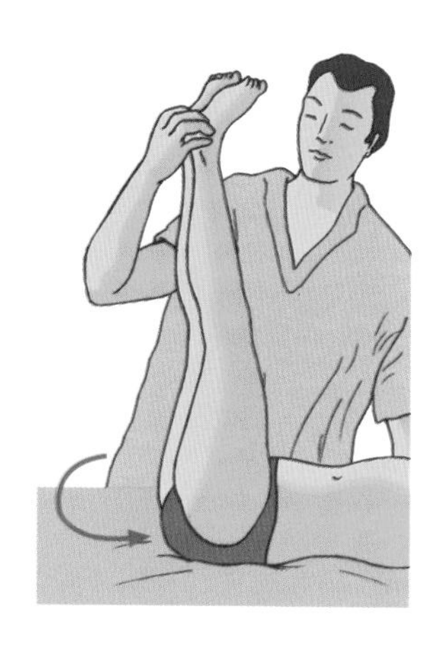

Oblicuos

Paciente en supino.
Piernas flexionadas y cruzadas.
El terapeuta, desde un lado de la camilla, presiona sobre las rodillas provocando una rotación. El acortamiento se confirma cuando el hombro del lado contrario a la rotación se levanta de la camilla.

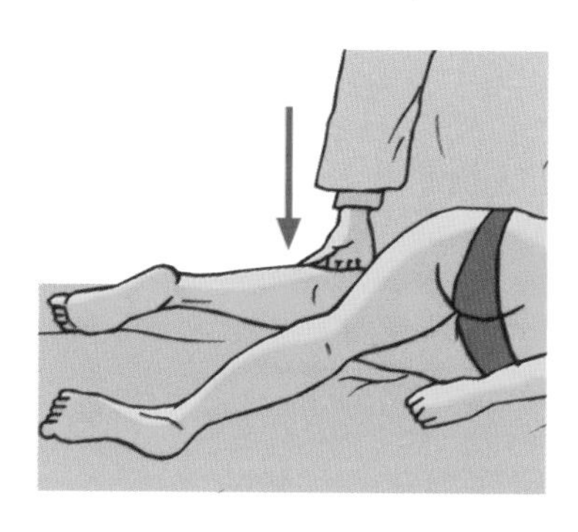

Psoas

Paciente en supino.
El terapeuta, al lado de la camilla, lleva al paciente hacia una flexión máxima de cadera y rodilla, observando si la pierna que permanece en reposo se eleva
Si es así, indica tensión del Psoas.

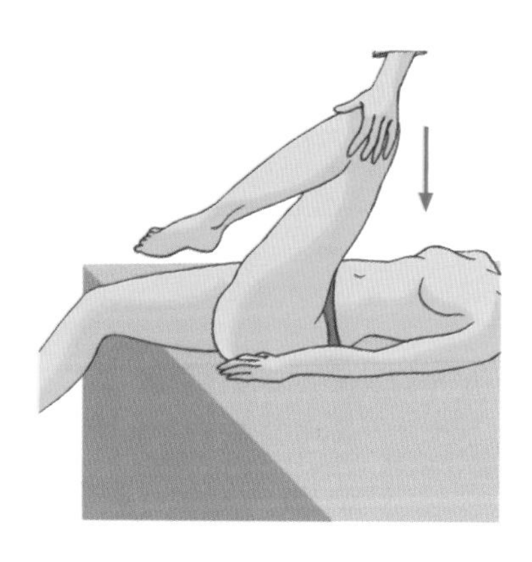

Flexores plantares

Paciente en prono. Piernas flexionadas.
El terapeuta, a los pies de la camilla, con sus manos en la región metatarso-falángica, realiza una flexión de ambos tobillos, para comprobar el lado acortado y el grado de acortamiento.

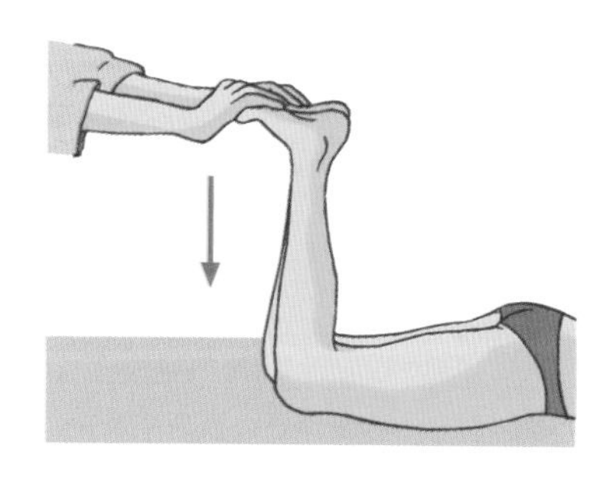

Prueba de resistencia de los abdominales

Paciente en supino.
El terapeuta, a un lado de la camilla, sujeta con una mano los pies y con la otra la región esternal.
Mientras el paciente intenta incorporar la mitad superior del cuerpo, el terapeuta le ofrece resistencia.
Así se prueba la debilidad muscular abodominal.

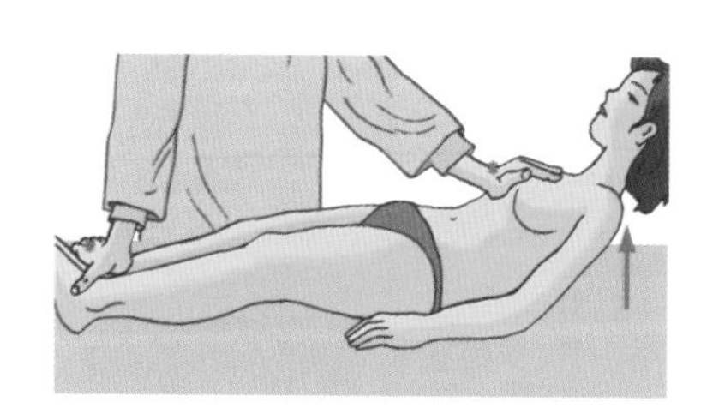

Prueba de resistencia de la musculatura dorsal

Paciente en prono con las manos en la nuca. El terapeuta, a un lado de la camilla, sujeta con una mano los pies y con la otra, apoyado en la zona dorsal, ofrece resistencia al intento de incorporarse del paciente, comprobando el grado de debilidad de la musculatura dorsal.

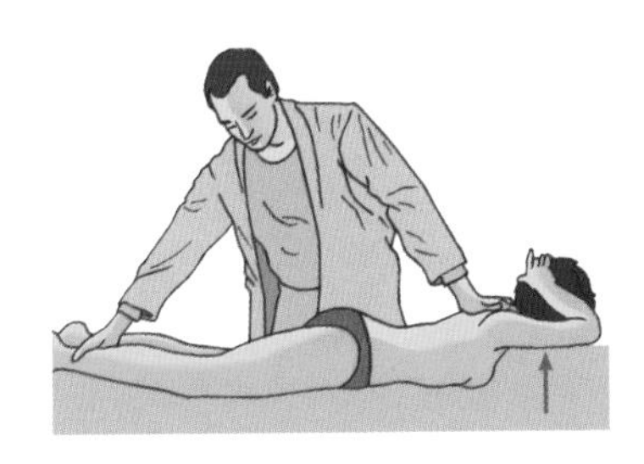

Isquiotibiales

Para realizar el estiramiento de este grupo muscular, el paciente estará tumbado en decúbito supino y el terapeuta del lado que se trata de estirar. En esta posición, el terapeuta coge con una mano el pie de la pierna a estirar y va levantándola hasta notar tensión muscular. A partir de este momento, comenzará a pedir al paciente que realice las respiraciones lentas y profundas empujando a la vez la pierna en dirección caudal. Aprovechando la fase de espiración, el terapeuta irá ganando movilidad progresivamente, hasta conseguir llegar al tope del movimiento fisiológico.

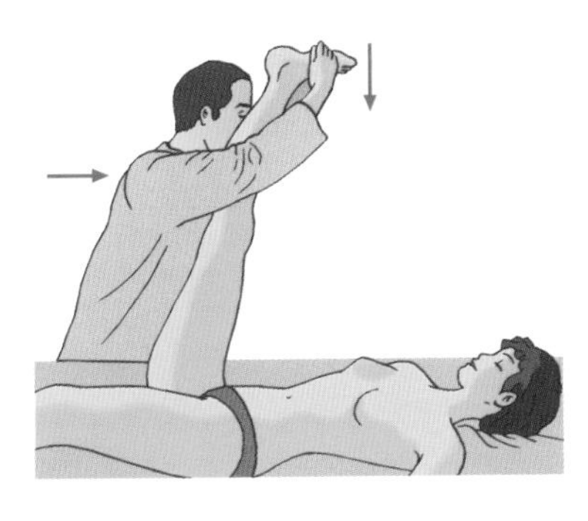

Rotadores internos

Este grupo muscular debe estirarse considerando la posición de 0º y 90º.

En la primera, es decir, la del estirmiento en la posición de 0º, el paciente permanecerá en decúbito prono con la pierna a tratar flexionada en el mismo plano de la camilla.

El terapeuta estará en el lado del acortamiento muscular y, mirando en dirección a los pies del paciente, deberá presionar con el antebrazo, apoyado a lo largo de la pierna, en dirección al suelo.

Mientras que con el otro antebrazo, ejercerá presión para fijar la pelvis.

El paciente debe ejercer presión con la pierna en dirección al techo en la fase de inspiración. Mientras, el terapeuta ofrecerá resistencia y aprovechará la fase de espiración para ir ganando poco a poco grados de movilidad en la amplitud articular.

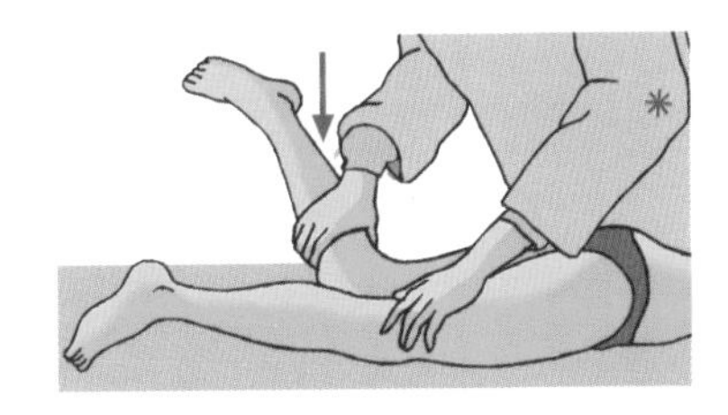

Cuando el estiramiento haya de realizarse a *personas débiles, con procesos degenerativos, o a niños*, conviene recurrir a una técnica más suave, que puede realizarse como sigue:

El paciente en decúbito supino.

El terapeuta sujeta con ambas manos la extremidad inferior que se trata de normalizar. Se lleva la pierna a la máxima tensión que permita el paciente.

Cuando se ve que el movimiento se bloquea, siguiendo el ritmo respiratorio, que se pedirá al paciente que sea lento y profundo, se estirará en rotación externa en la fase de espiración y se mantiene la movilidad ganada en la fase de inspiración.

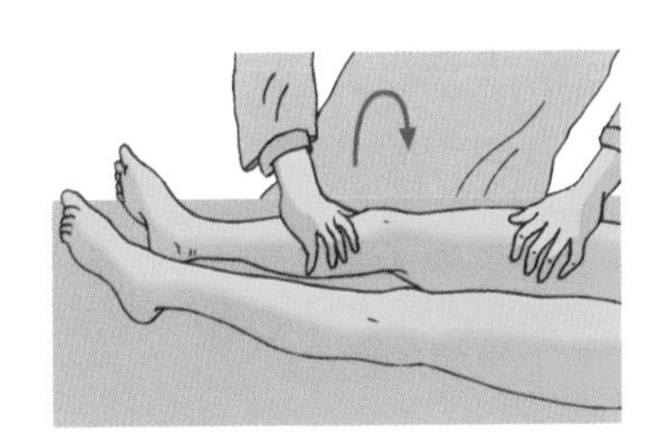

Para elastificar los rotadores internos a 90º, el paciente deberá adoptar la posición de decúbito supino, con la pierna que se trate en un ángulo de 90º y la otra estirada.

El terapeuta, situado al lado que se deba estirar, con una mano coge la pierna apoyando el pie del paciente sobre su antebrazo en el pliegue de flexión del codo, mientras que con la otra mano sujeta la rodilla.

Respetando un ángulo de 90º del muslo con la camilla, el terapeuta pedirá al paciente que, a la vez que tome aire lenta y profundamente, empuje con el pie del lado que se está estirando en rotación interna.

Mientras, en la fase de espiración y relajación muscular él va ganando grados de movilidad con la pierna en rotación externa de cadera.

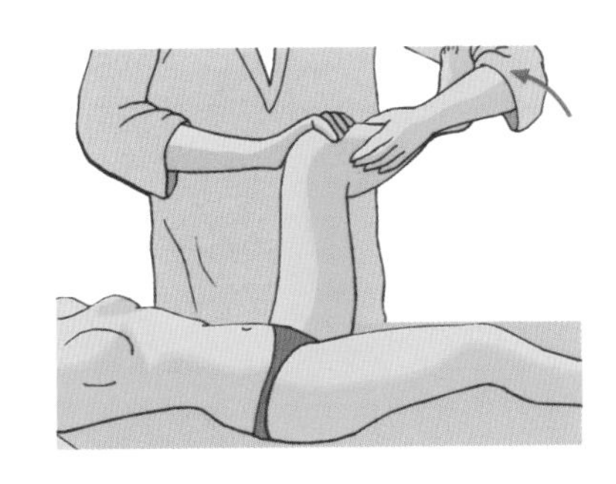

Rotadores externos

Como los rotadores internos, estos músculos han de ser estirados considerando la posición de 0º y 90º.

Para realizar el estiramiento a 0º el paciente reposará en la camilla en decúbito prono, manteniendo flexionada la pierna que se va a tratar.

El terapeuta estará situado al lado contrario y colocará la mano y un antebrazo en la parte externa de la pierna, mientras que con el otro antebrazo fija la pelvis apoyándose sobre la región glútea de la pierna que se va a movilizar

El paciente, en la fase de inspiración, tratará de llevar el pie en dirección al techo mientras el terapeuta resiste y, en la espiración, recupera movilidad llevando el pie en dirección al suelo.

Rotadores externos a 0º

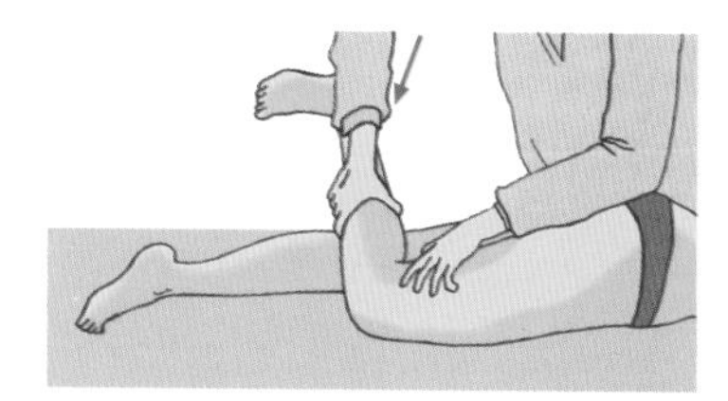

También es posible hacer la recuperación de movilidad de estos músculos en personas débiles, o con procesos degenerativos, y en niños, como en el caso de los rotadores internos, pero utilizando una técnica más suave. El paciente estará en este caso en decúbito supino y el terapeuta al lado contrario al de la extremidad inferior a normalizar, sujetará la pierna con ambas manos. Aprovechando la fase de espiración, irá estirando poco a poco, previa puesta en tensión.

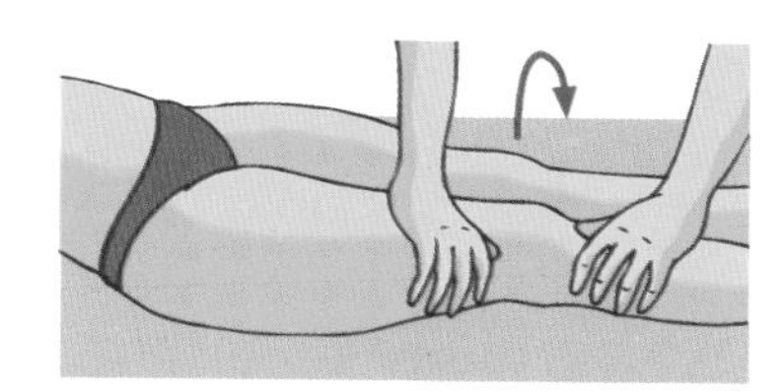

Cuando sea preciso realizar un estiramiento bilateral, el paciente estará tumbado en decúbito prono. El terapeuta, situado a los pies de la camilla, colocará sus antebrazos en la cara interna de las piernas sujetando las rodillas a la camilla.

El paciente, en la inspiración, tratará de juntar los pies, mientras el terapeuta ofrece resistencia al movimiento y va ganando elasticidad muscular presionando en dirección al suelo, en la fase de espiración.

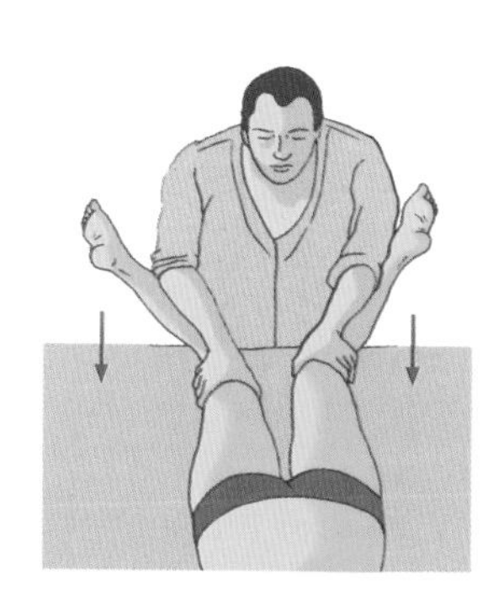

Bilateral

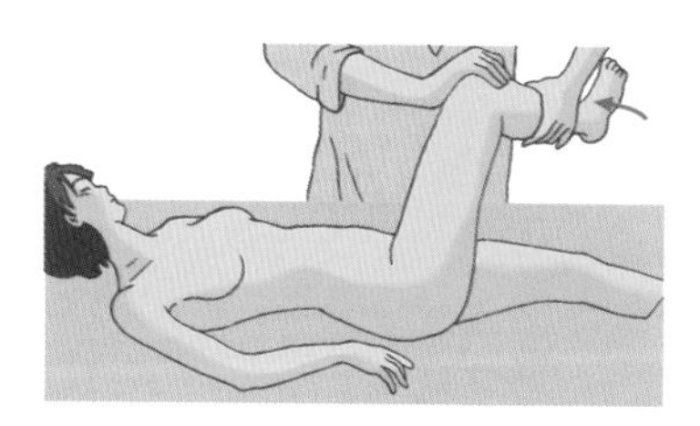

A 90º

Para realizar los estiramientos de los rotadores externos a 90º, el paciente estará tumbado en la camilla en posición de decúbito supino.

El terapeuta al lado contrario de la extremidad inferior que se va a estirar. La pierna del lado del terapeuta permanece estirada, mientras que la del lado contrario se sitúa en un eje de 90º con respecto a la cadera.

El terapeuta coge con una mano la pierna flexionada, apoyando el pie sobre el antebrazo, a la altura del pliegue de flexión del codo, mientras con la otra mano sujeta la rodilla.

El paciente, en la fase de inspiración, deberá intentar llevar la pierna en rotación externa, mientras que el terapeuta ofrece resistencia y va efectuando el estiramiento, imprimiendo un movimiento de rotación interna de cadera en la fase de espiración.

Piramidal de la pelvis

El paciente deberá permanecer tumbado en decúbito lateral sobre el lado contrario al que se le tratará y al borde de la camilla.

El terapeuta se sitúa frente a él, colocando una mano en la rodilla del lado que se está tratando y el brazo a lo largo de la pierna en su cara interna, con la pierna previamente flexionada.

El codo, o el antebrazo, libre deberá situarlo sobre el músculo para relajarlo por inhibición mientras que realiza el estiramiento con el brazo que inmoviliza la pierna, previa resistencia muscular en la fase de espiración.

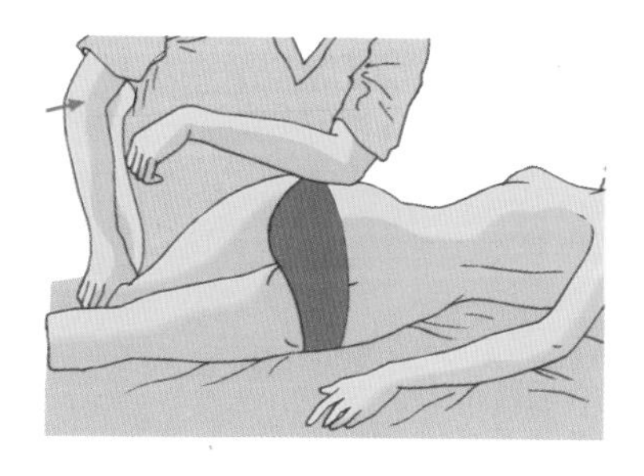

Abductores

Paciente en decúbito supino con la pierna flexionada.
El terapeuta. situado en el lado que se ha de estirar, coloca una mano sobre la rodilla del paciente y carga el peso del cuerpo sobre la pierna para que el estiramiento sea más efectivo.
La otra mano le servirá para sujetarse en la camilla cuando haya de contrarrestar el movimiento del paciente que tratará de ir hacia el terapeuta en fase de inspiración.
Con la espiración, el terapeuta ejerce presión con su cuerpo hacia el suelo y hacia el lado contrario.

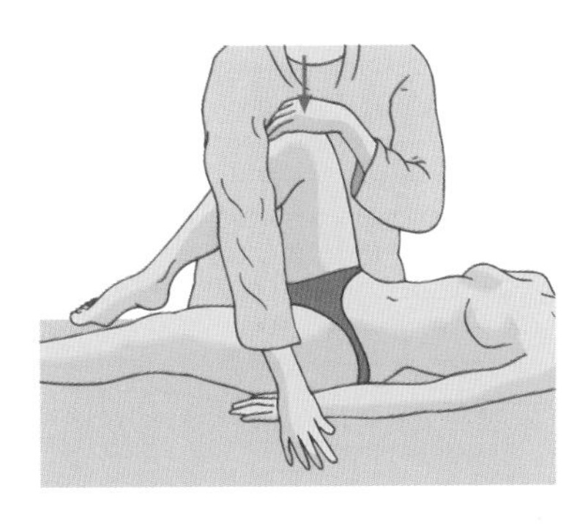

Aductores

El paciente, en decúbito supino, llevará la pierna que se va a tratar a la posición de Abducción y flexión de cadera y rodilla. El terapeuta se sitúa del lado de la lesión, colocando una mano en la pierna, mientras que el antebrazo reposa sobre la rodilla.
La otra mano inmoviliza la pelvis situándose sobre la espina ilíaca antero superior (EIAS), del lado contrario.
El paciente, en fase de inspiración, ofrece resistencia con la pierna flexionada, mientras el terapeuta resiste la presión y aprovecha la fase de espiración para realizar el estiramiento llevando la pierna hacia el suelo.

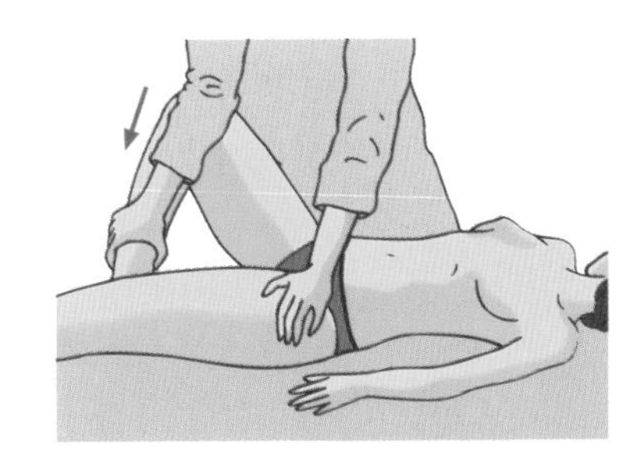

Cuando se quiera que el estiramiento sea bilateral, se puede recurrir a la siguiente técnica que también se utiliza para los rotadores internos.

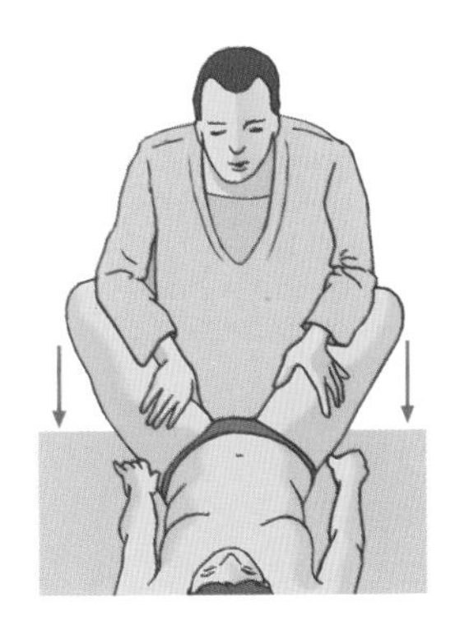

El paciente estará en decúbito supino, con las piernas flexionadas y en abducción.
El terapeuta se sitúa en el borde inferior de la camilla, colocando sus antebrazos sobre las piernas del paciente.
El estiramiento se realiza cuando el terapeuta realiza una presión en dirección al suelo, en fase de espiración, previa resistencia muscular en fase de inspiración.

Psoas

Para estirar el Psoas, el paciente permanece en decúbito prono y el terapeuta se sitúa en el lado de la lesión.
Con una mano coge la pierna más próxima a él a la altura de la rodilla, manteniéndola flexionada, mientras que con la otra mano y el antebrazo inmoviliza la pelvis. El estiramiento se produce cuando, en fase de espiración, el terapeuta lleva la rodilla en dirección craneal, una vez que ha efectuado el movimiento de resistencia, en la fase de inspiración del paciente, que tratará de llevar la rodilla en dirección a la camilla.
El terapeuta puede poner su pierna flexionada debajo de la de su paciente para que le sirva de apoyo, facilitando el estiramiento.

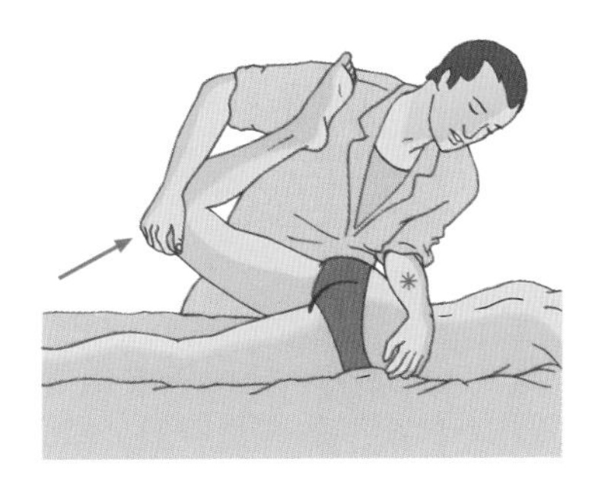

Cuádriceps

El paciente deberá estar en decúbito prono, con la pierna o piernas flexionadas ya que esta técnica puede realizarse de forma bilateral. En el caso de que sea unilateral, el terapeuta se coloca al lado de la pierna flexionada, que será la que se va a utilizar para estirar el cuádriceps de ese mismo lado, apoyando el cuerpo sobre dicha pierna y presionando en la fase de espiración en dirección a la camilla.
Mientras que el paciente, en la fase de inspiración, ha empujado en el sentido contrario.
Cuando se realiza para ambos cuádriceps, se apoyan los pies del paciente en los hombros del terapeuta, que estará subido en la camilla a los pies del paciente.
Para realizar el estiramiento bilateral, no sólo se aprovecha

de la fase de espiración, sino que también lo hace del peso de su cuerpo.

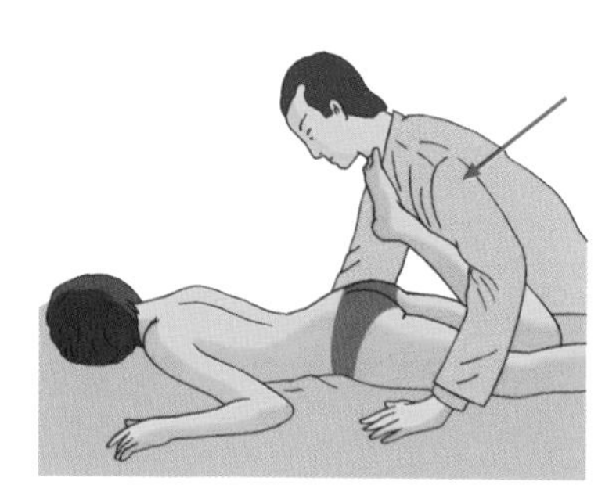

Cuadrados lumbares

Para estirar los cuadrados lumbares, se puede recurrir a dos tipos de técnicas.

Como tienen tres tipos de fibras, costovertebrales, iliovertebrales e iliocostales, que van en distintas direcciones, se pueden estirar selectivamente o usando las técnicas que se describen en el capítulo de Manipulaciones Profundas, en la parte que hace referencia a los estiramientos.

En estiramientos selectivos, para las *fibras costovertebrales*, el paciente estará en sedestación con las manos en la nuca.

El terapeuta, detrás, coge el brazo del lado a estirar con una mano, y con la otra, apoyada sobre la zona dorsal del mismo lado, coloca el tronco en rotación y lateralización del mismo lado, pidiéndole al paciente que realice una inspiración profunda a la vez que resiste el movimiento contrario.

Va estirándose en la fase de espiración.

Si estiramos las fibras *iliovertebrales*, la técnicaa emplear se realizara igual que la anterior, pero el paciente debe estar en lateralización y rotación contrarias.

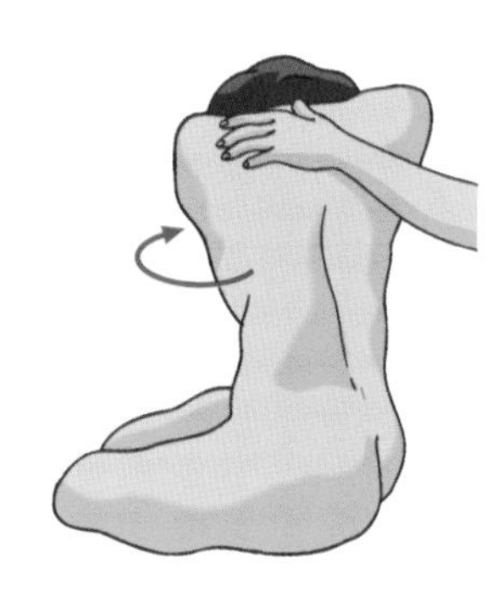

Fibras costovertebrales

Fibras iliovertebrales

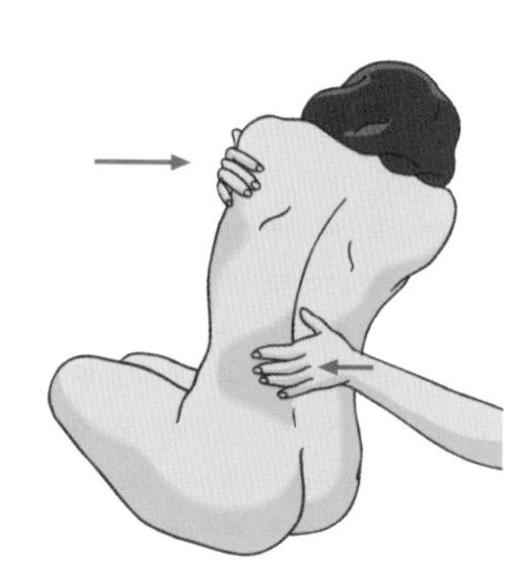

Fibras iliocostales

Las fibras *iliocostales* se estirarán con el paciente también en sedestación.

El terapeuta, al lado de la camilla, coloca una mano debajo de la axila del paciente y la otra en la zona lumbar contraria al lado a estirar, donde ya estará situado. En esta posición, se efectúa una presión contrariada, aprovechándose del peso del cuerpo del paciente. Se van ganando grados de movilidad en la fase de aspiración, previa puesta en tensión en la inspiración.

Oblicuos

Paciente en decúbito supino con las piernas flexionadas y cruzadas para estirar los músculos oblicuos. El terapeuta coloca una mano sobre el tobillo de la pierna cruzada, y la otra sobre el hombro del mismo lado. En esta posición, se lleva el tronco del paciente a rotación, pidiéndole que haga en la inspiración una presión contrariada, tratando de empujar la pierna mientras el hombro permanece bloqueado. En la fase de espiración, con la relajación muscular, se irán ganando grados de movilidad.

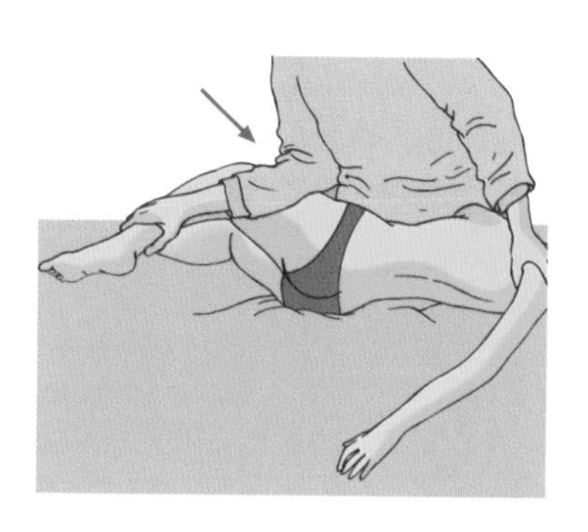

Espinales

En el estiramiento de estos músculos, la posición del paciente deberá ser sentado en la camilla con los pies apoyados sobre el abdomen del terapeuta, que se habrá situado a los pies de la camilla para poder coger los brazos del paciente tirando en dirección al terapeuta hasta la puesta en tensión.Previa resistencia muscular por parte del paciente, durante la fase de inspiración, el terapeuta se encargará de propiciar la flexión del tronco del paciente, estirando la musculatura espinal durante la fase de espiración.

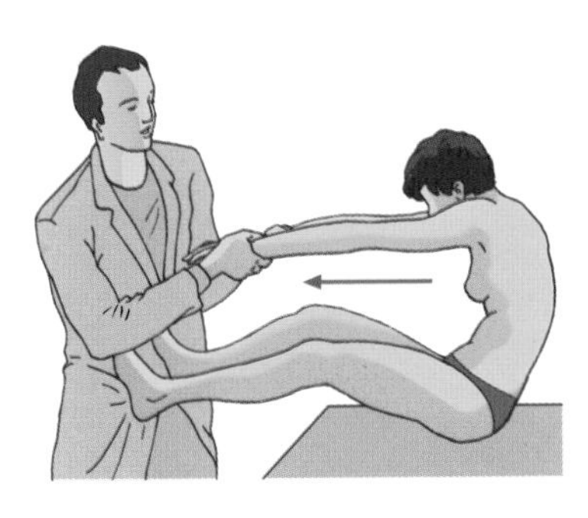

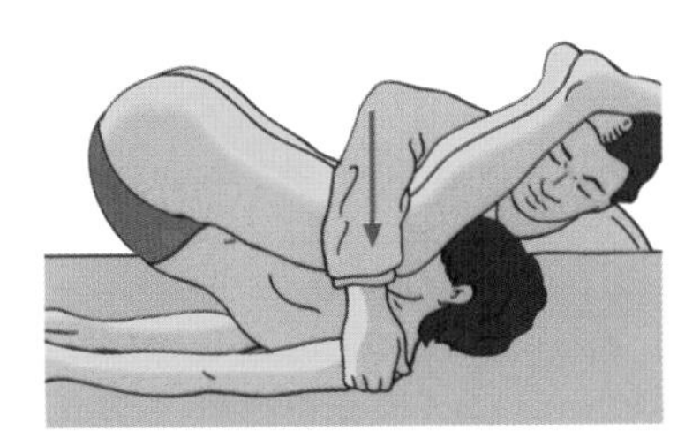

También se estiran los músculos espinales desde la posición de decúbito supino del paciente, con las piernas flexionadas y cruzadas. Pasa el terapeuta el brazo por debajo de las rodillas y va flexionando el tronco hasta la amplitud máxima que el paciente permita.
El estiramiento se hace, previa puesta en tensión y resistencia muscular, durante la fase de espiración.

Flexores plantares

Para elastificar los músculos gemelos y sóleo, encargados de la flexión plantar, se pueden usar dos técnicas: una con el paciente en decúbito prono y otra en supino. En la primera, el paciente tendrá la pierna flexionada. El terapeuta colocará una mano a la altura de la rodilla para inmovilizar esa pierna, y la otra sobre el talón, flexionando con el antebrazo hacia el suelo. Los músculos se estirarán en la fase de espiración, tras la resistencia muscular que se efectúa en la inspiración.

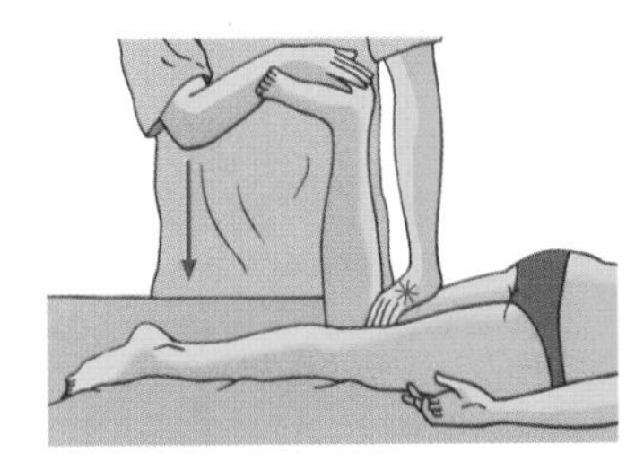

La variante en prono requiere que el paciente saque las piernas fuera de la camilla.El terapeuta, a los pies de la camilla, coloca el pie del paciente sobre su muslo, realizando el estiramiento presionando hacia adelante con la pierna. Será en la fase de espiración, tras la resistencia muscular que se realiza en la inspiración.

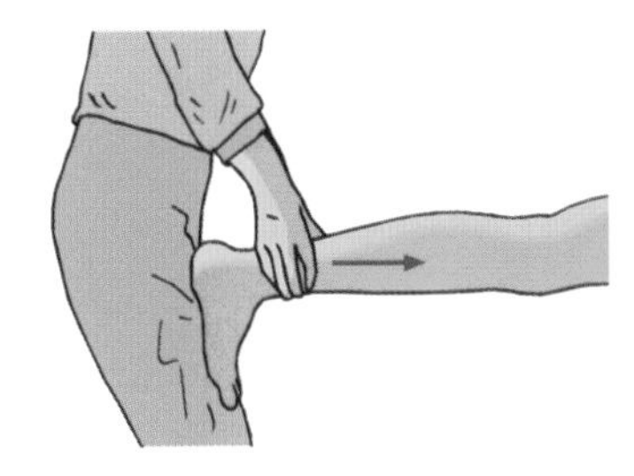

Con el paciente en supino, el terapeuta atrapa la rodilla del paciente y con la otra mano coge el talón, realizando con su antebrazo la presión sobre el pie, aprovechando el peso de su cuerpo para llevarlo en dirección craneal, en la fase de espiración, mientras se le ofrece resistencia al ir en dirección caudal en inspiración.

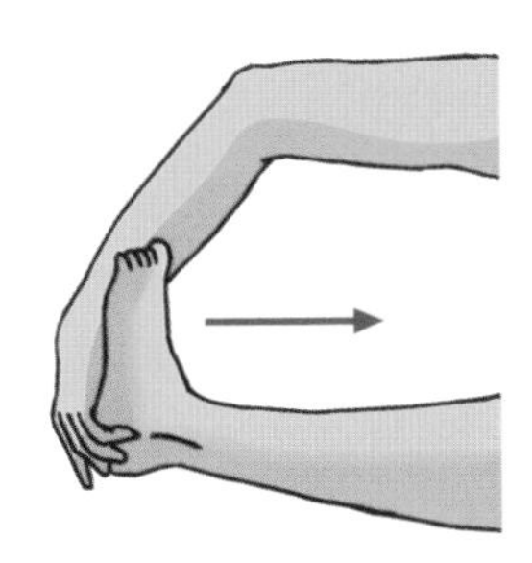

Tibiales

Paciente en decúbito supino. El terapeuta colocará la pierna del paciente en rotación externa con el pie girado hacia fuera, o posición de eversión. Con una mano atrapará la articulación tibiaostragalina o tobillo para fijarlo, mientras con la otra sujetará las articulaciones metatarsianas. El estiramiento se realiza con un movimiento de eversión más extensión plantar en la fase de espiración, cuando ya se ha aprovechado la fase de inspiración para efectuar la correspondiente resistencia muscular.

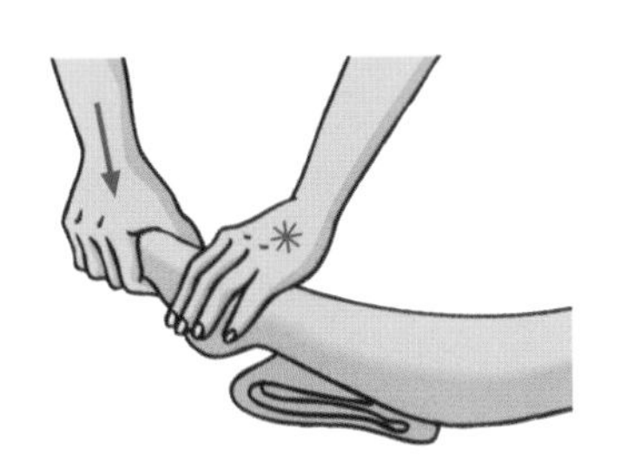

Peroneos

Paciente en supino. El terapeuta colocará la pierna del paciente en rotación interna con el pie girado hacia adentro o en posición de inversión. Como para los tibiales, ha de atrapar con una mano la articulación tibioastragalina para fijarlo y con la otra sujetará las articulaciones metatarsianas. El estiramiento se hace con un movimiento combinado de inversión y flexión plantar, en fase de aspiración, previa resistencia muscular en inspiración.

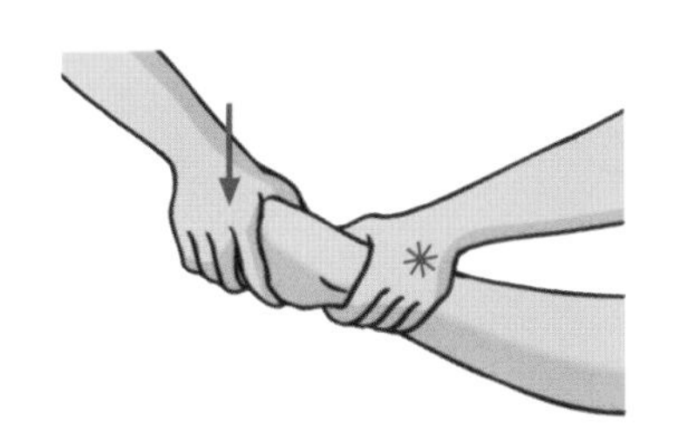

Región dorsal de la columna y cintura escapular

MÚSCULOS MÁS IMPORTANTES

No suele dársele mucha importancia a la zona dorsal, por considerar que no es una zona de riesgo, y esta actitud es errónea, porque ésta es precisamente la zona principal de compensación de lesiones de origen pélvico y cervical. Es una parte muy articulada para que pueda realizarse la función respiratoria que la mantiene en continuo movimiento desde el nacimiento hasta la muerte. Además, la parrilla costal, o costillas, tiene la misión de proteger delicados órganos vitales como son los pulmones y el corazón.

Todas estas circunstancias hacen que las estructuras dorsales, condicionadas por la respiración, deban estar compuestas por huesos finos, muchas articulaciones, músculos cortos y delgados, y zonas más elásticas o cartílagos. Esto hace que sea una estructura especialmente frágil a la que, por su ubicación en la parte central del cuerpo, irán las tensiones superiores e inferiores. Por lo tanto, contrariamente a lo que se suele pensar, la zona dorsal es la más débil.

La respiración condiciona especialmente a esta zona. Las restricciones de las costillas, al realizar los movimientos de inspiración-espiración, se refuerzan por varias causas, como son la escoliosis o curvatura lateral de la región dorsal de la columna, la cifosis o aumento de la convexidad de la curvatura dorsal, los bloqueos, subluxaciones y contracturas musculares.

Cuando hay debilidad en la musculatura dorsal y en la cintura escapular, se produce una serie de patrones posturales que determinan unas patologías concretas.

Es, por tanto, necesario, mantener la musculatura dorsal y de la cintura escapular lo más elástica posible. Cuando se da un masaje, a la vez que se rehabilita la zona lesionada, conviene revisar el funcionamiento de esta parte del cuerpo.

MÚSCULOS DE LA ZONA DORSAL

Los músculos de esta parte del cuerpo se conocen como músculos respiratorios. Pueden clasificarse en cuatro categorías: principales de la inspiración, accesorios de la inspiración, principales de la espiración y accesorios de la espiración.

MÚSCULOS PRINCIPALES DE LA INSPIRACIÓN
- *Intercostales internos*
- *Supracostales*
- *Diafragma*

MÚSCULOS PRINCIPALES DE LA ESPIRACIÓN
- *Intercostales internos*

MÚSCULOS ACCESORIOS DE LA INSPIRACIÓN
- *Esternocleidomastoideo*
- *Escalenos*
- *Pectorales*
- *Serrato Mayor y Menor superior*

MÚSCULOS ACCESORIOS DE LA ESPIRACIÓN
- *Recto Mayor del abdomen*
- *Oblicuos*
- *Porción inferior del músculo sacro-lumbar*
- *Serrato menor posterior e inferior*
- *Cuadrado lumbar*

Músculos principales de la inspiración

Cuando estos músculos se contraen, las costillas se elevan.

INTERCOSTALES INTERNOS

Tapizan los espacios intercostales. Sus fibras van desde la parte central del cuerpo hacia los costados; son por lo tanto oblicuas.

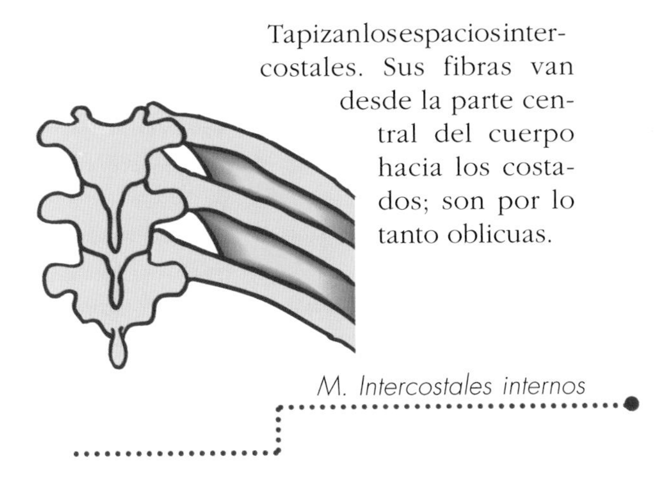

M. Intercostales internos

SUPRACOSTALES

También están compuestos por fibras oblicuas, que van en este caso desde el extremo superior de las apófisis transversas de las vértebras dorsales hsta la primera porción de la costilla subyacente.

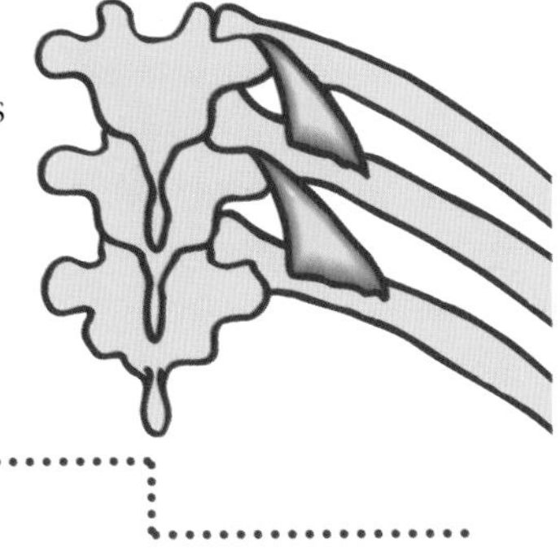

M. Supracostales

DIAFRAGMA

Es el más importante de los músculos de la inspiración y uno de los más importantes del cuerpo. Se inserta en el apéndice Xifoides (extremo inferior del esternón), cara interna de la 9ª costilla, y en la 3ª y 4ª vértebras lumbares. Sus partes tendinosas se entrecruzan en la parte central o cúpula del diafragma

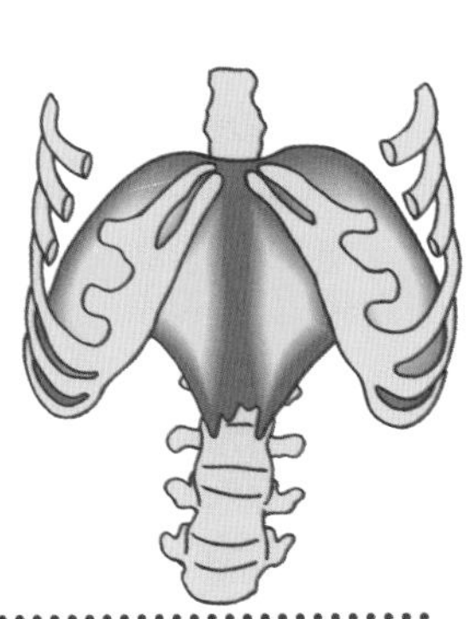

M. Diafragma

Músculos accesorios de la inspiración

Estos músculos sólo entran en funcionamiento en los movimientos amplios y potentes, cuando se fuerza la inspiración.

ESTERNOCLEIDOMASTOIDEO Y ESCALENOS
Cuando el cuello está rígido por la acción de otros músculos, el esternocleidomastoideo y los escalenos entran en funcionamiento al producirse la inspiración.

ESTERNOCLEIDOMASTOIDEO

Va desde la apófisis mastoides del occipital hasta el manubrio del esternón.

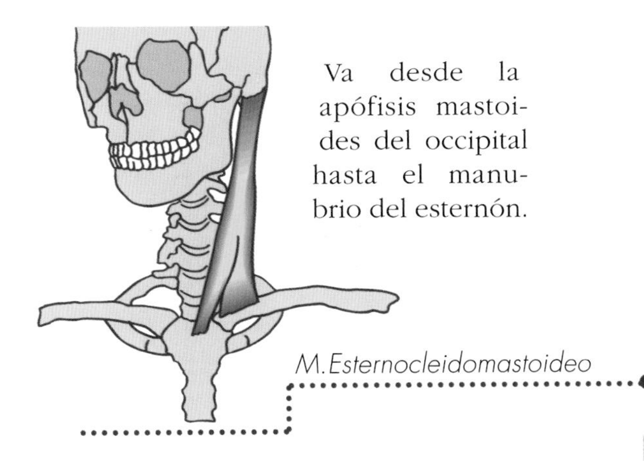

M.Esternocleidomastoideo

ESCALENOS

Su origen único está en la apófisis mastoides del occipital, por debajo del esternocleidomastoideo, aunque luego se divide en tres porciones:
Escaleno anterior: Parte media de la primera costilla.
Escaleno medio: Parte media de la primera y segunda costillas.
Escaleno posterior: Parte posterior de la primera y segunda costillas.

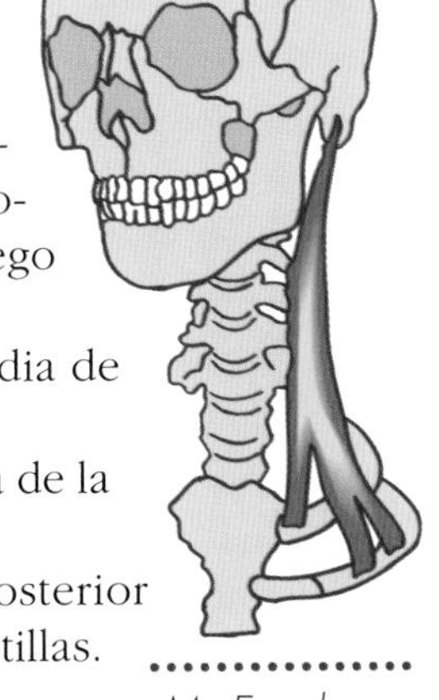

M. Escalenos

PECTORALES MAYOR Y MENOR

Estos músculos respiratorios entran en funcionamiento cuando se apoyan en la cintura escapular por estar las extremidades superiores en abducción.

SERRATOS

Ambos serratos, pero especialmente el mayor, actúan conjuntamente con los pectorales.

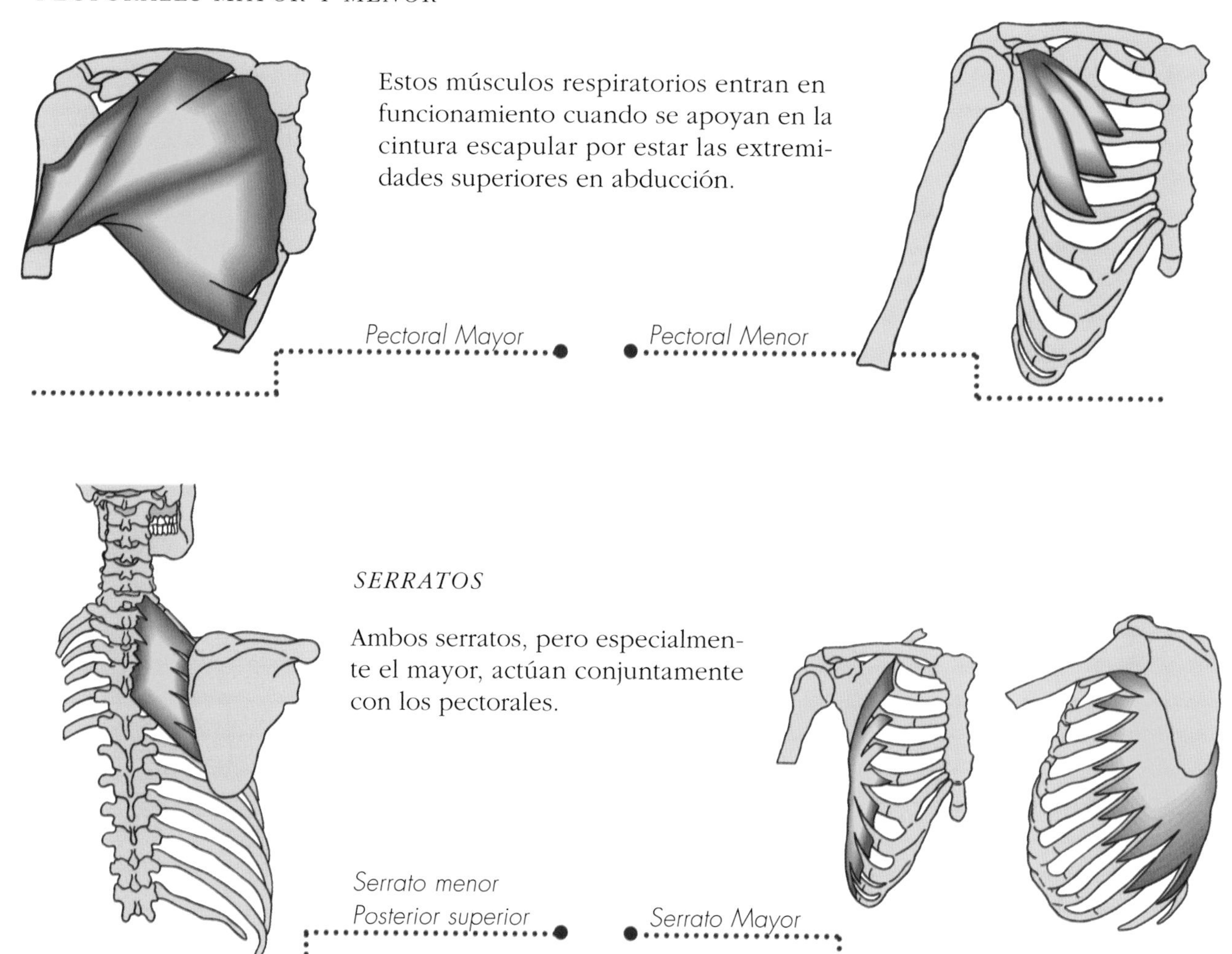

Músculos principales de la espiración

Este grupo muscular está representado por los músculos intercostales externos, puesto que la espiración no es más que un fenómeno pasivo, de retorno del tórax sobre sí mismo por elasticidad de los elementos osteocartilaginosos.

INTERCOSTALES EXTERNOS

Los intercostales externos tapizan los espacios intercostales. Se localizan por delante de los intercostales internos. Sus fibras son oblicuas pero siguen la dirección contraria a los intercostales internos.

Músculos accesorios de la espiración

El calificativo de accesorios aplicados a este grupo de músculos no quiere restarles importancia, sino que indica una cualidad. Estos músculos son muy potentes y condicionan la espiración forzada y el esfuerzo abdominal.

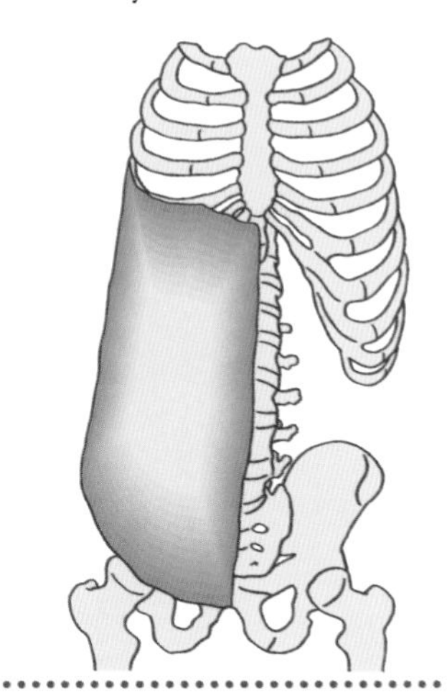

OBLICUOS

Hacen descender con fuerza el orificio inferior del tórax.

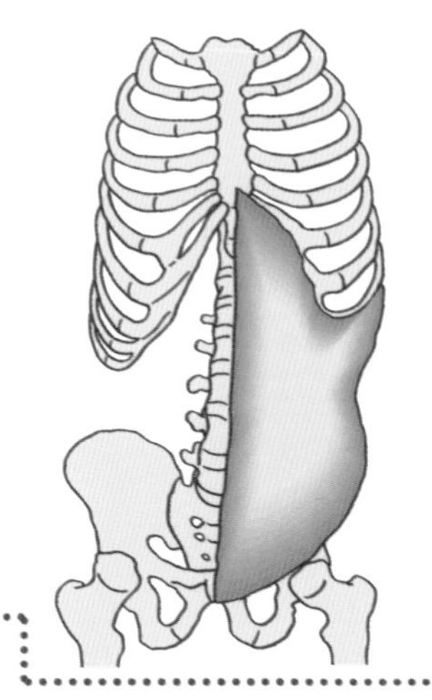

Oblicuo Mayor

Oblicuo Menor

RECTO MAYOR DEL ABDOMEN

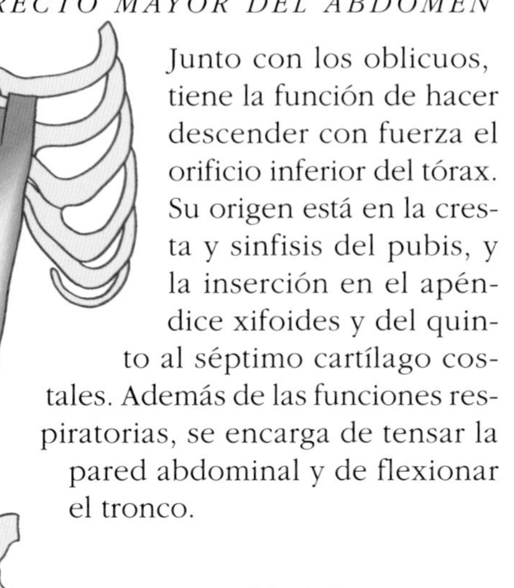

Junto con los oblicuos, tiene la función de hacer descender con fuerza el orificio inferior del tórax. Su origen está en la cresta y sinfisis del pubis, y la inserción en el apéndice xifoides y del quinto al séptimo cartílago costales. Además de las funciones respiratorias, se encarga de tensar la pared abdominal y de flexionar el tronco.

Recto Mayor del abdomen

CUADRADO LUMBAR

Este músculo tiene su origen en la cresta ilíaca, fascia toracolumbar y vértebras lumbares. Se inserta en la duodécima costilla y apófisis transversas de las cuatro vértebras lumbares superiores. Interviene también en la flexión externa de las vértebras lumbares.

Cuadrado Lumbar

SERRATO MENOR POSTERIOR INFERIOR

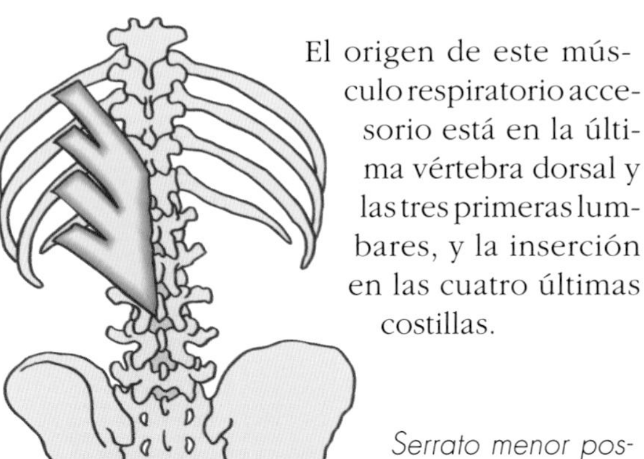

El origen de este músculo respiratorio accesorio está en la última vértebra dorsal y las tres primeras lumbares, y la inserción en las cuatro últimas costillas.

Serrato menor posterior inferior

DORSAL ANCHO

Además de su función en fase de la espiración, como músculo accesorio, es abductor, extensor y cotador del brazo. Tiene su origen en las apófisis espinosas de las seis últimas vértebras dorsales, aponeurosis lumbodorsal y cresta ilíaca, y se inserta en la cresta del surco intertubercular del húmero.

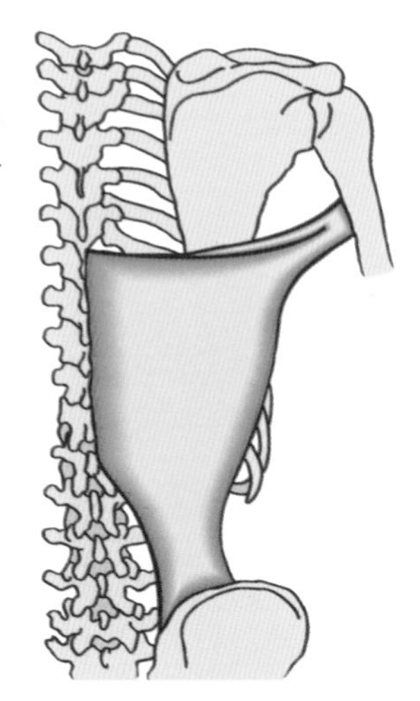

Dorsal ancho

ELASTIFICACIÓN DE LA MUSCULATURA RESPIRATORIA

La elastificación costal o de la musculatura respiratoria se centra en la del grupo muscular que interviene en la inspiración y pretende ampliar la movilidad de las costillas.

DIAFRAGMA

El paciente estará tumbado en decúbito supino.
Deberá tener las piernas flexionadas para que la musculatura abdominal permanezca relajada y no ofrezca ninguna resistencia.
El terapeuta, desde la cabecera de la camilla, coloca sus dedos en los rebordes costales, pidiéndole al paciente que respire profundamente.
El paciente aprovechará la fase de inspiración para abrir la parrilla costal lateralmente, y mantiene la amplitud ganada cuando se produzca la fase de espiración.
Se repite la maniobra siete u ocho veces, volviendo a la posición de partida en la fase de inspiración, lentamente.

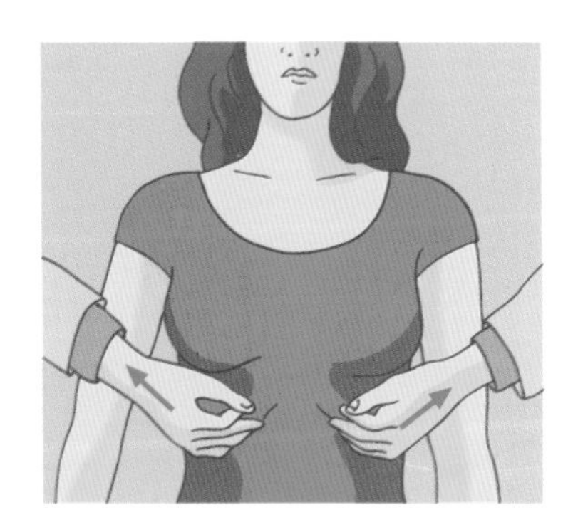

Esta maniobra se puede realizar también unilateralmente, sujetando la hemicúpula que no se va a elastificar.

- Fase de Inspiración
- Elastificación Unilateral

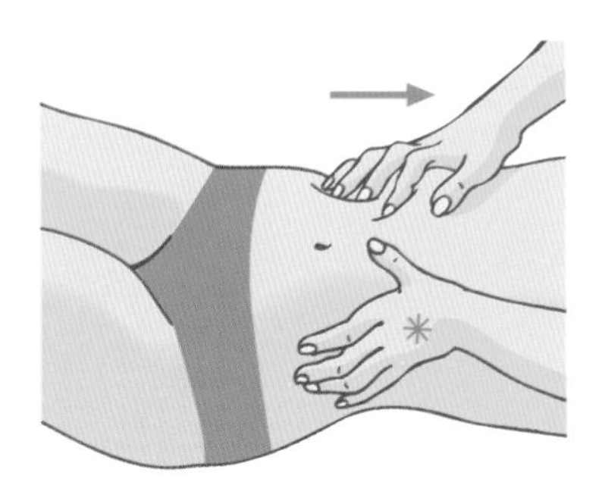

Fase de Inspiración

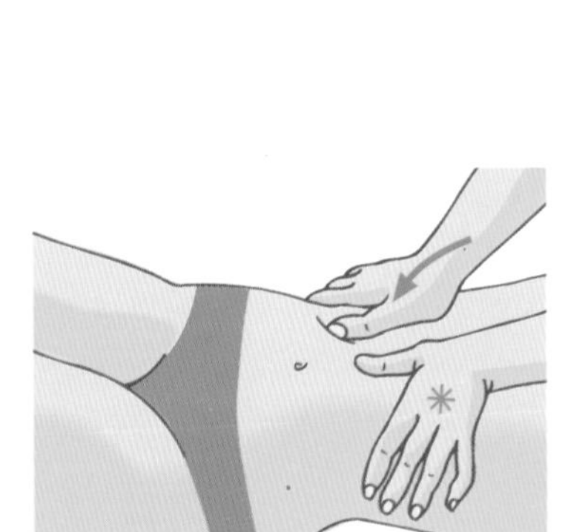

Fase de Espiración

LIGAMENTOS POSTERIORES DEL DIAFRAGMA

Paciente sentado en la camilla.
El terapeuta, a su espalda, debe colocar la parte externa del dedo pulgar bajo la 12ª costilla dorsal.
El paciente realiza entonces una lateralización del tronco hacia el lado que se trata de elastificar.

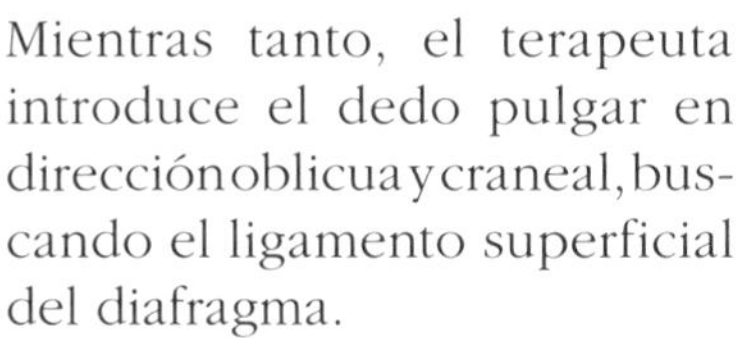

Mientras tanto, el terapeuta introduce el dedo pulgar en dirección oblicua y craneal, buscando el ligamento superficial del diafragma.
Una vez localizado, se masajea en dirección columna-costado, lateralmente.
La manipulación bilateral se hará cuantas veces sean necesarias hasta tener el ligamento totalmente relajado.

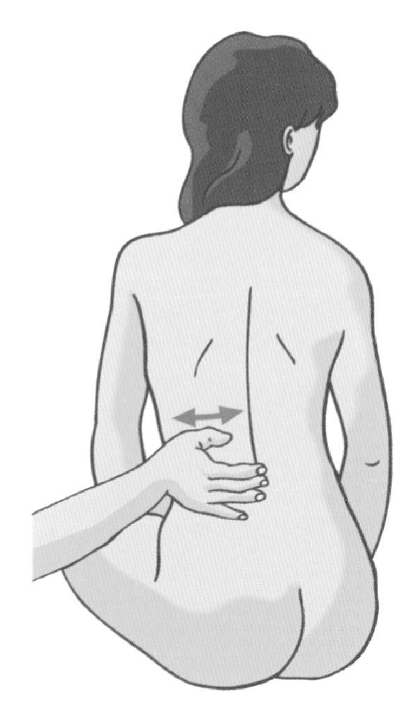

Ligamentos posteriores del diafragma

HEMICÚPULA DEL DIFRAGMA

Puesto que esta maniobra es preciso realizarla unilateralmente, al elastificar la hemicú

pula derecha es preciso recordar que se está trabajando sobre el hígado y que hay que tener un especial cuidado, porque si hay algún problema hepático, la zona estará muy sensible.
En cualquier caso, no conviene excluir la elastificación de este lado derecho porque, incluso, es la más importante de las dos y está muy indicada cuando existen problemas del aparato digestivo, ya que este tipo de elastificación favorece la vascularización de hígado, bazo, páncreas, vesícula biliar, etc.
Para realizar esta manipulación, el paciente permanecerá en decúbito lateral sobre el lado que se va a elastificar, con las piernas flexionadas y la cabeza ligeramente elevada, apoyándola sobre su mano.
Se pretende que toda la musculatura del lado que se va a tratar ofrezca la menor resistencia posible.
El terapeuta se sitúa a espaldas del paciente, inmovilizando con su propio cuerpo la hemicúpula que permanece en la parte superior y que es la que no se va a elastificar.
Con la mano contraria apoyada en los cartílagos costales de las últimas costillas, procederá a la elastificación en las fases siguientes:

1º Fase:
En la espiración sujeta el hemitórax contrario para inmovilizarlo y evitar que suba la parrilla costal.

2º Fase:
En inspiración, la mano que se encuentra sobre los cartílagos, empuja suavemente las costillas hacia la camilla, abriendo esa parte de la caja torácica.

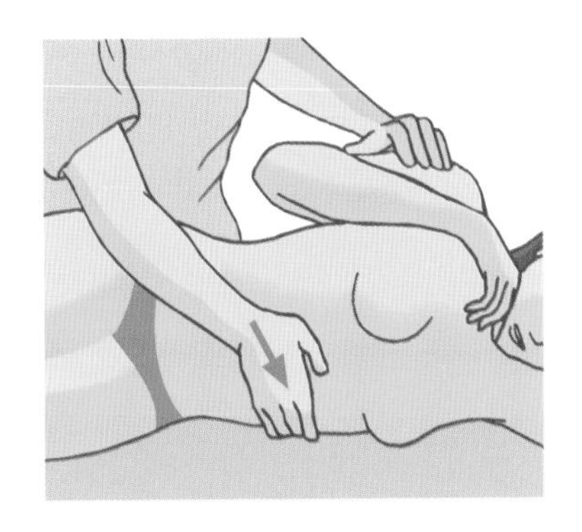

Hemicúpula diafragmática

INTERCOSTALES INTERNOS, EXTERNOS Y SUPRACOSTALES

Conviene tener muy en cuenta que la elastificación costal de los segmentos superiores en supino está contraindicada en todas las cardiopatías.
En cualquier caso, la presión que se ejercerá en esta elastificación ha de ser suave y siguiendo el movimiento respiratorio.
Existen varias modalidades para realizar estas elastificaciones, pero las más utilizadas son la técnica directa y la de palanca.

Técnica directa.
Para realizar la técnica directa, el paciente permanecerá en decúbito prono.
El terapeuta ha de estar a la cabecera de la camilla, colocando sus manos sobre la parte posterior de la parrilla costal, centrándose en los segmentos que trata de elastificar.
Se pide al paciente que respire lenta y profundamente, y va presionando en la fase de espiración a la vez que imprime un ligero ballesteo forzando el propio de las costillas.
Esta elastificación está indicada para los supracostales.

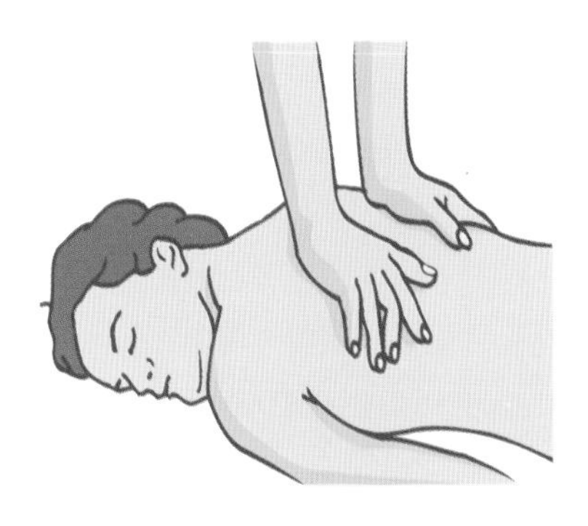

Supracostales
Técnica directa de elastificación

Tecnica de palanca.
La técnica por palanca puede hacerse con el paciente en decúbito lateral, en prono o en supino. En cualquiera de los casos anteriores, la elastificación se realiza de igual manera y lo único que cambia es la posición del paciente.
Para hacerla en decúbito supino, el terapeuta se sitúa a la cabecera de la camilla, coge el brazo del paciente del lado que se va a elastificar, para utilizarlo como palanca, y coloca el borde cubital de la mano libre presionando sobre los segmentos costales en inspiración, en dirección craneal, o en espiración, en dirección caudal.

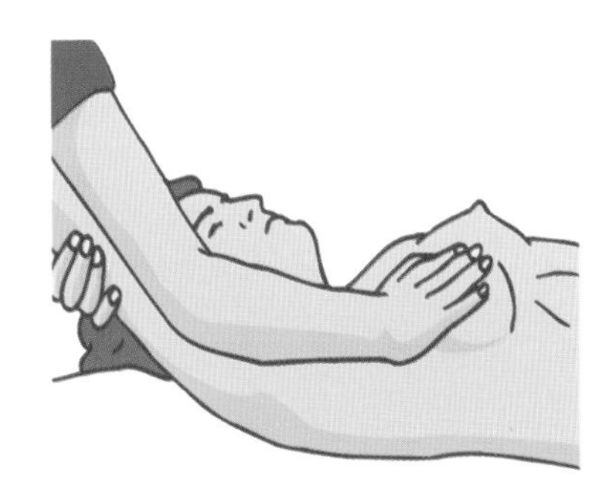

Técnica por palanca en supino

CINTURA ESCAPULAR

El tercio superior de la región dorsal de la columna está relacionado con los miembros superiores a través de la cintura escapular.
En la escápula, omóplato o paletilla, que de las tres maneras puede nombrarse a este hueso plano y triángular localizado en la parte posterior del hombro, se realizan cuatro tipos diferentes de movimientos:

1º.- Desplazamiento lateral del omóplato.

2º.- Movimientos de traslación lateral del omóplato.

3º.- Movimientos de traslación vertical del omóplato.

4º.- Movimientos de vasculación o campaneo del omóplato.

Musculatura Escapular

La musculatura de esta parte del cuerpo está compuesta por el trapecio, romboides, angular del omóplato, serrato mayor, pectoral menor y subclavio.

TRAPECIO

Este gran músculo se encarga de elevar el hombro, rotar la escápula al levantar el hombro en abducción completa y flexión del brazo y tracciona el omóplato hacia atrás. Tiene su origen en la lima occipital superior, ligamento cervical posterior, apófisis espinosa de la 7ª cervical y de todas las dorsales. Se inserta en la clavícula, acromión y espina del omóplato.

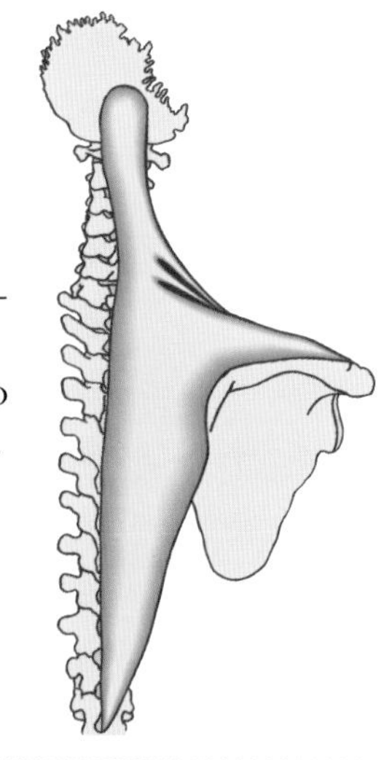

M. Trapecio

ROMBOIDES MAYOR

Se encarga de la retracción y elevación del omóplato. En las apófisis espinosas de la 2ª, 3ª, 4ª y 5ª vértebras torácicas tiene su origen, y va a insertarse en el borde interno del omóplato.

M. Romboides mayor

ROMBOIDES MENOR

Realiza la aducción y elevación del omóplato. Tiene su origen en las apofisis espinosas de la 2ª hasta la 5ª vértebras torácicas, y parte inferior del ligamento de la nuca. Se inserta en el borde interno del omóplato, a la altura de la raíz de la columna vertebral.

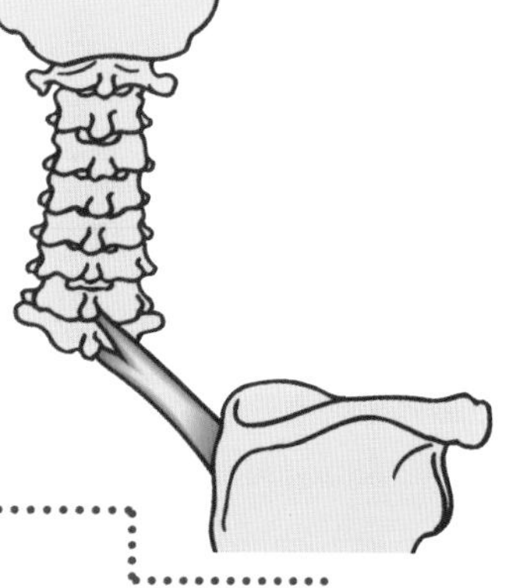

M. Romboides menor

ANGULAR DEL OMÓPLATO

Tiene su origen en las apófisis transversas de las cuatro vértebras cervicales superiores y se inserta en el borde interno del omóplato. Es el encargado de elevar el omóplato.

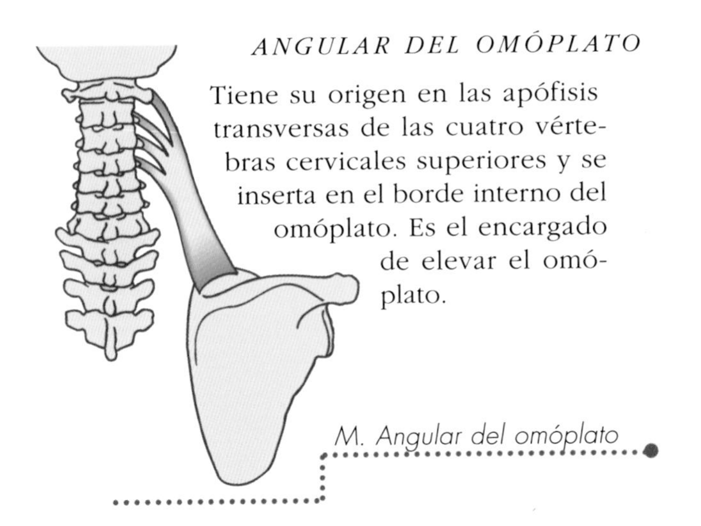

M. Angular del omóplato

SERRATO MAYOR

Realiza las acciones de tracción del omóplato para elevar el hombro durante la abducción del brazo. Su origen está en las 8 ó 9 costillas superiores, y se inserta en el borde interno del omóplato.

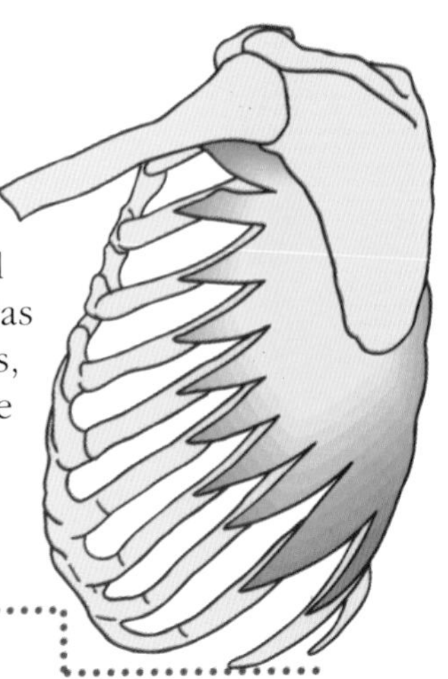

M. Serrato mayor

PECTORAL MENOR

Es el encargado de tirar del hombro hacia adelante y hacia abajo. Tiene su origen en la 3ª, 4ª y 5ª costillas y se inserta en la apófisis coracoides del omóplato.

M. Pectoral menor

SUBCLAVIO

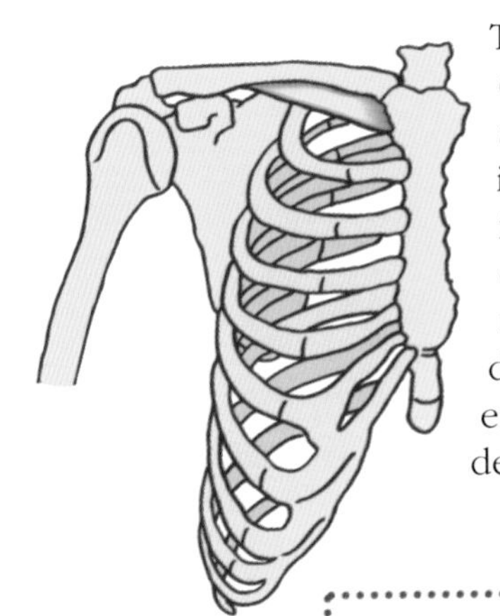

Tiene su origen en la 1ª costilla y su cartílago. Se inserta en la superficie inferior de la clavícula y es el responsable de la depresión del extremo externo de la clavícula.

M. Subclavio

ARTICULACIÓN ESCAPULOTORÁCICA

Desde el punto de vista anatómico, la articulación escapulotorácica no es una verdadera articulación. Los elementos que la componen están sueltos, lo que permite una gran amplitud y variedad de movimientos en los brazos que, además, son exclusivos de la especie humana.

En el cinturón escapular hay que distinguir la zona anterior con la articulación esternoclavicular y la zona posterior, con el omóplato o escápula. En la zona anterior, la clavícula se une al esternón por uno de sus extremos y al acromión o apófisis acromial, que es una prolongación lateral de la espina del omóplato, por el otro. A la clavícula van a insertarse las porciones claviculares del trapecio, esternocleidomastoideo, pectoral mayor y deltoides.

El omóplato, situado en la parte posterior de la zona dorsal, es un hueso plano. Está unido a la clavícula por medio del acromión, y al húmero a través de la cavidad glenoidea formando la única articulación real de la zona.

El buen mantenimiento funcional de esta zona es primordial y difícil, puesto que el cinturón escapular está relacionado con el cuello, región dorsal de la columna, costillas y extremidades superiores, mediante la inserción de numerosos músculos, y no hay que excluir, al hacer un diagnóstico, la repercusión que sobre esta zona tienen los problemas emocionales.

Como ya queda dicho que la escapulotorácica no es una verdadera articulación, en su restablecimiento suelen emplearse técnicas pasivas en las que el paciente no tiene que hacer ninguna presión contra resistencia, y técnicas miotensivas o de fatigamiento muscular, que son las que se describirán.

Estiramientos de la Musculatura Elevadora

Con el paciente en decúbito lateral, el terapeuta se sitúa frente a él y pasa un brazo por debajo del brazo del paciente que queda en esta posición, en la parte superior del cuerpo, sujetando el ángulo inferior de la escápula, mientras que con la otra mano sujeta la parte superior de este hueso. Se pide al paciente que eleve el hombro contra resistencia, en la fase de inspiración, y en la espiración o fase de relajación, el terapeuta aumentará la depresión escapular presionando en sentido descendente.

Estiramiento de la musculatura inferior

Se hace igual que para la musculatura superior, efectuando el movimiento escapular en sentido ascendente.

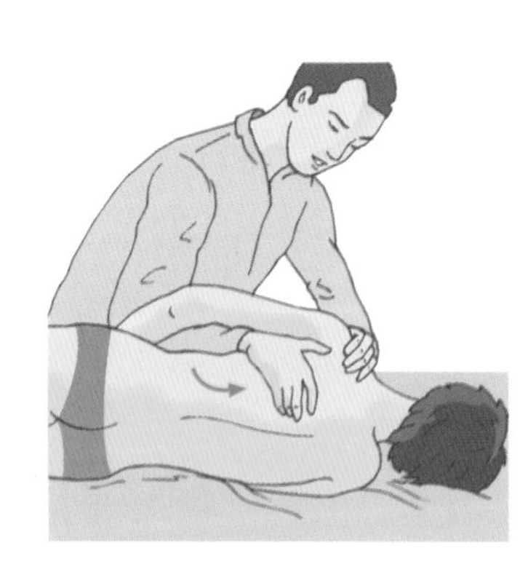

Estiramiento de la musculatura lateralizadora

El paciente estará en decúbito lateral como en las anteriores. El terapeuta, frente a él, pasando su brazo por debajo del paciente como queda descrito para las anteriores elastificaciones, hace presa con los dedos en la parte interna de la escápula. En una primera fase, aprovechando el peso del cuerpo del terapeuta, se efectúa un movimiento descendente de la escápula.

En la segunda fase, se tira de la escápula hacia arriba, teniendo como resistencia el cuerpo del propio paciente.

Si se quiere hacer miotensiva (o por fatigamiento muscular), se pide al paciente que aproxime o separe la escápula contra resistencia, según convenga, y se van ganando grados de movilidad en la fase de reposo y en el sentido de corrección.

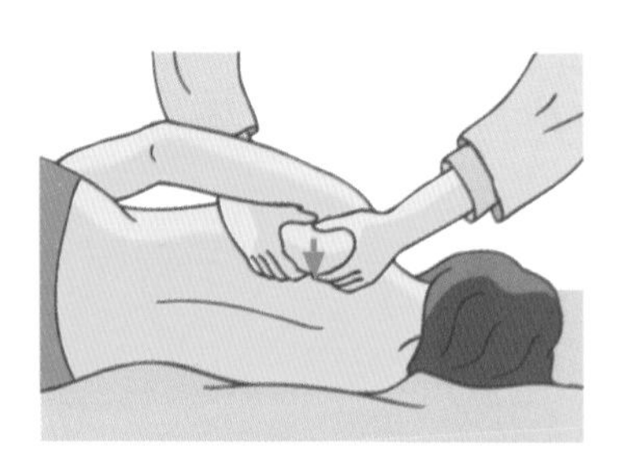

1ª Fase

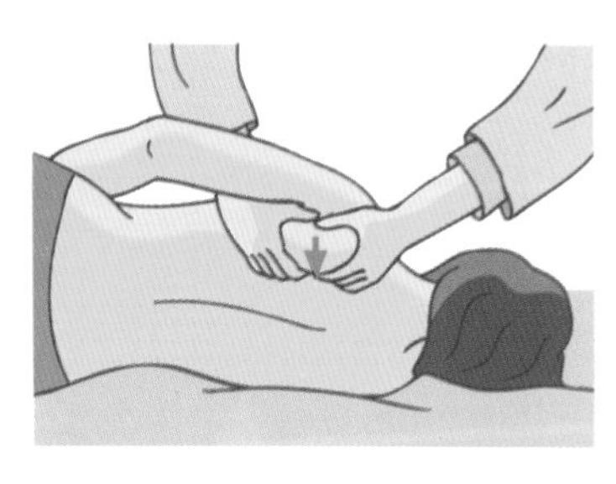

2ª Fase

Estiramiento de pectorales y rotadores

Antes de realizar esta maniobra, es preciso comprobar de qué lado hay acortamiento muscular, para lo cual con el paciente en supino, el terapeuta se colocará a la cabecera de la camilla y cogerá ambas manos, realizando una flexión de hombro al estirar los brazos. El brazo más corto indica el lado con acortamiento muscular que será sobre el que se trabajará.

Cuando ya se ha comprobado el lado que hay que estirar, con el paciente en supino, el terapeuta se sitúa al lado contrario al que ha de estirar.

Con una mano, inmoviliza la escápula sobre la camilla y con la otra coge el brazo por encima del codo. En esta posición, se pide al paciente que vaya subiendo el brazo mientras que él le ofrece resistencia y va ganando grados de movilidad en la relajación.

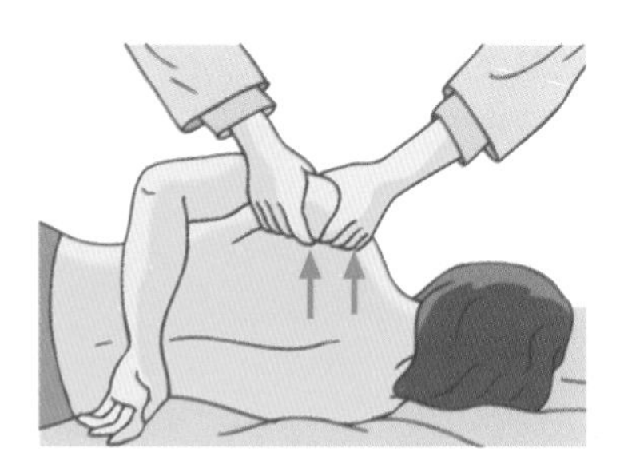

Comprobación

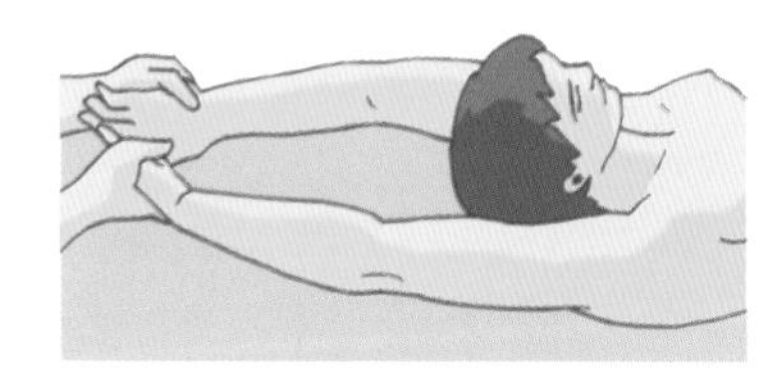

Estiramiento

Estiramiento muscular global

Paciente y terapeuta en las posiciones descritas. El terapeuta atrapa la parte inferior de la escápula con una mano y con la otra en la parte superior, hace una circunducción o giro completo escapular que incluye los tipos de desplazamientos ya citados. En esta movilización no interviene el paciente.

Región cervical de la columna y cuello

En la región cervical culminan todas las compensaciones de la columna vertebral y a ella van a parar gran parte de las tensiones que producen el estrés y los problemas emocionales y de origen nervioso.

El cuello es una zona importante de paso de nervios, arterias, etc., por lo que la región cervical de la columna es un lugar especialmente propenso, no sólo a lesiones que repercutan en la propia zona, sino que, además, desde las cervicales se irradian a diferentes partes del organismo.

Lo más característico de las alteraciones cervicales es el dolor de cabeza, pero también son producto de las lesiones cervicales muchos hombros y brazos dolorosos, trastornos de la vista y oídos, dolores en algunas partes del rostro, etc.

MÚSCULOS MÁS IMPORTANTES

Los principales músculos del cuello son:

- *Trapecio*
- *Esternocleidomastoideo*
- *Angular del omóplato*
- *Romboides menor*
- *Esplenios (de la cabeza y del cuello)*
- *Digástrico*
- *Rectos (lateral, posterior mayor y posterior menor de la cabeza)*
- *Escalenos (anterior, medio y posterior)*

TRAPECIO

El músculo trapecio tiene su origen en el tercio interno de la línea curva superior del occipital, ligamento de la nuca y apófisis espinosas de la séptima vértebra cervical y de todas las dorsales.

Se inserta en la clavícula, acromión y espina del omóplato. Se encarga de la rotación del omóplato para elevar el hombro con la abducción del brazo. También tiene a su cargo la tracción del omóplato hacia atrás.

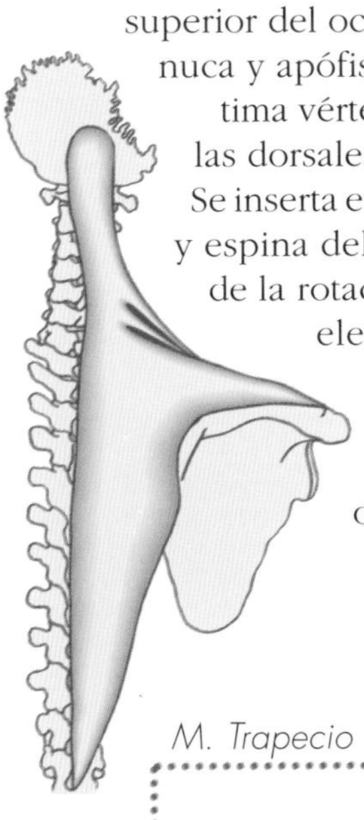

M. Trapecio

ESTERNOCLEIDOMASTOIDEO

Una de las dos cabezas en las que este músculo tiene su origen, está en el esternón, mientras que la otra lo tiene en la clavícula.

Se inserta en la apófisis mastoides y línea superior de la nuca del hueso occipital.

Realiza la flexión de la columna vertebral y rotación de la cabeza.

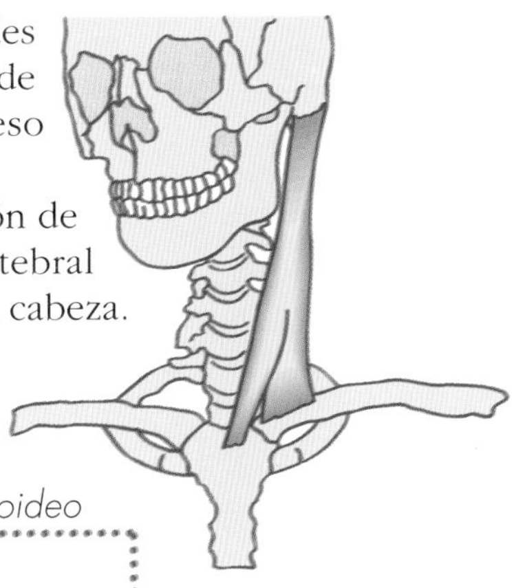

M. Esternocleidomastoideo

ANGULAR DEL OMÓPLATO

Con origen en las apófisis transversas de las cuatro vértebras cervicales superiores, va a insertarse en el borde interno del omóplato. Su función es la de elevar este hueso.

M. Angular del omóplato

ROMBOIDES MENOR

Tiene su origen en la apófisis espinosa de la séptima vértebra cervical y primera dorsal, y en la parte inferior del ligamento de la nuca. Se inserta en el borde interno del omóplato, colabora en la elevación y aducción de éste.

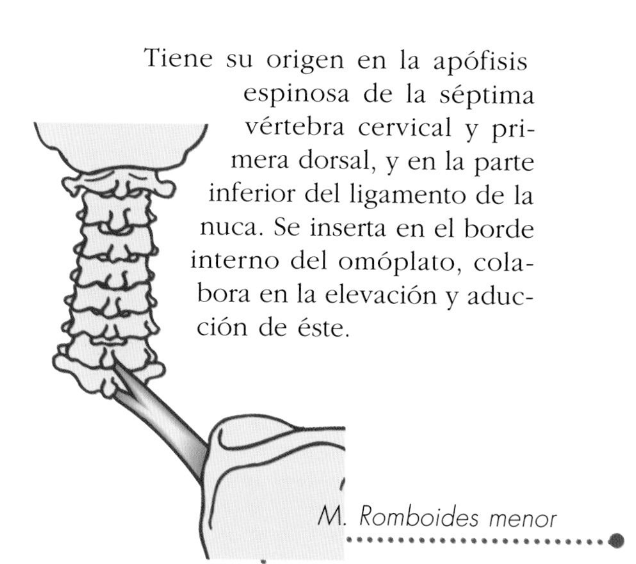

M. Romboides menor

ESPLENIOS DE LA CABEZA Y EL CUELLO

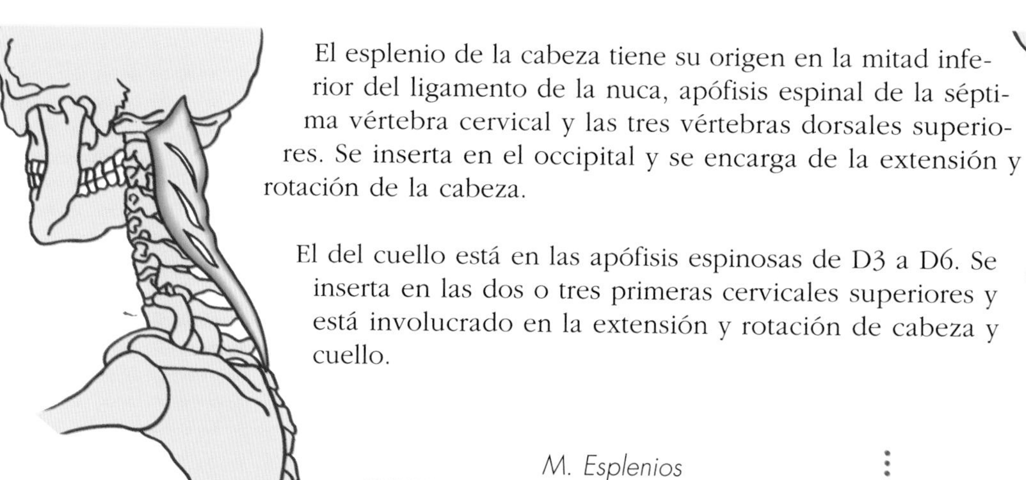

El esplenio de la cabeza tiene su origen en la mitad inferior del ligamento de la nuca, apófisis espinal de la séptima vértebra cervical y las tres vértebras dorsales superiores. Se inserta en el occipital y se encarga de la extensión y rotación de la cabeza.

El del cuello está en las apófisis espinosas de D3 a D6. Se inserta en las dos o tres primeras cervicales superiores y está involucrado en la extensión y rotación de cabeza y cuello.

M. Esplenios

DIGÁSTRICO

El vientre posterior de este músculo se origina en una ranura excavada en la cara profunda de la apófisis mastoides. El vientre anterior se fija en la cara posterior de la sinfisis del mentón.
Se inserta en el tendón intermedio sobre el hueso hioides. Eleva el hueso hioides y hace descender el maxilar inferior.

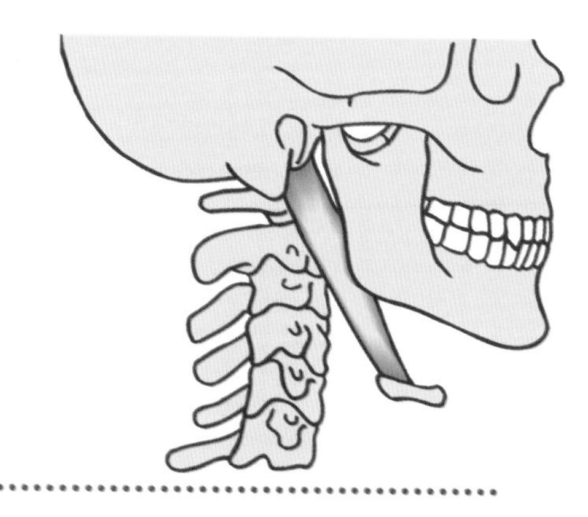

M. Digástrico

RECTO LATERAL DE LA CABEZA

Con origen en la superficie de la apófisis transversa del atlas, va a insertarse en la apófisis yugular del hueso occipital y se encarga de la flexión y sostén de la cabeza.

M. Recto lateral de la cabeza

RECTO POSTERIOR MAYOR DE LA CABEZA

Tiene le origen en la apófisis espinosa del axis y se inserta en el hueso occipital, encargándose de la extensión de la cabeza.

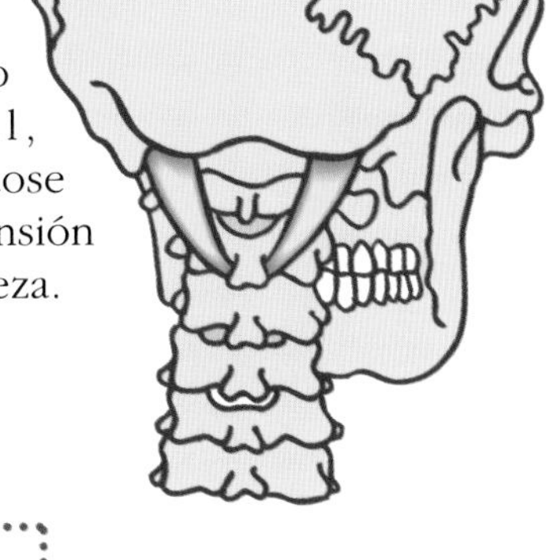

M.Recto posterior

ESCALENO POSTERIOR

Con origen en los tubérculos de las vértebras C4, C5 y C6, e inserción en la cara externa del borde superior de la segunda costilla, se encarga de elevar ésta.

M. Escaleno posterior

ESTILOGLOSO, ESTERNOCLEIDOHIOIDEO, ESTERNOTIROIDEO Y OMOHIOIDEO

Son otros músculos de la zona también importantes, todos ellos situados en la parte anterior del cuello.

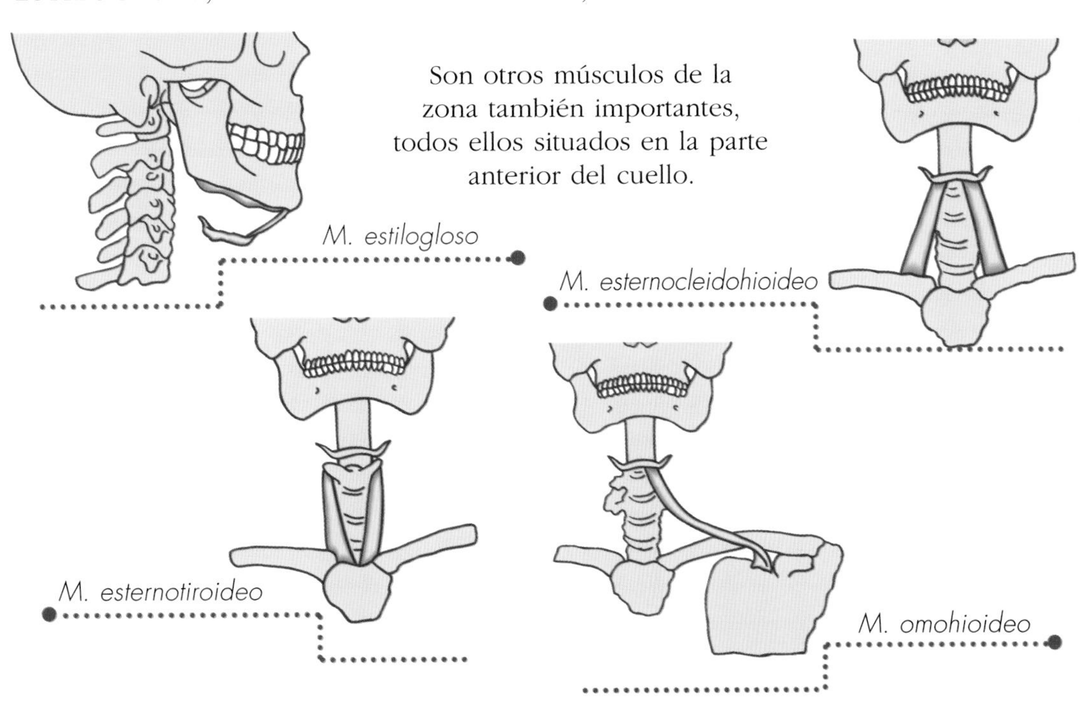

ELASTIFICACIÓN DE LOS MÚSCULOS DE LA REGIÓN CERVICAL Y CUELLO

MUSCULATURA EXTENSORA

El paciente se situará en decúbito supino. El terapeuta a la cabecera de la camilla, con los brazos cruzados, apoya las manos sobre los hombros del paciente, de manera que la izquierda repose sobre el hombro derecho y la derecha sobre el izquierdo.
La cabeza del paciente quedará así reposando sobre los brazos del terapeuta.
En la fase de inspiración, el paciente intentará echar la cabeza hacia atrás.
El terapeuta resiste la presión con sus brazos y va ganando movilidad, lentamente, en la fase de espiración.

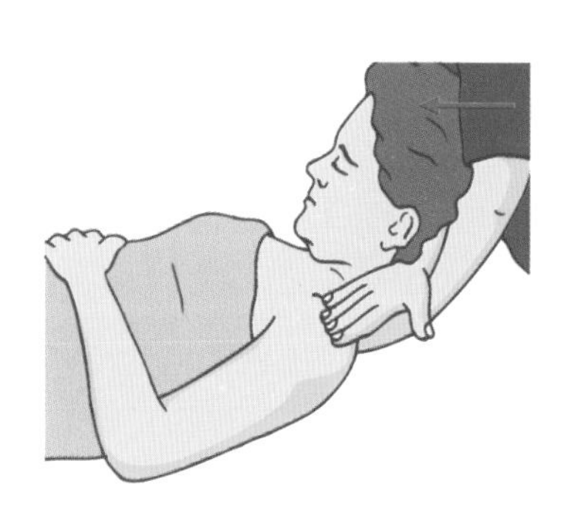

MUSCULATURA FLEXORA

Paciente en decúbito prono.
El masajista, desde la cabecera de la camilla, sujetará con una mano la zona dorsal alta del paciente.
Con la otra, coge el mentón, llevándolo suavemente a la posición de extensión, deteniéndose en el momento en que encuentre resistencia. Partiendo de esta posición, pide al paciente que trate de flexionar el cuello al inspirar, mientras él le ofrece resistencia.
Va ganando, con mucho cuidado y lentitud, grados de movilidad en la fase de espiración o reposo.

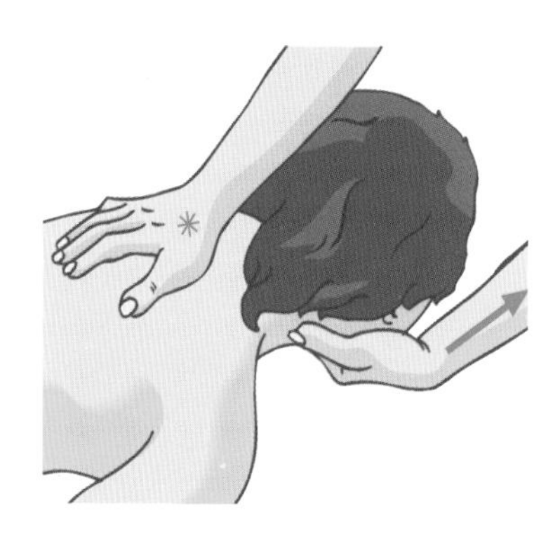

MUSCULATURA ROTADORA

Paciente en decúbito supino y terapeuta a la cabecera de la camilla. La cabeza del paciente estará girada hacia uno de los lados, sujetando el masajista con una mano el hombro, mientras que la otra estará apoyada en la región temporo-mandibular (entre el hueso temporal y la mandíbula). Utilizando, como en las anteriores, la resistencia y la respiración, se irán ganando grados de movilidad, primero de un lado y luego del otro.

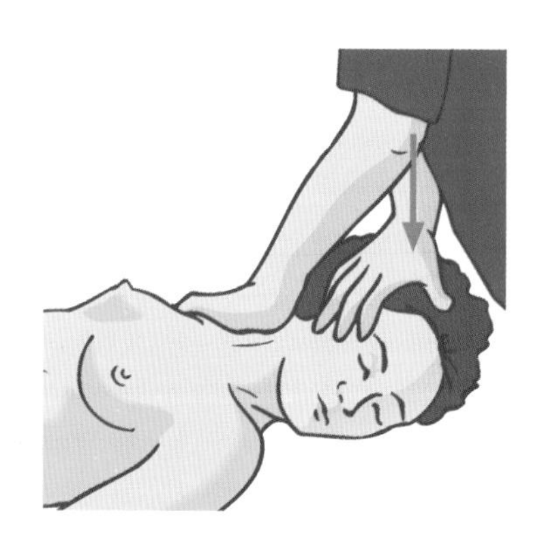

MUSCULATURA LATERALIZADORA

El paciente permanecerá en supino mientras que el terapeuta, quien se hallará situado detrás de su cabeza, coge con una mano el occipital y lateraliza la cabeza (primero a un lado y luego al otro), a la vez que apoya su cuerpo en la zona temporal para maniobrar con más comodidad.
Con la otra mano sobre el hombro contrario, al lado de la lateralización de la cabeza, inmoviliza el tronco para arrastrar éste durante el estiramiento muscular.
Mientras el paciente trata de llevar su cabeza en dirección al hombro que está fijado, en la inspiración, el terapeuta resiste el empuje y gana movilidad en la espiración.

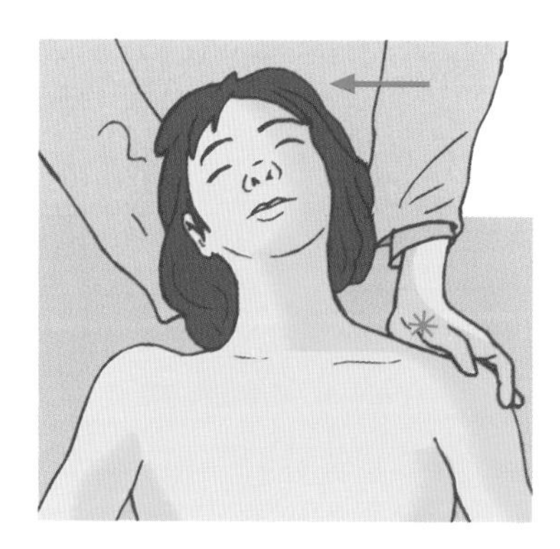

GLOSARIO

Abceso: Acumulación de pus en un tejido orgánico.

Abducción: Conducir hacia afuera o separar de la línea media.

Acetábulo o cavidad cotiloidea: Cavidad grande, en forma de copa, de la superfície externa de los huesos coxales en la que se articula la cabeza del fémur.

Adherencia: Unión estable de partes entre sí, que puede ocurrir anormalmente.

Adipo: Prefijo que indica relación con la grasa.

Adiposo: De naturaleza grasa.

Aducción: Acercar un miembro u otro órgano al plano medio.

Anestesiante: Que produce pérdida de sensiblidad.

Anestesiar: Pérdida de sensibilidad.

Anquilosis: Inmovilidad y consolidación de una articulación por enfermedad, lesión o procedimiento quirúrgico.

Anquilosis: Inmovilidad y consolidación de una articulación.

Antenointerna: Superficie anterior e interna de un órgano o una estructura.

Antenoposterior: Superficie anterior y posterior de un órgano o una estructura.

Antivaricoso: Contra las varices.

Apéndice xifoides: Apéndice con forma de espada situado en el extremo inferior del cuerpo del esternón.

Apéndice: Término general utilizado en anatomía para designar una parte suplementaria, accesoria o dependiente, unida a una estructura principal.

Apófisis: Cualquier eminencia o engrosamiento natural de un hueso, especialmente la que no se ha sepa rado por completo del hueso del cual forma parte.

Aponeurosis: Membrana fibrosa, blanca, lúcida y resistente que sirve de envoltura a los músculos o para unirlos con las partes que se mueven.

Asa Intestinal: Curva de los intestinos.

Atrofia: Disminución de las dimensiones de células, tejidos, órganos o partes de ellos.

Braquial: Perteneciente o relativo a un brazo.

Cartilaginoso: Perteneciente o relativo al cartílago.

Circunducción: Movimiento circular activo o pasivo de una extremidad o del ojo.

Colágena: Sustancia proteínica de las fibras blancas de piel, tendones, huesos y todo el tejido conectivo.

Colagógico: Que estimula el flujo de bilis al duodeno.

Colerético: Que estimula la producción de bilis por el higado.

Contractilidad: Capacidad de acostarse en respuesta a un estímulo adecuado.

Costal: Perteneciente o relativo a las costillas.Posición asumida al acostarse. (Prono, supino, ventral, dorsal,

Costal: Perteneciente o relativo a las costillas.Posición asumida al acostarse. (Prono, supino, ventral, dorsal,
lateral).

Diáfisis: Parte de un hueso largo localizada entre los extremos (epífisis).

Diáfisis: Porción cilíndrica alargada o cuerpo de un hueso largo, localizada entre los extremos o epífisis.

Distal: Alejado. Que se aparca de cualquier punto de referencia. Opuesto a proximal.

Dorsal: Relativo a la espalda o al dorso.

Drenaje: Extracción sistemática de líquidos.

Dural: Perteneciente o relativo a la duramadre.

Duramadre: Duramater.

Duramater: La más externa, gruesa y fibrosa de las tres meninges que rodean al encéfalo y a la médula espinal.

Edema: Presencia de volumen excesivamente grande de líquido en los espacios intercelulares del cuerpo.

Eminencia tenar: Eminencia de la palma de la mano situada en la base del pulgar.

Endoarticular: Perteneciente a la parte interna de una articulación.

Enfisema: Acumulación patológica de aire en los tejidos o los órganos. Sobredistensión o exceso de distensión de los pulmones.

Epífisis: Extremo de un hueso largo, generalmente más ancho que la diáfisis y por completo cartilaginoso o separado de la diáfisis por un disco cartilaginoso. Glándula pineal.

Epigastrio: Región superior y media del abdomen, entre ambos hipocondrios (derecho e izquierdo) que abarca desde el apéndice xifoides hasta dos dedos por encima del ombligo.

Equimosis: Mancha hemorrágica pequeña, mayor que una petequia, en la piel o las mucosas, que forma una placa no elevada, redondeada o irregular, azúl o púrpura.

Esclenosar: Producir esclerosis. Endurecer.

Esclerosis: Endurecimiento de una parte por inflamación. Endurecimiento del sistema nervioso que depende de biperplaria del tejido conectivo. Endurecimiento de los vasos sanguíneos.

Espasticidad: Hipertonicidad o aumento del tono muscular normal del músculo, con exaltación de los reflejos tendinosos profundos.

Estasis: Detención o disminución del flujo sanguíneo o de cualquier otro líquido del cuerpo.

Exudado: Sustancia (líquido, células o restos celulares) que ha escapado de los vasos sanguíneos y se ha depositado en los tejidos o en superficies tisulares, generalmente como resultado de inflamación.

Facial: Perteneciente o relativo a la cara.

Fascia: Capa o banda de tejido fibroso, por ejemplo, la que forma el revestimiento para músculos y diversos órganos del cuerpo.

Fascial: Relativo a una aponeurosis o de su naturaleza.

Fibrosis: Formación del tejido fibroso. Degeneración fibroide o fibrosa.
Fibrositis: Formación de tejido fibroso.

Fibrótico: Relativo a la fibrosis o caracterizado por ella.

Glándula sudorípara: Glándulas que segregan sudor, situadas en el coxión o tejido subcutáneo y que se abren por un conducto en la superficie del cuerpo.

Glándula: En anatomía, agregación de células especializadas para secretar o excretar materiales no relacionados con sus necesidades metabólicas ordinarias.

Hepatomegalia: Crecimiento del higado.

Hernia: Protusión de un asa o una parte de un órgano o tejido a través de un orificio anormal.

Hiperemia: Congestión o exceso de sangre en una parte.

Hiperfermentación: Exceso de fermentación.

Hiperplasia: Multiplicación o aumento anormal del número de células normales dispuestas normalmente en un tejido.

Hipertonia: Estado de tono excesivo de los músculos esqueléticos o aumento en la resistencia del músculo

al estiramiento pasivo.

Hipertonicidad: Hipertonia.

Hipocondrio: Región superior y lateral del abdomen, a cada lado del epigastrio.

Hipofunción: Función disminuida.

Hipotenar: Eminencia localizada en el borde interno o cubital de la palma de la mano.

Hipotónico: Con falta de tono muscular.

Imbricado: Sobrepuesto a manera de tejas.

Inervación: Distribución de terminaciones nerviosas hacia una parte.

Inferointerna: Superficie inferior e interna de un órgano o una estructura.

Inserción: Adherencia que se produce en un músculo, tendón o ligamento a una determinada estructura, en especial a un hueso.

Intercostal: Que está situado entre las costillas.

Intersticial: Situado en los interespacios de un tejido.

Intersticio: Tejido intersticial.

Isométrica: Técnica de elastificación muscular donde el estiramiento del músculo es igual a la contracción que se realiza.

Isquemia: Deficiencia de riego sanguíneo en una zona a causa de constricción funcional o destrucción real

de un vaso sanguíneo.

Luxación: Dislocación de un hueso.

Masoterapia: Curación por medio de amasamientos o masajes. Se deriva del griego (Massien = amasar y masajear. Terapia = curación.)

Metabolismo: Suma de los procesos físicos y químicos por medio de los cuales se produce y conserva (anabolia) la sustancia viva organizada. Transformación por medio de la cual queda energía disponible para que la emplee el organismo (catabolia).

Metabolito: Sustancia producida por metabolismo o por un proceso metabólico.

Microcirculación: Flujo de sangre en todo el sistema de vasos minúsculos (de 100 micras o menos de diámetro) del cuerpo.

Mio-, Mi-: Prefijo utilizado para denotar "relación con un músculo".

Miotasis: Estiramiento muscular.

Miotensivo: Que produce tensión muscular.

Motricidad: Facultad de producir movimiento. Fuerza de movimiento.

Mucina: Mucopolisacárido o glucoproteína constituyente principal del moco.

Neuralgia: Dolor paroxístico que se extiende por la trayectoria de uno o más nervios.

Osteofibroso: Constituido por tejido fibroso y hueso.

Neurológico: Relativo al Sistema nervioso.

Occipital: Uno de los huesos del cráneo o relativo a él.

Occipucio: Parte posterior de la cabeza.

Oclusión: Acción y efecto de cerrar o quedar cerrado. Obstrucción o cierre.

Periarticular: Situado alrededor de una articulación.

Periartritis: Inflamación de los tejidos que rodean una articulación.

Peristalsis: Movimiento vermiforme por el cual el tubo digestivo u otros órganos tubulares impulsan su contenido.

Peristáltica: Relativo a la peristalsis.

Peristaltismo o función peristáltica: Movimiento del tubo digestivo u otros órganos tubulares, consistente en una onda de contracción que pasa a lo largo del tubo, impulsando su contenido.

Petequia: Mancha rojo-purpúrea, del tamaño de una punta de alfiler, perfectamente redondeada, producida por una hemorragia intradérmica o subcutánea.

Poplíteo: Perteneciente o relativo a la superficie posterior de la rodilla.

Prona/o: Que yace boca abajo.

Pronación: Acción y efecto de asumir la posición prona.

Protusión: Proyección.

Ptialina: Encima alfacanilasa que se encuentra en la saliva.

Puerperio: Período o estado de confinamiento después del parto.

Quiromasaje: Masaje manual, (del griego quirós = mano y massien =amasar,), masajear.

Quiromasajista: Masajista manual.

Quiropráctica: Terapia basada en la manipulación, creada por D. Palmer en EE.UU.

Quiropraxia: Práctica manual. (Del griego quirós = mano y praxis = práctica).

Quiroterapeuta: Persona que cura con las manos. (Del griego quirós = mano, Terapia = curación).

Quiste: Cavidad o saco cerrado normal o anormal, revestido de epitelio, que contiene líquido o sustancia semisólida.

Reducción: Corrección de una fractura, luxación o hernia.

Secreción: Elaboración de un producto específico como resultado de la actividad de una glándula.

Secretor: Perteneciente o relativo a la secreción.

Subluxación: Luxación incompleta o parcial.

Subyacente: Que yace o está debajo de otra cosa.

Supina/o: Que se encuentra con la cara hacia arriba.

Supinación: Acción y efecto de colocar en posición supina.

Tejido conectivo: Tejido conjuntivo.

Tejido conjuntivo: Tejido que enlaza y es el sostén de las diversas estructuras del cuerpo.

Tenar: Eminencia de la palma de la mano situada en la base del pulgar.

Tendinosos: Relativo a los tendones.

Tendón: Cordón fibroso de tejido conjuntivo donde terminan las fibras de un músculo y por medio del cual éste se inserta en un hueso o en otra estructura.

Terapeuta: Persona que se dedica a la curación (del griego Terapia = curación).

Terapéutica: Ciencia y arte de la curación.

Terapia: Terapéutica.

Tuberosidad: Elevación o protuberancia. Término general en anatomía para designar estructuras de este tipo.

Ungueal: Perteneciente o relativo a las uñas.

Varicoso: Perteneciente o relativo a las varices.

Vascular: Relativo a los vasos sanguíneos. También indica un copioso riego sanguíneo.

Ventral: Referente al abdomen o el vientre.

Vermicular: Que tiene forma o aspecto de gusano.

Vermiforme: Con forma de gusano.

Víscero: Prefijo usado en medicina que denota relación con los órganos (vísceras) del cuerpo.

Visceroespasmo: Espasmo de algún órgano.

BIBLIOGRAFÍA

- El masaje terapéutico y deportivo. Dr. Vázquez Gallego.
Ediciones Mandala.

- El arte del masaje. Equipo de la Rev. Integral.
Integral Ediciones.

- Do-In Técnica oriental de auto-massagem. Jacques de Langre.
Ed. Ground Informaçao. Rio de Janeiro

- Aromaterapia Práctica. Shirley Price.
Ediciones Aldaba.

- Masaje reflexológico de los pies. El método Ingham original. D.C. Byers.
Colec. Mandrágora.
Ed. Ibis, 1991.

- Terapia de las zonas reflejas de los pies. H. Marquardt.
Ed. Urano, 1986.

- Reflexología Holística. A. Guinberg.
Ed. Bellaterra, 1990.

- Manual del Curso de quiromasaje terapéutico. Virginia Corzo. Madrid.

- Manual del curso de Osteopatía sacrocreaneal. Escuela Gaia. P. Medina.
Madrid.

- Diccionario Médico de bolsillo Dorland. M.C. Graw-Hill.
Interamericana de España, 1989.

- La Acupuntura. Dr. J. Madrid Gutiérrez.
Ed. LIBSA, 1993.

- Masajes terapéuticos, digitopuntura y quiromasaje. E. Gallego Duque.
Colección Medicina natural.
Ed. LIBSA, 1993.